GUIDE
D'ACHAT
DES
BIÈRES
AU QUÉBEC

PHILIPPE
WOUTERS

GUIDE D'ACHAT DES BIÈRES AU QUÉBEC

 Broquet

97-B, montée des Bouleaux
Saint-Constant (Québec), Canada J5A 1A9
Tél. : 450 638-3338 Téléc. : 450 638-4338

www.broquet.qc.ca   info@broquet.qc.ca

Catalogage avant publication de Bibliothèque et Archives nationales du Québec et Bibliothèque et Archives Canada

Wouters, Philippe, 1978-

Guide d'achat des bières au Québec

Nouvelle édition revue et augmentée.

Comprend un index.

ISBN 978-2-89654-498-1

1. Bière. 2. Bière - Dégustation. 3. Bière - Québec (Province). I. Titre.

TP577.W68 2015   641.2'3   C2015-941100-9

Nous reconnaissons l'aide financière du gouvernement du Canada. We acknowledge the financial support of the Government of Canada. Nous remercions également livres Canada books™, ainsi que le gouvernement du Québec : Programme de crédit d'impôt pour l'édition de livres – la Société de développement des entreprises culturelles (SODEC).

Canada Québec ✠✠

©Textes et images : Philippe Wouters (sauf mention contraire)
Éditeur : Antoine Broquet
Infographie : Josée Fortin, Annabelle Gauthier, Nancy Lépine, Sandra Martel
Conception graphique : Brigit Levesque
Révision : Diane Martin, Andrée Laprise
Photos pages 72-73, 112-113, 198-199, 258-259 © stockcreations | Dreamstime.com

Copyright © Ottawa 2015 Broquet Inc.
Dépôt légal – Bibliothèque et Archives nationales du Québec
4e trimestre 2015

ISBN 978-2-89654-498-1

Imprimé en Malaisie

TABLE DES MATIÈRES

AVANT-PROPOS

Vous tenez la seconde édition du *Guide d'achat des bières au Québec*. Une deuxième édition que je voulais aussi simple et pratique que la première, que vous avez beaucoup appréciée.

Au cours des dernières années, les habitudes du consommateur ont changé. Elles se sont transformées de l'achat habituel de la marque de bière préférée à la découverte des nombreuses bières disponibles sur le marché. On ne compte plus les nouveautés.

Ce guide est un outil d'achat destiné à l'amateur de bières. Il comprend deux volets : une introduction sur les ingrédients et le brassage de la bière, des conseils de service, de stockage et d'accords bières et mets et une liste de plus de 200 bières disponibles au Québec.

Les brasseries québécoises offrent très souvent un plateau de dégustation de leurs produits.

Ma liste est basée sur des coups de cœur, des découvertes, des valeurs sûres et des bières que j'aime déguster, peu importe l'occasion. Chaque fiche de dégustation vous suggère des accords insolites ou gourmands et vous donne une courte description des produits présentés.

Cette édition présente la nouvelle méthode utilisée pour classer les bières. Vous les découvrirez par « capsules sensations » et non plus par style, qui est cependant indiqué sur chaque fiche de dégustation et résulte le plus souvent de l'inspiration du brasseur.

J'ai également ajouté plusieurs informations pertinentes sur les accords bières et mets et les techniques utiles pour mieux profiter de cette nouvelle tendance.

Amateurs de bières, je vous invite à découvrir une bière à la fois et à vous faire plaisir. Il y a une bière pour chacun de vous, à vous de la trouver.

Philippe Wouters, Expert bière

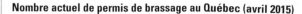

Nombre actuel de permis de brassage au Québec (avril 2015)

3 BRASSERIES – permis de brassage industriel
80 MICROBRASSERIES – permis de brassage industriel
45 BRASSERIES ARTISANALES – permis de brassage artisanal

Contrairement à une microbrasserie, une brasserie artisanale ne peut pas vendre sa bière à l'extérieur de son établissement sauf si elle désire l'exporter.

Les brasseries d'hier brassaient des styles de bières aujourd'hui brassées par les microbrasseries.

LA BIÈRE

Boisson alcoolisée la plus populaire du monde, la bière est cependant méconnue de la plupart des consommateurs. Pourtant, on avale plus de 500 millions de litres de bière chaque jour sur la planète. Au Québec, c'est environ 1,7 million de litres chaque jour.

LE MARCHÉ DE LA BIÈRE AU QUÉBEC

La bière est brassée et consommée depuis des siècles au Québec. Du bouillon, une décoction à base de farine et d'eau que chaque colon se devait de consommer, aux Ales brassées par les premiers brasseurs anglais installés au Canada, la culture brassicole au Québec s'est considérablement ouverte à toutes les inspirations, principalement dominées par des pays tels que l'Allemagne, l'Angleterre et la Belgique mais aujourd'hui rattrapées par l'imagination débordante des brasseurs américains. Nous sommes au tournant de la culture brassicole : pendant de nombreuses années, l'Europe a été la source d'inspiration ; aujourd'hui, elle regarde évoluer avec beaucoup d'intérêt, et parfois de l'incompréhension, une culture brassicole qui se transforme à très grande vitesse.

Depuis 1985, de très nombreuses microbrasseries se sont installées partout sur le territoire. On brasse d'excellentes bières de tous les styles et aucun « chauvinisme brassicole », dicté par l'histoire, ne vient contredire l'exubérante inventivité des artisans brasseurs du Québec. Vous pouvez retrouver, sous un même toit, de la bière inspirée des styles allemands, belges ou anglais sans oublier quelques interprétations américaines, de plus en plus populaires.

Autrefois consommée au détour d'une rencontre dans un bar, derrière sa tondeuse, dans un gradin ou devant sa télévision, la bière a réussi à se tailler une place de plus en plus importante sur la table. On a appris à consommer différemment et à découvrir la culture brassicole, mais le chemin est encore bien long avant de voir une sélection de bières de toutes les saveurs dans la plupart des restaurants.

L'arrivée de nombreuses brasseries artisanales a permis à beaucoup de consommateurs de découvrir un savoir-faire local et de déguster des bières différentes. Fait amusant, on ne consomme plus sa bière mais une liste de bières en fonction d'un moment, d'une situation ou d'un événement.

LES INGRÉDIENTS

De quoi est composée la bière ? D'eau, de céréales, de houblon et de levures pour la plupart des bières. Certains brasseurs y ajouteront des fruits ou des épices, définissant ainsi le caractère de leur bière. Même le temps pourra y ajouter sa touche : bactéries et levures sauvages définissant certains styles de bières.

LES CÉRÉALES

Depuis les origines de la bière, le brasseur a toujours utilisé des céréales. La bière est une des très rares boissons alcoolisées par fermentation obtenue d'une matière sèche et non d'un jus de fruits. Toutes les céréales peuvent produire de la bière ; la principale qualité recherchée est sa teneur en amidon, qui sera transformé en sucre au cours du brassage et en alcool au cours de la fermentation.

Au fil des siècles, le brasseur a privilégié une céréale idéale pour produire de la bière : l'orge. Mais plusieurs autres céréales peuvent être ajoutées dans la cuve de brassage en fonction du style et du goût recherchés. Le brasseur choisira du blé, du seigle, de l'avoine, du riz ou du maïs, par exemple.

L'ORGE

L'orge est une céréale à paille qui pousse dans des climats rustiques ; elle est la céréale la plus commune en brasserie et doit être de qualité. Le producteur sélectionnera une orge avec un taux de germination supérieur à 95 %, un taux d'humidité inférieur à 15 % et un taux de protéines compris entre 9 % et 13 %. La qualité de l'orge est garante de la qualité du brassage.

La couleur des céréales (tel le malt d'orge) influence la couleur de la bière.

Le maltage

L'orge en brasserie est très rarement utilisée crue, celle-ci ne contenant pas naturellement les sucres fermentescibles nécessaires à la fabrication de la bière. Il est donc nécessaire de la malter, une opération qui consiste à faire germer l'orge en développant les enzymes capables de transformer l'amidon en sucre fermentescible : le maltose. Cette opération a besoin d'enzymes contenus dans l'orge après le maltage.

Le malt n'est pas une céréale, mais le résultat du processus de transformation d'une céréale crue en une céréale maltée. On parle de malt d'orge ou d'orge maltée. On peut également utiliser du blé cru et le transformer en blé malté.

Les types de malt d'orge

Pendant le processus de maltage, l'opération appelée touraillage consiste à chauffer la céréale pour sécher le grain et arrêter la germination. Cette opération permet de conserver l'amidon dans la céréale avant que le germe ne le consomme pendant sa croissance.

À la fin du touraillage, on obtient un malt pâle, blond. Le malteur a cependant le choix de le chauffer plus longuement afin que le malt acquière une couleur différente (ambré, roux, brun et jusqu'à noir) et soit utilisé pour donner du caractère à la bière. On obtient les malts caramélisés, quant à eux, en transformant l'amidon en sucre et en caramélisant ce sucre, un procédé légèrement différent.

Au fil du temps, différents types de malts ont été développés et servent à réaliser plusieurs styles de bières. La couleur du malt influencera celle de la bière.

Malt pâle – Sélection de différents malts qui permet d'offrir un malt de couleur pâle donnant un goût de céréales et de pain à la bière. Ce malt est très commun dans les bières.

Malt Vienne – Donne à la bière de la couleur et des saveurs caramélisées.

Malt Münich – Malt aux saveurs plus prononcées, qui donne également une couleur ambrée jusqu'à rousse.

Malt biscuit – Malt légèrement rôti, qui donne une saveur de biscuit à la bière.

Malts crystal – Famille des malts caramélisés existant en différentes nuances de couleurs (affichées en degrés Lovibond [L] allant de 10 à 120). Plus le chiffre est élevé, plus le malt est foncé et caramélisé.

Malt crystal 10 L – Malt légèrement caramélisé.

Malt crystal 120 L – À la limite de la couleur brune, ce malt est utilisé dans des bières de couleur rousse. Les saveurs de caramel sont très prononcées, le brasseur l'utilisant avec parcimonie.

Malt chocolat – Donne à la bière une couleur proche du noir et des saveurs de céréales rôties et de caramel.

Malt torréfié – Apporte une couleur noire à la bière et des saveurs brûlées ou torréfiées.

Il existe également de nombreux autres malts de spécialités produits par différentes malteries à travers le monde. En règle générale, le brasseur aime se fournir auprès de malteries qui offrent des produits permettant de réaliser des bières de styles issus du même pays. Il n'est pas rare de voir des malts provenant d'Allemagne ou de Belgique dans des brasseries nord-américaines. L'aspect d'achat local vient cependant modifier un peu les règles en offrant des malts de spécialités fabriqués par l'application de techniques propres à chaque courant brassicole mais cultivés et transformés localement.

Chaque malt est ajouté au brassin pendant l'étape du brassage. Le brasseur utilisera la plupart du temps du malt pâle, chargé en amidon et en enzymes, et ajoutera les autres malts de spécialités pour donner du caractère à la bière. Pour une bière de couleur noire, environ 10 % de malts de spécialités (torréfiés et crystal) seront nécessaires.

SUR L'ÉTIQUETTE

Il est très rare que la brasserie donne la liste des malts d'orge utilisés dans la fabrication de la bière, mais de plus en plus de brasseries indiquent la couleur de la bière en utilisant l'échelle SRM (*Standard Reference Method*) ou l'EBC (*European Brewery Convention*).

Plus une bière est foncée, plus son SRM est élevé. On calcule la couleur de la bière en utilisant le degré Lovibond (L).

Bière blonde : 2 L/SRM – 4 EBC
Bière brune : 20 L/SRM – 39 EBC
Bière noire : 50 L/SRM – 100 EBC

Pour l'amateur, connaître la couleur de la bière au degré près n'est pas très utile, la meilleure solution restant encore le visuel. Servez-la dans votre verre préféré, vous découvrirez très rapidement sa couleur.

Si le malt est dominant dans une recette et que les autres ingrédients se font discrets, il n'est pas rare qu'il y ait des notes de céréales ou de pain frais lorsque le brasseur utilise principalement du malt pâle, et des notes de caramel jusqu'au café ou toast rôti s'il utilise des malts de spécialités. Le malt procure une saveur sucrée à la bière, car il contient encore quelques sucres non fermentés. Nous y reviendrons plus tard.

LE BLÉ

Avez-vous déjà remarqué que les bières blanches présentent un superbe collet de mousse? La raison en est fort simple : elles contiennent du blé. Le blé, riche en protéines, aide à la tenue de la mousse.

Le brasseur utilisera du blé cru ou blé malté dans la fabrication de certains styles de bières. Il pourra même en utiliser quelques grains dans ses autres recettes de bières pour favoriser la tenue de la mousse, mais c'est un secret de brasseur, et aujourd'hui plusieurs malts de spécialités contenant peu d'enzymes peuvent donner le même résultat.

Le blé est une céréale contenant beaucoup de protéines, donc idéale pour le brassage, mais sa grande fragilité en fait une céréale très difficile à utiliser. C'est pourquoi les brasseurs ont préféré, au fil du temps, utiliser le malt d'orge.

AU GOÛT ET EN SAVEURS

Le blé donnera un goût légèrement acide à la bière. On parle alors de bière acidulée. Cette acidité provient principalement du blé le plus utilisé en brasserie : le froment ou blé tendre.

Du côté des saveurs, le blé étant utilisé avec du malt et d'autres ingrédients, il est souvent très discret.

LE SEIGLE

Le seigle est utilisé principalement en distillerie et en boulangerie. On reconnaîtra très facilement un pain de seigle et on dégustera un whisky appelé rye.

Certains brasseurs ajoutent du seigle au brassage pour accentuer le goût de leur bière, mais cette céréale développe une astringence qui peut déplaire.

AU GOÛT ET EN SAVEURS

Le seigle procure des saveurs de poivre et d'épices. En raison de son astringence, il laisse un arrière-goût sec sur la langue. On le retrouve le plus souvent dans les Pale Ales ou India Pale Ales.

L'AVOINE

L'avoine est une céréale très connue des fermiers qui l'utilisent dans l'alimentation des bêtes. C'est une céréale dite pauvre, adaptée aux climats froids et rustiques et demandant très peu de ressources pour croître. Elle est donc très populaire.

En brasserie, on l'utilise principalement dans les Stouts, ces fameuses bières noires anglaises, mais elle était utilisée autrefois dans plusieurs bières à la place du blé. L'avoine, du fait de sa texture douce dans le brassage, permet de modifier légèrement le corps de la bière. Elle augmente également le taux de sucre fermentescible avant la fermentation.

LE RIZ

En brassage, on peut utiliser du riz pour augmenter le taux de sucre fermentescible de la bière sans augmenter le taux de protéines. Vu qu'il ne contient pas d'enzymes, il doit être cuit séparément avant d'être ajouté au moment de l'empâtage. Voilà pourquoi plusieurs brasseries ont des cuves de cuisson spécialement dédiées à la cuisson du riz.

Du côté des microbrasseries, on peut utiliser également des écorces de riz séchées durant l'empâtage. Permettant d'aérer le « gâteau » de céréales qui se crée pendant le transfert du moût et le rinçage, nous y reviendrons plus tard, les écorces de riz sont très utiles et évitent quelques problèmes que plusieurs brasseurs redoutent, car elles favorisent la circulation de l'eau entre les céréales.

LE MAÏS

Ce sont principalement les grandes brasseries qui utilisent le maïs parce que son prix est inférieur à celui du malt et qu'il a une bonne teneur en amidon. Il doit cependant être cuit à l'avance, comme le riz, ou être ajouté en flocons précuits ou en sirop, déjà transformé.

Les grandes brasseries, qui se préoccupent du moindre changement de coût de fabrication étant donné les volumes brassés, apprécient le maïs et remplacent parfois jusqu'à 40 % du malt.

Le maïs a également l'avantage de ne pas être trop goûteux et d'alléger la bière car il contient peu de protéines. Voila pourquoi plusieurs microbrasseries l'utilisent également en brassage.

Il contient par contre un peu de matières grasses qui ont un effet négatif sur la conservation de la bière.

SUR L'ÉTIQUETTE

Le *Règlement sur les aliments et drogues* du Canada spécifie qu'une bière doit être le produit de la fermentation alcoolique, au moyen de levure, d'une infusion de malt d'orge ou de malt de blé et de houblon ou d'extrait de houblon dans de l'eau potable et être brassée de manière à avoir l'arôme, le goût et les caractéristiques communément attribués à la bière.

Elle peut également être additionnée de grains de céréale, matières glucidiques (sucres ou sources d'amidon), sel, essence de houblon, caramel, dextrine et plusieurs autres ingrédients de conservation, stabilisants ou d'accélérant à la clarification.

Le brasseur n'est donc pas obligé d'afficher la liste des ingrédients si ceux-ci font partie de la liste officielle du règlement. Cependant, plusieurs brasseurs aiment indiquer les types de céréales utilisées ; le consommateur est ainsi en mesure d'en découvrir toutes les saveurs et caractéristiques à la première gorgée.

LE HOUBLON

Le houblon est une plante herbacée grimpante aromatique qui est utilisée depuis des siècles dans la bière. Il bloque naturellement le développement des bactéries et il est un excellent allié de la bière : il donne du goût et de la saveur à la bière tout en la conservant.

Déjà au XIIe siècle, les écrits de Hildegarde de Bingen, religieuse et apothicaire, mentionnent son amertume et sa capacité à améliorer la conservation des boissons. Même si le houblon était déjà cultivé dans des régions brassicoles, on a longtemps utilisé du gruit, fait à base de plantes et qui pouvait produire des brassins hallucinogènes dangereux pour la santé, certaines plantes cueillies étant toxiques. C'est d'ailleurs la raison pour laquelle les moines se sont de plus en plus intéressés à la bière, car on les a obligés à créer des « gruits » bons pour la santé et à les distribuer à la population qui brassait, moyennant une petite taxe au passage, bien entendu. L'utilisation du houblon, de plus en plus

La pesée du houblon, avant chaque brassage – Brasseurs Illimités, Saint-Eustache

commun car facilement reconnaissable, a pris peu à peu la place du gruit et certaines régions, comme la Bavière, l'ont légiférée grâce au Reinheitsgebot en 1516, par exemple.

Le houblon est le seul ingrédient de la bière associé à un terroir. Cet engouement pour le houblon est fort utile : les consommateurs aiment associer un ingrédient à une région, à un terroir ou à un savoir-faire. Le houblon est à la bière ce que le cépage est au vin. Aujourd'hui, c'est la véritable star de la bière. Plusieurs amateurs ne boivent pas de la bière mais une bière avec un type de houblon en particulier.

LA LUPULINE

Pendant le processus de brassage, le brasseur ajoute du houblon dans sa cuve d'ébullition et sélectionne ses variétés en fonction de deux paramètres : l'amertume et les arômes. Il peut également en ajouter pendant la garde et favoriser l'aspect aromatique, car le trempage se fait à froid. On parle alors de « houblonnage à cru ».

Seuls les cônes de houblon femelles sont utilisés pour brasser la bière, parce qu'ils contiennent une poudre jaune appelée lupuline. En cuisant, la lupuline libère ses acides alpha et provoque de l'amertume. Plus la lupuline cuit, plus l'amertume est présente dans la bière. Pour chaque variété de houblon, plus les acides alpha sont élevés, plus le houblon est amer.

L'ajout de houblon pour développer les arômes permet de donner des saveurs à la bière. Le brasseur ajoutera du houblon quelques minutes seulement avant la fin de l'ébullition pour n'en extraire que les arômes.

Dans le houblon, on trouve également des huiles essentielles et ces huiles contiennent des molécules développant des saveurs. Chaque variété de houblon contient plus ou moins de types de molécules différentes. Chaque molécule produit un type de saveurs différentes.

NOM	ACIDES ALPHA (EN %)	PAYS
AMARILLO	8-11	États-Unis
CASCADE	4-6	États-Unis
CENTENNIAL	9-11	États-Unis
FUGGLES	4-6	Angleterre
GOLDING	4-6	Angleterre
HALLERTAUER	3-6	Allemagne
SAAZ	2-5	République tchèque

En voici quelques exemples :

Humulene : arôme d'herbes et d'épices

Myrcene : arôme d'agrumes et de pin

Caryophyllene : arôme de plantes et d'épices

Farnesene : arôme de citronnelle

Voilà pourquoi certains types de houblons développent des saveurs plus marquées d'épices ou de terre alors que d'autres donnent des saveurs de fruits tropicaux ou d'agrumes.

SUR L'ÉTIQUETTE

Historiquement, certaines variétés de houblons sont associées à des styles en particulier. Il n'est donc pas rare de voir la même variété de houblon sur des étiquettes de bières du même style.

Il existe un très grand nombre de variétés de houblons. Chaque année d'ailleurs, les brasseurs sont invités à goûter de nouveaux cultivars. C'est la véritable star du renouveau brassicole et beaucoup de brasseries n'hésitent pas à indiquer leurs cultivars de houblon sur l'étiquette.

INTERNATIONAL BITTERNESS UNIT (IBU)

Mesurant l'amertume d'une bière, le taux d'IBU apparaît de plus en plus souvent sur l'étiquette. Véritable gage de qualité pour plusieurs, il n'est cependant qu'un taux utilisé dans un environnement industriel. Il ne tient pas compte du profil aromatique de la bière ni de sa densité, qui modifie la perception de l'amertume. Il ne tient pas compte non plus de vos capacités à apprécier l'amertume.

AU GOÛT ET EN SAVEURS

Comme nous l'avons vu précédemment, le houblon produit différentes saveurs d'herbes, de plantes, de fruits et d'épices. Si la recette en contient beaucoup, il donnera les saveurs les plus marquées à votre bière.

Au goût, le houblon provoque de l'amertume et celle-ci est repérable dès la première gorgée.

ARÔMES	STYLE(S) LE PLUS SOUVENT ASSOCIÉ(S)
Citron – Floral	American Pale Ale
Agrumes – Sapin	American Pale Ale
Agrumes – Sapin	Imperial American Pale Ale
Poivrés – Terreux	Pale Ale
Doux – Agrumes	India Pale Ale
Herbes – Épices	Plusieurs styles
Floral – Mielleux	Pilsner

LA LEVURE

La levure n'a pas été inventée mais découverte, et ce, bien après la fabrication du premier brassin de bière. Pendant plusieurs siècles, on a brassé de la bière sans comprendre le processus de fermentation.

Il y avait bien quelques brasseurs qui isolaient chaque fois la mousse du brassin précédent pour ensemencer le brassin suivant, mais ils n'avaient aucune donnée scientifique et encore moins de méthode. On procédait ainsi parce qu'on l'avait toujours fait. Ce processus empirique de brassage a duré plusieurs siècles.

PASTEUR ET LA LEVURE

En 1837, l'Allemand Theodore Schwann démontre que la levure est un organisme vivant.

En 1857, Louis Pasteur prouve que la levure est nécessaire pour démarrer le processus de fermentation. Cette découverte va changer considérablement les méthodes de fermentation et de stockage de la bière, car elle montre également que cette levure apprécie un environnement anaérobique – sans contact avec l'air pouvant contenir des bactéries ou autres levures indésirables – pour se développer.

En 1883, à Copenhague, Emil Hansen isole la première souche de levure à l'institut Carlsberg, ce qui sera le premier pas vers le catalogue incroyable de levures disponibles aujourd'hui et qui permettent de brasser le style de bière voulu, n'importe où dans le monde.

Depuis les travaux de Pasteur, on comprend mieux les mécanismes de la fermentation ; la levure a besoin d'un environnement stérile pour progresser et offrir une bière saine, c'est-à-dire sans bactéries et autres levures indésirables.

On distingue quatre types de levures utilisées pour faire fermenter la bière. Au fil du temps, elles se sont différenciées, et chacune possède ses caractéristiques particulières.

On récupère la levure d'une cuve ouverte pour l'utiliser au brassin suivant – Brasserie Liefmans

Saccharomyces cerevisiæ

Utilisée depuis l'Antiquité, cette levure est le plus souvent associée aux bières de type Ale. On parle également de fermentation haute, la levure aimant travailler à des températures près de 20 °C.

La fermentation crée des esters ou des phénols, résultats complexes qu'il n'est pas nécessaire de détailler dans cet ouvrage, mais qu'il est important d'associer aux arômes contenus dans la bière. La *Saccharomyces cerevisiæ* est reconnue pour développer de nombreux arômes souvent sucrés, fruités et alcoolisés.

Saccharomyces pastorianus

Isolée par un procédé empirique qui consistait à conserver la bière dans des caves froides pendant l'été, cette levure a réussi à s'adapter à la température et à faire fermenter le moût à des températures plus froides qui donnent des bières de type Lager. On parle alors de fermentation basse, la levure étant habituée aux températures de fermentation autour de 10 °C.

Comme pour les Ales, la fermentation crée ici des arômes, mais ceux-ci sont moins complexes, les saveurs les plus souvent notées laissant place à celles du houblon et du malt utilisés. Parfois, on peut sentir également un arôme soufré.

Brettanomyces bruxellensis ou Dekkera bruxellensis

Cette levure dite levure sauvage se balade au gré du vent dans une région appelée le Pajottenland couvrant une grande partie du sud-ouest de Bruxelles, en Belgique.

Elle porte le nom scientifique de *Brettanomyces bruxellensis* ou *Dekkera bruxellensis* et donne des bières appelées Lambic. On parle ici de fermentation spontanée, la levure se déposant sur le moût spontanément pendant que celui-ci refroidit à l'air libre dans le grenier de la brasserie à la fin de la journée de brassage.

Elle est souvent associée à tort aux levures sauvages qui envahissaient les premiers brassins du Moyen Âge avant que les brasseurs ne procèdent à la fermentation dans un milieu anaérobique.

Ses arômes sont souvent associés à du cuir, à une écurie ou à de la sueur et, contrairement aux croyances populaires, cette levure ne développe pas d'acidité ; ce sont les bactéries lactiques ou acétiques qui en sont responsables et qui sont très gourmandes devant un moût frais, car elles se baladent également dans l'air.

Certaines bières peuvent être de fermentation mixte, c'est-à-dire une fermentation faite avec de la *Saccharomyces cerevisiæ* suivie de *Brettanomyces bruxellensis*. Ce type de bière est très recherché par les amateurs et il est de plus en plus populaire.

Torulaspora delbrueckii

Moins connue, la *Torulaspora delbrueckii* est utilisée dans les Weizen allemandes et développe un arôme très particulier de banane (esthers fruités) et de clou de girofle (les phénols). On parle cependant souvent d'une Ale, même si la levure *Saccharomyces cerevisiæ* n'y est pas utilisée, en raison de la température de fermentation et du profil aromatique de la bière.

LES SOUCHES DE LEVURE

Pourquoi deux bières du même style sont-elles différentes d'une brasserie à l'autre ? La souche de levure est l'une des raisons principales.

Chaque brasseur sélectionne une souche de levure qu'il ajoutera au moût dans la cuve de fermentation. C'est la signature de la bière et c'est elle qui lui donne ses arômes. Dans la famille des Ales, il existe plusieurs souches de levure dont chacune a son profil aromatique et crée ainsi une bière différente.

Aujourd'hui, le brasseur peut sélectionner sa levure en fonction du style de bière qu'il veut réaliser en feuilletant le catalogue d'un fournisseur. Mais d'où viennent ces souches de levure ? De brasseries et de régions brassicoles connues. Par exemple, la levure de Pale Ale d'un fournisseur a été récoltée et isolée en Angleterre, à Burton-on-Trent, capitale historique des Pale Ales.

Extrait d'un catalogue de fournisseur de levures :

VARIÉTÉ	PROFIL
ENGLISH ALE	Nez discret
LONDON ALE	Sèche, accentue les saveurs de malt et de houblon
HEFEWEIZEN ALE	Saveurs de banane, de clou de girofle
SAISON ALE	Saveurs de poivre, épicées
PILSNER LAGER	Sèche, nez discret
MARZEN LAGER	Sèche, accentue les saveurs de malt

SUR L'ÉTIQUETTE

Le brasseur ne dévoile que très rarement le secret de la levure utilisée, car elle est la signature de sa bière. Cependant, il n'hésite pas à indiquer le type de levure : Ale ou Lager. Ces indications ne vous diront pas grand-chose sur le profil aromatique de la bière puisque celui-ci est influencé par beaucoup d'autres paramètres, mais elles permettent d'en définir les grandes lignes : arômes fruités ou discrets.

AU GOÛT ET EN SAVEURS

Comme nous l'avons vu dans le tableau précédent, la levure développe les différentes saveurs pouvant s'exprimer dans votre bière, à la condition que le houblon soit plus discret si vous utilisez une *Saccharomyces cerevisiæ* ou une *Saccharomyces pastorianus*. Certaines levures offrent également une signature de saveurs très particulière qui permet à l'amateur averti de la reconnaître facilement.

Au goût, la levure est très légèrement amère ou âcre, mais elle se détecte très difficilement, sauf si une erreur de brassage, de fermentation ou de conditionnement est arrivée.

L'EAU

Principal ingrédient de la bière, l'eau y joue un rôle très important. Sa composition chimique influencera la dissolution des sucres, le développement des arômes et la couleur de la bière.

L'eau peut être dure ou douce en fonction de sa teneur en minéraux. Une eau dure, chargée en carbonates ou sulfates de calcium et en magnésium, aidera à la transformation des enzymes pendant le brassage et à la fermentation, mais un taux élevé de sodium influencera la vigueur de la levure.

Historiquement, plusieurs styles de bières sont apparus suivant la qualité de l'eau utilisée par la brasserie. Une eau douce favorise une bière limpide et blonde, alors qu'une eau dure, riche en carbonates de calcium, est appréciée pour les bières foncées et très maltées, et qu'une eau très dure, riche en sulfates de calcium, facilite le développement de l'amertume de la bière. Aujourd'hui, le brasseur modifie les propriétés de l'eau à sa guise avant de commencer son brassage.

SUR L'ÉTIQUETTE

On a rarement des indications sur l'eau, car c'est une information rarement utile pour le consommateur.

AU GOÛT ET EN SAVEURS

L'eau n'a pas de saveur particulière si elle est traitée avant son utilisation en brassage. Par contre, si vous utilisez une eau très soufrée pour brasser, il est logique de retrouver des saveurs de soufre dans votre bière. Les brasseurs prennent beaucoup de précautions concernant la qualité de leur eau, car celle-ci est quand même l'ingrédient principal de la bière.

LES ÉPICES ET FRUITS

Plusieurs styles de bières sont brassés avec des épices ou des fruits. On trouve même parfois des bières brassées avec un légume ou des fleurs.

Avant l'utilisation de souches de levures isolées et le brassage dans un environnement stérile, l'ajout de fruits et d'épices dans la bière permettait de compenser l'acidité d'une bière infectée par l'environnement non stérile. Aujourd'hui, le brasseur s'amuse. Il brasse des bières avec toutes les épices connues et des dizaines de variétés de fruits ou de légumes.

Par contre, certains styles historiques comprennent des épices dans la composition de leur recette. La Blanche, par exemple, se doit de contenir un peu de coriandre et d'écorces d'orange séchées, si l'on se fie au style historique. Les bières de Noël, qui ne sont pas vraiment un style mais une tradition, sont brassées avec un cocktail d'épices telles que la réglisse, l'anis ou la cannelle, par exemple.

Du côté des fruits, des petites cerises de Bruxelles – appelées kriek – ou des framboises sont utilisées depuis des siècles dans l'assemblage de Lambics. En cette époque contemporaine, il n'est pas rare de voir apparaître de nouvelles bières avec ajout de fruits, celles-ci étant très populaires auprès d'une clientèle plus encline à boire un produit alcoolisé et sucré.

SUR L'ÉTIQUETTE

Il revient au brasseur d'indiquer ou non les épices utilisées. La loi ne l'oblige pas à les détailler, mais il doit mentionner que des épices font partie de la liste des ingrédients.

Quant à l'ajout d'un autre végétal ou fruit, le brasseur l'indique très fréquemment sur l'étiquette et souvent avec fierté !

AU GOÛT ET EN SAVEURS

L'ajout d'épices dans la bière est à la discrétion du brasseur. Plus il en ajoute, plus celles-ci développent des saveurs prononcées. Du côté des fruits, c'est le même principe, une bière qui contient beaucoup de fruits développera des saveurs identifiées au fruit.

Du côté du goût, certaines épices peuvent le modifier ainsi que la sensation vers le piquant ou le poivré, par exemple. Quant aux fruits, ils sont utilisés dans des bières sucrées ou acides. On verra un peu plus loin que l'ajout de fruits à un moment précis du brassage peut influencer le goût et la sensation de la bière.

LES SUCRES

Si le brasseur veut parfois brasser une bière avec un haut taux d'alcool sans pour autant que cette bière soit trop maltée, il peut alors ajouter un sucre de brassage. Ce sucre sera complètement transformé en alcool en ne laissant presque pas de sucre résiduel, principal facteur de lourdeur ou corps d'une bière.

Les brasseurs belges sont les spécialistes de cette technique et n'hésitent pas à ajouter du sucre pendant l'ébullition pour offrir des bières à haute teneur en alcool mais pas trop riches ou liquoreuses. Ils utilisent le plus souvent du sucre candi à différents degrés de chauffe. Ce qui donne une couleur blanche à brune et des saveurs de presque imperceptibles à très perceptibles. Mais les brasseurs belges ne sont pas les seuls à utiliser du sucre, les brasseurs britanniques ont également accès à toute une gamme de sucres de brassage, de couleurs différentes, et nos microbrasseurs s'en servent également.

Plusieurs brasseries ajoutent aussi des sucres comme le miel ou le sirop d'érable. La quantité mise dans le moût influencera grandement le taux d'alcool, la saveur et le goût.

Historiquement associés à des styles de bières provenant des grands courants brassicoles, les microbrasseurs nords-américains n'hésitent pas à utiliser du sucre pour offrir des bières très alcoolisées mais faibles en densité et donc en corps.

SUR L'ÉTIQUETTE

La loi n'oblige pas le brasseur à détailler les sucres utilisés mais lorsqu'il ajoute un sirop d'érable ou du miel, il l'indique habituellement avec plaisir, puisque c'est une valeur ajoutée à sa bière.

AU GOÛT ET EN SAVEURS

Contrairement à la croyance populaire, l'ajout de sirop d'érable ou de miel avant la fermentation ne développe pas tellement de saveurs, et la raison en est fort simple : le sucre étant fermenté, les saveurs se font plus discrètes. Du côté du sucre candi, selon sa couleur et sa concentration dans la bière, on peut détecter des notes de mélasse, de sucre candi ou de cassonade.

Au goût, le sucre donne une sensation et un goût sucré, tout simplement.

LA FABRICATION DE LA BIÈRE

La fabrication de la bière peut se résumer à trois étapes : l'empâtage, l'ébullition et la fermentation. Ces étapes sont assez simples et permettent de mieux comprendre l'influence du brassage dans le développement des saveurs et des goûts.

L'EMPÂTAGE

Le brasseur, après avoir sélectionné ses céréales, va les concasser grossièrement pour en libérer l'amidon et les enzymes. Puis les céréales concassées sont mélangées avec de l'eau dans une grande cuve et forment la maische.

Le principe de l'empâtage consiste à chauffer et à mélanger cette maische, afin d'activer les enzymes qui vont transformer l'amidon restant en sucres fermentescibles comme le maltose. Ces sucres seront transformés en alcool durant la fermentation. L'opération est effectuée dans une cuve d'empâtage ou Mash Tun et peut également s'appeler la saccharification.

Au fil du temps, plusieurs techniques d'empâtage ont été privilégiées. Elles jouent toutes le même rôle : ajuster la température de la maische pour que les enzymes transforment l'amidon en sucre. Trois techniques sont principalement utilisées.

Plus l'empâtage est long, plus le processus de transformation de l'amidon en sucres fermentescibles est complet. Plus l'empâtage est court, moins l'amidon est transformé en sucres fermentescibles. Si le brasseur désire faire une bière plus riche ou plus lourde, il procède à un empâtage court, tout simplement.

DÉCOCTION

D'origine allemande, le principe de la décoction consiste à retirer une partie de la maische pendant l'empâtage et à la faire bouillir dans une autre cuve pour ensuite la transvider dans la cuve d'empâtage.

Méthode très efficace si vous brassez avec des céréales autres que le malt, comme le maïs ou le riz, l'ébullition d'une partie du liquide de la maische permet d'accélérer la transformation de l'amidon des céréales non maltées en sucre fermentescible. Dans une opération d'empâtage, on réalise deux ou trois décoctions. On parle donc de décoction à deux ou trois paliers.

INFUSION MONOPALIER

Cette technique anglaise utilisée pour les Ales est la plus simple. Le malt concassé est mélangé avec de l'eau chaude pour créer la maische. L'eau doit être autour de 66-68 °C, température idéale pour accélérer la transformation de l'amidon en sucre et garder quelques sucres résiduels qui apporteront de la douceur à la bière. C'est l'opération la plus commune dans les microbrasseries.

INFUSION MULTIPALIER

Dans cette technique utilisée par les brasseurs belges, le malt concassé est mélangé avec un peu d'eau chaude pour créer la maische. On chauffe la maische à près de 45 °C et on ajoute, à intervalles réguliers, de l'eau bouillante pour atteindre une température proche de 62 °C, qui favorise la création de sucres fermentescibles, puis une température proche de 70 °C, pour la création de sucres résiduels qui ne seront pas fermentés.

LE MOÛT

À la fin de l'empâtage, le brasseur filtre la maische par le fond de la cuve et transfère le liquide dans une autre cuve, appelée cuve d'ébullition. Il effectuera alors un rinçage, qui consiste à verser de l'eau chaude sur la maische pour en extraire les sucres restants. C'est ce qui explique que la cuve d'empâtage est plus petite que la cuve d'ébullition, puisque la quantité d'eau pour réaliser le brassage est moindre que celle nécessaire à l'ébullition.

Le liquide de la cuve d'ébullition est appelé le moût, alors que le résidu dans la cuve d'empâtage est appelé la drêche et sert à nourrir le bétail. La drêche ne contient pas d'alcool, le bétail ne se saoule pas chaque fois qu'il mange de la drêche, sauf si celle-ci a traîné quelques jours au soleil dans l'attente du fermier très occupé, mais on parle d'un ou deux degrés, pas de quoi saouler une vache... ou presque.

Cuve filtre, utilisée pour extraire le moût
– Le Trou du Diable, Shawinigan

La cuve d'ébullition. Remarquez la propreté de la brasserie, gage d'un souci de la qualité.
– Le Trou du Diable, Shawinigan

L'ÉBULLITION

À cette étape, le brasseur peut commencer à ajouter le houblon et les épices et donner du caractère à sa bière. Il va également stériliser le moût par l'ébullition.

STÉRILISATION ET ASSAISONNEMENT

À la fin de l'empâtage, la réaction enzymatique ayant fonctionné, le moût contient des sucres fermentescibles, quelques sucres complexes non fermentescibles, des protéines et autres nutriments qu'appréciera la levure.

Mais le moût n'est qu'un jus très sucré qui manque d'assaisonnement et qui n'est pas stérilisé. Si le brasseur faisait fermenter directement ce moût, au mieux la bière serait fade et sans saveur, au pire elle serait contaminée par des bactéries et levures sauvages.

Le brasseur va donc y ajouter quelques épices, tout en sachant qu'elles seront stérilisées pendant l'ébullition et ne contamineront pas la bière pendant la fermentation. Le houblon sélectionné sera ajouté minutieusement dans la cuve d'ébullition et d'autres épices donneront du caractère à la bière.

AMERTUME OU ARÔMES

Afin de contrôler l'apport de houblon dans la recette, le brasseur doit tenir compte du temps restant avant la fin de l'ébullition car celui-ci ne connaît qu'un paramètre : le début de l'ébullition jusqu'à sa fin.

Plus le houblon est ajouté tôt, plus il développe de l'amertume. Plus on l'ajoute près de la fin de l'ébullition, plus le houblon développe ses arômes, les huiles essentielles étant très volatiles au contact de la chaleur.

SUR L'ÉTIQUETTE

On voit de plus en plus souvent, sur les étiquettes de bière, les variétés de houblon utilisées par ordre de quantité.

AU GOÛT ET EN SAVEURS

Comme nous l'avons vu précédemment, le houblon développe différentes saveurs. C'est principalement la méthode d'ajout de celui-ci pendant le brassage qui va développer son amertume et modifier le goût de la bière.

LA CARAMÉLISATION DU MOÛT

Au cours de l'ébullition, le moût perdra environ 10 % de son volume à chaque heure ; les saveurs sont donc concentrées. Le brasseur s'inspire généralement de la méthode empirique pour établir le temps d'ébullition.

S'il désire une bière blonde aux douces notes de céréales et de houblon, une longue période d'ébullition est inutile, car si le moût se concentre en saveur, il se concentre également en couleur.

S'il veut une bière brune aux saveurs prononcées, une longue période d'ébullition concentrera les saveurs, caramélisera les sucres et changera légèrement la couleur.

Certaines bières, très prisées par les amateurs avertis, subissent une très longue ébullition qui modifie la densité de la bière jusqu'à offrir une texture liquoreuse, voire sirupeuse.

DENSITÉ PRIMITIVE DU MOÛT

Avez-vous déjà entendu parler de degrés Plato ? Du nom d'un savant allemand du XIXe siècle, le degré Plato est une unité de mesure qui définit le pourcentage d'extrait sec dans le moût. Plus cette masse est importante, plus le liquide est dense.

Après l'ébullition, on mesure la densité primitive du moût qui fournit une information essentielle : à quoi ressemblera la bière après la fermentation, soit une fois que la levure aura converti tous les sucres fermentescibles en alcool?

1 degré Plato (P) = 1 g de matière sèche soluble dans 100 g de moût. Plus la mesure est élevée, plus le moût est dense.

SUR L'ÉTIQUETTE

On voit rarement les degrés Plato sur une étiquette de bière sauf pour les bières provenant d'Europe de l'Est. Seul le taux d'alcool intéresse le consommateur.

Plusieurs étiquettes de bières belges indiquent un chiffre (6, 8, 10 ou 12). Il s'agit de degrés qui correspondent à une échelle de mesure de densité différente de celle de Plato.

Quel est l'intérêt pour le consommateur? Plus le chiffre est élevé, plus la densité primitive du moût est élevée. En clair, la bière est plus riche, plus forte en goût et elle a un taux d'alcool supérieur.

LA FERMENTATION

Dernière étape du brassage, la fermentation est tout aussi importante que les deux précédentes. À cette étape, l'âme de la bière se crée. La fermentation d'une bière demandant du temps, c'est l'étape la plus longue. Elle peut durer jusqu'à trois ans pour certains types de bière.

D'OÙ VIENT L'ALCOOL?

La fermentation est une réaction chimique complexe. Retenons seulement le résultat de la fermentation alcoolique: le sucre contenu dans le moût est transformé par la levure qui libère deux sous-produits, de l'alcool éthylique et du dioxyde de carbone (CO_2), tout en créant de l'énergie et de la chaleur. Pour se développer, la levure consomme l'oxygène ambiant jusqu'à ce que son milieu soit anaérobique.

Quant au dioxyde de carbone (CO_2), dans les microbrasseries il est le plus souvent évacué de la cuve de fermentation et non recyclé. Avant l'embouteillage ou l'enfûtage, on ajoutera du CO_2 artificiellement ou naturellement pour une fermentation en bouteille, par exemple. Nous en reparlerons.

Quant à l'alcool, seule la fermentation permet de le créer. Il développera des esthers et arômes différents grandement influencés par le type de levure (son ADN), le type de fermentation appliqué, la forme de la cuve et la température de fermentation. Ces nombreux paramètres influencent le goût de la bière.

SUR L'ÉTIQUETTE

Avez-vous déjà remarqué que la liste des ingrédients d'une bière ne contient pas le mot *alcool*? C'est que l'alcool n'est pas une matière première mais le résultat de la fermentation.

Il est interdit d'ajouter de l'alcool dans une bière et de la vendre sous le nom de *bière*.

CUVE OUVERTE OU CYLINDRO-CONIQUE

Grâce aux études sur la levure effectuées au début du XXᵉ siècle, les brasseurs ont découvert qu'elle s'attaque au sucre dans un milieu anaérobique, sans oxygène. La levure commence à produire de l'alcool dès qu'elle ne peut plus respirer et pour qu'elle en produise beaucoup, il faut qu'elle soit en forme et ait respiré... facile n'est-ce pas?

Bref, la levure se multiplie d'abord grâce à l'oxygène présent dans le moût et commence la fabrication d'alcool quand il n'y a plus d'oxygène.

Il y a quelques siècles, la fermentation de la bière s'effectuait principalement dans des cuves ouvertes. À la fin de la fermentation, on transférait la production dans des fûts ou foudres en bois. Comment savait-on que la fermentation était terminée? La levure était en latence, et il n'y avait plus d'activité dans la cuve. Ce procédé empirique est très peu utilisé aujourd'hui, car il augmente les risques de contamination par des bactéries et levures sauvages, même si la mousse formée sur le dessus de la cuve protège la bière et le travail des levures.

De nos jours, les brasseries utilisent des cuves cylindro-coniques hermétiques. Au début du processus de fermentation, le brasseur ajoute de l'oxygène dans la cuve et laisse la levure accomplir son travail. Les cuves cylindro-coniques sont stérilisées et diminuent les risques de contamination. Quant au transfert en fût ou en foudre de bois, les brasseurs appréciant la tradition le réalisent après la fermentation.

Il est cependant trop facile de croire que toutes les brasseries n'utilisent plus de cuves ouvertes pour la fermentation. Il est encore possible de visiter quelques brasseries qui privilégient ce type de fermentation pour plusieurs raisons. Par contre, l'accès aux cuves est presque impossible, car le brasseur ne veut pas d'un contaminant que vous auriez sur vous et contrôle rigoureusement l'accès aux salles des fermenteurs.

D'autres brasseries aiment faire fermenter leurs bières dans des cuves fermées mais couchées. Le contact du moût avec la levure étant plus important, il favorise le développement d'esters et donc de saveurs marquées de levure dans la bière.

FERMENTATION PRIMAIRE OU SECONDAIRE OU TRIPLE FERMENTATION

Sur certaines bouteilles, on retrouve les mots triple fermentation. La brasserie fermenterait-elle trois fois son moût ? Oui et non, quelques explications s'imposent.

La principale fermentation de la bière est appelée fermentation primaire. Elle se réalise les premiers jours de la rencontre entre le moût et la levure dans les cuves de fermentation. Les arômes de la bière et sous-produits de la fermentation se forment, ces sous-produits peuvent donner des saveurs parfois agréables mais souvent désagréables. Il faut donc faire reposer la bière pour que ses saveurs désagréables disparaissent.

Le plus souvent, le brasseur la transférera dans une autre cuve, à température plus basse, pour que la bière se repose et que les levures en suspension sédimentent au fond de la cuve. On parle de

**Salle de fermentation
– Brasserie Moortgat, Belgique**

fermentation secondaire. Elle dure de quelques jours à plusieurs semaines et permet d'arrondir les arômes et saveurs de la bière. Mais est-ce vraiment une autre fermentation ? Pas vraiment.

En transférant la bière, le brasseur n'ajoute pas de levure et ne filtre pas la bière. La levure de la fermentation primaire est encore présente dans la bière. Il peut cependant y ajouter du houblon ou des épices pour donner du goût et des arômes à sa bière. On parle de houblonnage à cru, un concept que nous expliquerons plus tard. Si le brasseur n'ajoute pas de levure et que la fermentation primaire est terminée, parle-t-on encore de fermentation ou de garde ? Le débat est lancé et depuis bien longtemps.

Pour une triple fermentation, plusieurs brasseries ajoutent de la levure à l'embouteillage ou à l'enfûtage afin de réaliser une fermentation dans la bouteille ou le fût, ce qui produit un peu d'alcool mais beaucoup de dioxyde de carbone qui remplacera l'air dans la bouteille. Ce procédé permet de protéger la bière en créant un milieu anaérobique tout en gazéifiant la bière de façon naturelle.

Considérant qu'on utilise les termes primaire et secondaire, certaines brasseries parlent donc de triple fermentation au lieu de « refermentation en bouteille ». À ne pas confondre avec le style de bière belge également appelé triple.

HOUBLONNAGE À CRU

Technique de plus en plus employée, le houblonnage à cru consiste à ajouter du houblon dans la cuve de garde pendant quelques jours à quelques semaines. L'ajout de houblon permet d'en tirer le maximum d'arômes, contrairement au houblonnage pendant l'ébullition qui donne plus d'amertume. Plusieurs brasseries utilisent également la technique du houblonnage à cru avec des épices. Les épices sont ajoutées pendant la période de garde. Parle-t-on d'assaisonnement à cru ? Pourquoi pas…

Fûts de bourbon dans un Warehouse au Kentucky. Une fois utilisés, ces fûts seront probablement revendus à une brasserie.

AFFINAGE EN FÛT DE CHÊNE

De plus en plus populaire, l'affinage en fût de chêne consiste à laisser mûrir de la bière dans des fûts ayant contenu un alcool auparavant. Ces fûts proviennent, en règle générale, directement de la distillerie et peuvent avoir contenu du bourbon, du rhum, du cognac, etc.

L'affinage en fût permet de développer des arômes provenant du bois et de l'alcool que le fût contenait auparavant. Les arômes de vanille, de bois, de caramel, de tabac en sont quelques-uns.

Toutes les bières peuvent être affinées en fût, mais les brasseurs préféreront les bières fortes en alcool ou riches en sucre. Ils peuvent y ajouter des ferments lactiques, des bactéries ou des levures de type *Brettanomyces*, comme nous l'avons vu précédemment.

FILTRATION

À la fin de la garde, la bière est décantée ou filtrée. On enlève les résidus de levure, les houblons ou épices et on la transfère dans une cuve de gazéification ou une autre cuve de garde. Elle est prête à être conditionnée.

LE CONDITIONNEMENT

L'étape finale du brassage consiste à conditionner la bière en bouteille, en canette ou en fût. Cette opération est tout aussi importante que le brassage, l'ébullition et la fermentation.

Un mauvais conditionnement est propice au développement d'infections ou à un mauvais service de la bière. Le brasseur choisira le conditionnement le plus adéquat en tenant compte du réseau de distribution : le fût pour les bars et restaurants, la bouteille ou la canette pour le consommateur.

LA BOUTEILLE, LA REINE DES ÉTAGÈRES

Au Québec, la bouteille est très populaire. La fameuse bouteille standard de 341 ml est utilisée par plusieurs brasseries et peut être remplie jusqu'à 17 fois avant que son verre soit recyclé. Cependant, plusieurs autres formats sont utilisés. La brasserie a le choix d'embouteiller en format de 341 ml, 375 ml, 500 ml, 600 ml ou 750 ml. Quelques brasseries ont déjà offert des formats de 1,5 l, 3 l et 6 l.

La couleur de la bouteille

La bière est sensible à la lumière et aux ultraviolets. À leur contact, un composé chimique du houblon (isohumulone) se décompose et développe une odeur peu invitante de mouffette. Plus la bière est en contact avec la lumière, plus les isohumulones se décomposent.

Voilà pourquoi certaines bières embouteillées dans du verre de couleur verte ou transparent ont tendance à vous offrir ce léger fumet de mouffette écrasée sur le bord de la route. Les bouteilles de couleur brune sont beaucoup moins sujettes à ce problème.

Depuis quelques années, différentes solutions ont permis de diminuer les effets des rayons ultraviolets sur la bière : certaines brasseries ajoutent des extraits de houblon sans isohumulones et d'autres préfèrent la canette en aluminium, contenant très efficace pour ne pas laisser passer la lumière.

La refermentation en bouteille

Si vous avez suivi le processus de brassage, vous en arrivez à la conclusion que la bière ne doit pas être en contact avec l'air ambiant contenant des bactéries, des levures sauvages et autres parasites. Il faut donc l'embouteiller dans un milieu stérile et la conserver dans un milieu anaérobique.

Mais comment enlever l'air ambiant d'une bouteille ? Il existe deux techniques. La première consiste à mélanger la bière avec du CO_2 comme nous l'avons vu précédemment.

La seconde, plus artisanale, consiste à mélanger du sucre et parfois de la levure dans la bière et à réaliser une fermentation dans la bouteille. La levure, ayant besoin d'air pour commencer son travail, se servira de celui contenu dans la bouteille pour le remplacer par du CO_2. On parle donc de refermentation en bouteille. Notez que celle-ci peut également se faire en fût.

Avec la technique d'ajout de CO_2, la bière est disponible pour la vente dès la fin de l'embouteillage, tandis que les bières refermentées en bouteille doivent passer quelques jours dans une chambre chaude pour que le processus de fermentation soit facilité. Notez que ce procédé ne fonctionne que dans des bouteilles de bière spécialement conçues à cet effet.

SUR L'ÉTIQUETTE

La refermentation en bouteille est souvent indiquée sur l'étiquette. Plusieurs termes sont utilisés :

BIÈRE SUR LIE – La lie est le dépôt au fond de la bouteille. Elle n'est pas nécessairement créée à cause d'une refermentation en bouteille mais est tout le temps créée après une refermentation en bouteille.

BIÈRE REFERMENTÉE EN BOUTEILLE – Terme clair et précis.

TRIPLE FERMENTATION – Voir précédemment.

AU GOÛT ET EN SAVEURS

La refermentation en bouteille nécessite l'ajout d'une levure qui est, dans la très grande majorité des brasseries, assez neutre en saveurs et en goût. Cette levure ne devrait donc pas modifier les saveurs ou le goût de la bière.

LE FÛT, UNE GROSSE CANETTE !

Très populaire dans les bars, le fût est proposé en plusieurs modèles et brevets qui ont tous le même rôle : protéger la bière pendant le transport et assurer des conditions idéales de service.

Sauf certains modèles fabriqués pour des besoins très spécifiques comme l'exportation, le fût est réutilisable. La bière y est stockée et on y ajoute du CO_2 ou de l'azote pour certaines bières. Elle n'est jamais en contact avec la lumière ou l'air ambiant.

L'ajout de CO_2 peut se faire mécaniquement ou naturellement par fermentation dans le fût, un procédé rare mais utilisé par certaines brasseries.

En règle générale, les fûts les plus utilisés contiennent 50 l et sont en acier inoxydable ; il existe également des fûts de 30 l et de 20 l. Depuis quelques années, des fûts en plastique et carton sont apparus sur le marché ; ils sont plus légers, sont jetables et peuvent être exportés à faible coût.

LA CANETTE, LES AVANTAGES DU FÛT

La canette est un type de conditionnement de plus en plus populaire auprès de la clientèle, mais elle n'est pas utilisée par toutes les brasseries. S'il est vrai que certaines bières ont bien meilleure allure dans une bouteille, il est aussi vrai que la canette est un contenant très pratique. Ses avantages sont nombreux : la lumière ne traverse pas ses parois, la canette est légère et entièrement recyclable et elle est moins fragile que le verre. De plus en plus de brasseries choisissent la canette.

Son principal inconvénient est son allure, qui rebute bien des brasseurs. Difficile de vendre des bières différentes dans une canette aux formes peu invitantes. Il est plus facile de trouver une Pale Ale en canette qu'une Triple belge, par exemple. Sans oublier qu'une belle bouteille de 750 ml à l'allure gourmande est bien plus jolie sur la table qu'une canette à la forme standard.

Certaines grandes brasseries ont changé leur format de canette et offrent dorénavant la bouteille en aluminium, qui a l'avantage de la canette et le *look* d'une bouteille. C'est un format encore très peu utilisé, à part chez les grands brasseurs, mais qui surprend par sa forme et son allure futuriste.

LE SERVICE DE LA BIÈRE

Nous y voilà enfin ! Vous étiez spectateur, vous voici dorénavant acteur et vous avez tout un rôle à jouer ! Par respect pour le brasseur, vous devez servir et stocker son produit dans les meilleures conditions, puisqu'il espère que vous prendrez toutes les précautions pour servir sa bière afin de mieux en profiter.

L'expérience de la dégustation d'une bière est entre vos mains. Le brasseur vous fait confiance, voici quelques astuces pour profiter pleinement de votre bière.

LE STOCKAGE

Plusieurs consommateurs achètent des bières et les stockent dans un cellier, qui n'en est pas réellement un, car ils aiment voir les produits de leurs découvertes et attendent, avec patience ou impatience, le moment idéal pour les déguster.

Ce temps d'attente peut altérer la qualité de la bière si les conditions de stockage ne sont pas adéquates. Par exemple, nous avons vu précédemment que la lumière ou l'air ambiant dans une bouteille, si peu que ce soit, peut altérer la bière.

STOCKAGE DE MOINS DE 24 HEURES

Vous avez acheté de la bière à consommer très rapidement. Pensez à rafraîchir les bières 24 heures à l'avance et évitez de les placer au congélateur, la bière n'apprécie pas le choc thermique.

STOCKAGE DE 1 À 7 JOURS

Vous avez acheté de la bière et vous avez l'intention de la boire rapidement. Stockez-la au frais, au réfrigérateur, couchée pour les bières sans lie et debout pour les bières sur lie. La durée de stockage étant courte, la bière ne sera pas altérée.

STOCKAGE 7 JOURS À 6 MOIS

Vous avez acheté de la bière et voulez la boire fraîche. Les standards de l'industrie considèrent qu'une bière reste fraîche pendant 6 mois. Il suffit de la stocker à la verticale dans un endroit frais et sec, le fameux cellier.

La garde consiste à conserver une bouteille le temps nécessaire pour que la bière soit parfaite et au goût du consommateur. La garde est proposée ou définie par le brasseur et elle est généralement de quelques mois.

STOCKAGE DE PLUS DE 6 MOIS

Le stockage d'une bière pendant plus de 6 mois ou durant la période conseillée par la brasserie est appelé vieillissement. Matière à débat, le vieillissement est une méthode empirique établie par le consommateur qui consiste à déguster des bières d'âges différents. Pour certains, le vieillissement ne rend pas service à la bière, pour d'autres, elle fournit une autre dimension à la dégustation.

Je ne suis pas un adepte du vieillissement, mais je reconnais que certains produits m'ont agréablement surpris après quelques années en cellier. Cependant, la grande majorité des bières ne supportent pas le vieillissement et développent des saveurs communes qui rappellent celles du madère, un vin oxydé volontairement à haute température.

CONDITIONS IDÉALES DE STOCKAGE

Si vous désirez faire vieillir quelques bouteilles dans votre cellier à bière, tenez compte des remarques suivantes :

- **Seules les bières non filtrées et sur lie profitent d'une garde.** Elles continuent d'évoluer dans la bouteille.

- **Ne jamais conserver une bière qui a mal été embouteillée ;** elle est déjà fort probablement en train de s'altérer.

- **Plus la bière a un taux d'alcool élevé** ou un taux de sucre résiduel lui donnant de la rondeur, **plus la garde la bonifiera.**

- **Les bières ayant subi une fermentation lactique,** un ajout de bactéries ou l'utilisation de levures de type *Brettanomyces* **sont plus propices à apprécier le vieillissement.**

- **Suivre les indications de la brasserie** et du brasseur qui conaissent le mieux leur bière.

LA TEMPÉRATURE DE SERVICE

Chaque bière a des arômes et saveurs qui ont besoin d'une température idéale pour se libérer. Certaines ales, grâce à l'alcool, vont vous offrir des notes fruitées ou caramélisées. Si la bière est trop froide, la perception des saveurs en sera grandement influencée. Servez votre bière à une température adéquate.

J'utilise donc une formule qui permet de rapidement connaître la température idéale de service des bières :

$Ts = Ta + \frac{1}{2} Ta$
Ts = *Température de service*
Ta = *Taux d'alcool*

Une bière à 4 % d'alcool/vol. sera servie à 6 °C.

Une bière à 5 % d'alcool/vol. sera servie à 7,5 °C.

Une bière à 10 % d'alcool/vol. sera servie à 15 °C, le maximum conseillé pour toute bière à plus de 10 % d'alcool/vol.

S'ASSURER DE LA BONNE TEMPÉRATURE

La température de votre réfrigérateur doit être d'environ 4 °C ; ce qui est beaucoup trop froid pour l'ensemble des bières disponibles sur le marché. Il est donc nécessaire de tempérer vos bouteilles ou de les réfrigérer quelques minutes seulement avant le service. Dans les deux cas, attention aux variations trop brusques de température.

Difficile de servir la bière à des températures différentes. C'est au client de les boire dans un ordre établi.

Quelques conseils à respecter :

- La température dans votre verre de bière pouvant monter de 2 °C en quelques minutes, il vaut mieux servir une bière légèrement plus froide que ce qui est conseillé pour la laisser tempérer dans votre verre.

- Ne laissez pas les bouteilles sur une source de chaleur ou près du radiateur. Soyez patient.

- Ne mettez pas une bouteille au congélateur. Utilisez un seau à champagne avec de l'eau froide.

La patience

Si vous désirez réfrigérer ou tempérer une bouteille de bière, voici quelques observations réalisées sur une bouteille de 341 ml. Les résultats peuvent varier en fonction de votre réfrigérateur et de la température ambiante.

De 20 °C à 15 °C	30 minutes
De 20 °C à 10 °C	1 heure
De 20 °C à 8 °C	2 heures
De 20 °C à 6 °C	3 heures

La température de la pièce est de 20 °C

De 4 °C à 15 °C	60 minutes
De 4 °C à 10 °C	45 minutes
De 4 °C à 8 °C	30 minutes
De 4 °C à 6 °C	10 minutes

À quelle température la bière gèle-t-elle ?

« Mon pays, ce n'est pas un pays, c'est l'hiver! » (Gilles Vigneault)

Il vous arrive de temps en temps, en hiver, de transporter de la bière qui doit rester dans le coffre de votre voiture pendant quelques heures. Va-t-elle geler ?

Même s'il n'est pas recommandé de laisser de la bière à des températures extrêmes (fortes chaleurs ou froid glacial), les conditions météorologiques du Québec ne nous laissent parfois pas le choix. Vous pouvez vérifier si votre bière va geler en appliquant la formule suivante :

$Tg = (Ta / 2) - 1$
Tg = *Température de gel*
Ta = *Taux d'alcool*

Une bière à 4 % d'alcool/vol. gèlera à -1 °C.

Une bière à 6 % d'alcool/vol. gèlera à -2 °C.

Une bière à 10 % d'alcool/vol. gèlera à -4 °C.

Une bière à 12 % d'alcool/vol. gèlera à -5 °C.

En connaissant la température extérieure, vous éviterez les dégâts car, sous l'action du gel, la bière prend de l'expansion dans la bouteille et peut donc faire éclater le verre.

LE VERRE

Avez-vous déjà remarqué l'importance du verre dans le service de la bière en Europe ? Que vous soyez en Allemagne, en Angleterre ou en Belgique, le serveur va vous offrir le verre de bière adéquat. Habituellement, il s'agit du verre fourni par la brasserie.

En Amérique du Nord, le verre le plus utilisé est la pinte. Verre préféré des Anglais pour leurs nombreuses Ales, il est cependant inadéquat pour des styles de bières belges ou allemands. Quel verre choisir ?

DE NOMBREUX VERRES À BIÈRE

Il existe des centaines de styles de verre et chaque brasserie propose le verre qui convient à la bière. Qu'ils soient longs, ronds,

Les brasseries proposent un grand choix de verres qui plaisent aux collectionneurs du monde entier.

minces ou larges, si vous deviez respecter les consignes de chaque brasserie, vous auriez un verre de bière différent pour chaque bière de votre cellier. On n'a pas tous l'âme d'un collectionneur.

Le choix du verre est primordial pour une dégustation réussie :

- **Un verre à pied, tenu par celui-ci, évite de réchauffer la bière lorsqu'on la boit. Mais comme on propose de plus en plus de verres sans pied, il suffit d'en tenir compte au moment de servir la bière à la bonne température.**

- **Un verre aux parois épaisses permet de garder la bière froide. Mais la sensation sur le bout des lèvres ne sera pas aussi agréable qu'avec un verre aux parois minces. Je privilégie des verres aux parois minces.**

- **Un verre au col étroit emprisonne plus facilement les saveurs s'il a un corps plus large qui permet de libérer les saveurs.**

- **Un verre au col large offre une plus grande surface d'exposition à l'air libre et risque d'altérer la bière plus rapidement. Un col de mousse est nécessaire pour protéger la bière.**

Au cours de mes nombreuses dégustations, j'ai sélectionné quatre types de verres à bière qui s'adaptent à tous les styles. Chaque verre a des avantages.

Le verre tulipe

Verre le plus polyvalent, le verre tulipe doit son nom à sa forme. Sa forme de ballon se referme légèrement, ce qui conserve à la bière toutes ses saveurs et vous permet d'y plonger votre nez. Comme il contient environ une bouteille de bière, vous pouvez servir celle-ci en une fois.

On utilise ce verre avec des bières qui offrent des saveurs marquées, qu'elles soient douces ou typées, et qui ont une belle carbonatation. Il favorise une mousse imposante, ce qui accentue l'amertume de la bière.

Certains verres tulipes vous sont proposés sans pied ; ils ont fière allure et vous permettent d'apprécier tout autant votre bière.

Le verre pinte

C'est le verre le plus utilisé dans les bars du monde entier et les formats varient en fonction des coutumes locales. Ce verre est légèrement conique, il ne retient pas les saveurs et il est le plus souvent utilisé pour les bières de type Pale Ale, Brown Ale, Bock et autres bières dont la fonction première est de vous amener à en prendre une deuxième.

Les pays anglo-saxons apprécient particulièrement leur pinte, ce qui en fait le verre le plus fréquent dans les bars, même pour des bières qui auraient besoin d'un autre type de verre.

Je ne conseille pas ce verre si vous êtes en mode dégustation. Il peut d'ailleurs être très facilement remplacé par un verre de type stange, très populaire en Allemagne pour les bières désaltérantes.

Le verre ballon

De forme sphérique, ce verre peut contenir la totalité de la bouteille ou de la canette. Il concentre les saveurs et permet d'offrir un beau col de mousse.

Il est la plupart du temps utilisé pour des bières ayant un fort taux d'alcool, des notes maltées et une faible carbonatation. Sa forme favorise une mousse compacte et son diamètre au sommet vous permet d'y enfouir votre nez et de humer toutes les saveurs.

Son format contribue à la psychologie de la dégustation. On boit une bière digestive.

Le verre flûte

Ce verre très allongé sur pied est utilisé principalement en Belgique pour les Lambics aux fruits. Le Lambic étant le champagne de Bruxelles, il emprunte le même verre que son cousin de France depuis quelques années, pied de nez au snobisme du vin face à la bière.

La flûte permet de garder longtemps l'effervescence de la bière et d'éviter que la bière ne se réchauffe si vous tenez le verre par le pied. Elle est utilisée pour les bières aux fruits, les bières apéritives et les bières de style brut.

Son format contribue à la psychologie de la dégustation. On boit une bière festive et apéritive.

STOCKER SES VERRES

Puisque la bière n'aime pas les résidus de savon et la poussière, le stockage de vos verres à bière doit respecter certaines règles :

- **Stockez vos verres dans un endroit sec et aéré, la tête vers le bas pour les protéger de la poussière.**
- **Idéalement, ne les stockez pas dans la cuisine. Le verre à bière n'aime pas la graisse ou la vapeur de cuisson.**
- **Rincez abondamment votre verre après l'avoir lavé. Il ne doit pas contenir de résidus de savon ou de graisse car ceux-ci altèrent la mousse ou l'effervescence.**
- **Si possible, accrochez-les par le pied et ne les essuyez pas avec un torchon mais laissez-les sécher. Vous éviterez ainsi d'y déposer des particules de coton ou de polyester.**

Si vous appliquez ces quelques conseils, il n'est pas nécessaire de les rincer avant l'utilisation. Ayez toujours des verres propres à la température de la pièce à votre disposition.

LE GESTE

Ça y est, vous avez devant vous le verre adéquat, votre bouteille ou canette réfrigérée et votre consommateur. Il est temps de la servir.

Le service de la bière se déroule en quelques étapes. Rappelons-nous que le but premier est de profiter pleinement du savoir-faire du brasseur. Pour ce faire, il faut :

- **Avoir un verre propre et rincé à l'eau. Ce verre doit être exempt de tout résidu de savon ou de graisse.**

- **Décapsuler la bière si nécessaire.**

- **Incliner le verre à 45 degrés.**

- **Commencer à servir la bière sans vous arrêter. Dès que la bière risque de déborder, redressez le verre en élevant délicatement la bouteille ou la canette. Un beau collet de mousse se formera.**

- **Arrêter de servir dès que votre intuition vous dit que cela va déborder. (Logique, n'est-ce pas ?)**

- **Poser le verre et respirer.**

Le temps est venu de déguster.

S'il reste un peu de bière dans la bouteille et qu'il s'agit d'une bière sur lie, il n'est pas nécessaire de la verser dans le verre. Par contre, je vous invite à lire la suite.

LA LIE AU FOND DE LA BOUTEILLE

Plusieurs amateurs aiment goûter à la lie au fond de la bouteille, alors que plusieurs consommateurs préféreront la laisser dans la bouteille. Voici quelques règles à respecter pour ne pas dérouter votre invité :

- **Toujours vérifier la qualité de la lie dans la bouteille. Si la lie est importante, demandez à votre convive s'il la veut. Elle risque de laisser quelques particules en suspension dans le verre et de diminuer l'esthétisme d'un service bien fait.**

- **Servir la bière en une fois sans la secouer, la lie restera au fond de la bouteille.**

- **Comble d'un bon service, vous pouvez offrir la lie dans un petit verre à shooter, à côté de la bière. Votre convive y goûtera s'il le désire.**

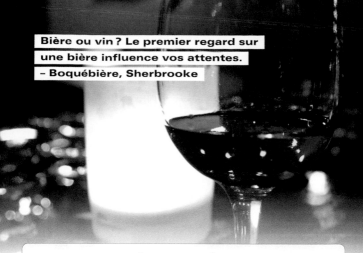

> **Bière ou vin ? Le premier regard sur une bière influence vos attentes.**
> – Boquébière, Sherbrooke

REMUONS LES BIÈRES DE BLÉ

Afin d'assurer un beau service et de profiter de toutes les saveurs de la bière, remuez délicatement les bouteilles de bière de blé comme la Blanche ou les Weizens, qui sont le plus souvent troubles.

- **Tenez la bière dans vos deux mains.**
- **Retournez-la, tête vers le bas, et faites-la tourner délicatement.**
- **Redressez-la et servez-la comme nous l'avons précisé précédemment en vous arrêtant aux ¾ de la bouteille, faites rouler celle-ci et versez le reste de la bière.**

LA DÉGUSTATION

Moment privilégié, la dégustation permet de stimuler tous vos sens et de découvrir le savoir-faire du brasseur. C'est la récompense d'une conservation de la bière dans les meilleures conditions et d'un service dans la plus pure tradition.

C'est le moment préféré du consommateur.

Dans cette section, vous apprendrez les fondements de la dégustation analytique, la dégustation avec un esprit d'analyse permettant de découvrir des caractéristiques positives ou négatives dans la bière.

LES SENS

L'être humain utilise ses sens pour évoluer dans son environnement. Les cinq sens (l'ouïe, la vue, l'odorat, le toucher et le goût) sont utiles, par exemple, pour évaluer, tester, déguster, reconnaître ou apprécier une activité, un produit, une personne ou un lieu.

Ils sont également tous très utiles pour la dégustation de la bière, que vous la serviez ou la dégustiez.

Dans les prochaines sections, je vous détaille l'utilisation de chaque sens en relation avec la bière, que vous la serviez ou la buviez. Certains termes utilisés seront expliqués par la suite.

Le sens des sens

Selon l'expérience vécue, les cinq sens seront appelés dans un ordre différent. Si on vous sert une bière, la vue sera fort probablement le premier sens en alerte. Si vous servez une bière, l'ouïe sera fort probablement utile dès l'ouverture de la bouteille et le toucher aura déterminé la température de la bière.

Mais vous pourriez également me convaincre que le sens de la vue est utile dès qu'on a la bouteille dans la main. L'utilisation des cinq sens, dans un ordre donné, est donc le fruit de votre propre interprétation et des détails qui se démarqueront. Chaque individu ne répond pas forcément de la même manière à l'appel des sens.

C'est une question tout à fait personnelle, mais en tant que consommateur, il est important de respecter un ordre prédéterminé par bon nombre de dégustations et d'expertises :

1. **La vue,** utile pour l'aspect de la bière.
2. **L'odorat,** utile pour les flaveurs et arômes.
3. **Le toucher,** utile pour la texture de la bière.
4. **Le goût,** utile pour le caractère de la bière.
5. **L'odorat,** utile pour la rétro-olfaction.
6. **L'ouïe,** indispensable pour profiter de son expérience.

En appliquant cet ordre, vous serez en mesure de découvrir votre bière en vous attardant sur différents éléments que nous verrons au prochain chapitre.

La vue
VOUS SERVEZ LA BIÈRE

- Vous regarderez le goulot de la bouteille pour vérifier que celui-ci est propre, sans traces de moisissures ou de poussières. Une capsule rouillée est, en règle générale, un mauvais signe.

- Vous regarderez si la bière est sur lie. Vous pourrez proposer à vos convives de la verser dans le verre ou non. Comment la reconnaître ? La lie est la fine pellicule plus sombre que l'on aperçoit au fond de la bouteille.

- Vous regarderez si votre verre est propre et ne porte aucune trace de gras ou de savon. Si c'est le cas, rincez-le à l'eau froide et essuyez-le avec un chiffon qui ne laisse pas de traces ou de résidus synthétiques.

VOUS LA BUVEZ

- Vous regarderez la tenue de la mousse. Est-elle fugace ou persistante ? crémeuse ou en dentelle ? La mousse permet de déceler un défaut ou une erreur de service.

- Vous regarderez la couleur de la bière, qui permet de définir un profil aromatique type et vous donne quelques indications sur le type de céréales utilisées.

- Vous regarderez la texture de la bière. Est-elle limpide ou trouble ? C'est un signe qui permet de savoir si elle a été filtrée avant conditionnement, par exemple.

- Vous regarderez l'effervescence. Elle doit être pleine d'énergie mais régulière.

L'ouïe
VOUS SERVEZ LA BIÈRE

- Vous entendrez la dépressurisation au décapsulage, signe d'une belle vitalité. S'il n'y a aucun son, votre bière peut avoir un problème, sauf pour les bières dites tranquilles, sans aucune effervescence.

- Vous entendrez le bruit de la bière qui est versée dans le verre, invitant les autres sens à se tenir en alerte.

VOUS LA BUVEZ

- Vous entendrez l'effervescence de la bière former la mousse, qui doit être riche et crémeuse. Dans un environnement calme, le bruit de la mousse qui pétille est un pur délice et un moment dont il faut profiter égoïstement, sans aucun remords.

- Vous entendrez les bruits de l'environnement qui influencent grandement la dégustation. Boire une bière dans un environnement sympathique où règne la joie de vivre demande moins d'efforts pour l'apprécier, n'est-ce pas ? La dégustation en silence, dans un contexte de concours par exemple, est très souvent nécessaire, pas besoin d'être influencé par un collègue juge voisin qui n'apprécie vraiment pas son expérience.

Le toucher ou le contact
VOUS SERVEZ LA BIÈRE

- Vous toucherez la bouteille ou le verre afin d'évaluer la température de la bière. Celle-ci doit être servie dans les meilleures conditions.

VOUS LA BUVEZ

- Vous toucherez le verre afin d'évaluer la température de la bière. Elle vous permettra d'estimer le temps nécessaire pour la boire ou la réchauffer, si nécessaire.

- Vous boirez la bière en vous concentrant sur son effervescence et sa texture. Les sensations gustatives seront considérablement influencées par la texture de la bière et son effervescence. Nous y reviendrons plus tard.

Le goût
VOUS SERVEZ LA BIÈRE

- Pas très utile. Vous n'êtes pas censé goûter la bière que vous servez pour un convive, donc évitez d'y tremper les lèvres.

VOUS LA BUVEZ

- Vous boirez la bière en vous concentrant sur ses propriétés gustatives (amertume, acidité, sucré et salé). Ce sont les paramètres les plus importants de l'appréciation de la bière et nous les explicitons plus loin.

L'odorat
VOUS SERVEZ LA BIÈRE

- Vous sentirez le verre afin de détecter toute trace de savon ou de chlore, provenant le plus souvent d'une eau filtrée et traitée par la municipalité ou d'un lave-vaisselle capricieux.

- Vous sentirez les premiers effluves vous monter au nez. Ce sont souvent les arômes prédominants et ceux qui sont les plus faciles à détecter.

VOUS LA BUVEZ

- Vous sentirez la bière en vous concentrant sur ses propriétés olfactives et ses saveurs.

- Vous sentirez la bière, après la première gorgée, en vous concentrant sur les saveurs exprimées après que vous l'aurez avalée. On parle de rétro-olfaction, qui permet de déceler d'autres arômes, après avoir découvert les propriétés gustatives de la bière. Voilà pourquoi, dans un contexte de dégustation analytique, il est toujours nécessaire d'avaler une gorgée.

EXERCICE PRATIQUE

Prenez un verre (servi dans les règles de l'art), inspirez et égayez tous vos sens, nous allons déguster une bière.

La vue

Regardez la bière. Est-elle limpide ? Si oui, est-ce en accord avec le style ? La bière contient-elle des éléments en suspension qui ne sont pas les bienvenus, comme la lie qui s'est décollée ? Est-elle filtrée ou décantée ? Les bulles sont-elles constantes, signe d'une belle gazéification ? La mousse est-elle riche, crémeuse ou fuyante ? Si la mousse est très volubile et forme de belles et grosses bulles, la bière est peut-être très houblonnée, c'est un signe.

L'odorat

Sentez votre bière. Quels sont les arômes qui s'en dégagent ?
Sont-ils positifs ou négatifs ? Est-ce en accord avec le style ?
Continuez à la sentir, cherchez au fond de votre mémoire les
arômes qui se démarquent. Arrêtez-vous à trois.

Le toucher

Prenez une gorgée. La bière est-elle piquante, huileuse, ronde,
liquoreuse ? Associez cette perception avec ce que vous avez vu.
L'effervescence est-elle en accord avec le corps de la bière ?

Le goût

Les goûts se manifestent. La bière est-elle sucrée ou amère ? Les
saveurs perçues sont-elles en accord avec la texture de la bière ?
Est-ce normal pour le style ?

L'odorat

La rétro-olfaction commence son travail. On y perçoit d'autres
arômes ou on confirme ceux déjà sentis. L'étalement se manifeste, en offrant des sensations gustatives qui confirment les
premières impressions ou qui sont nouvelles.

L'ouïe

Vous venez de terminer la première gorgée, vous partagez vos
impressions et vous recommencez.

Cet exercice peut paraître complexe mais, après chaque répéti-
tion, il vous permet d'apprécier votre bière et de découvrir toutes
les subtilités des saveurs et des goûts.

Les prochaines pages seront consacrées à la compréhension de
cet exercice et à l'explication du vocabulaire utilisé. J'en profite
également pour vous proposer quelques dégustations ciblées afin
de vous aider à mieux comprendre le principe de la dégustation.

N'oubliez pas que le but premier est de vous amuser et de profiter
d'une belle expérience.

QUOI REGARDER, SENTIR ET GOÛTER

Vous avez envie d'utiliser tous vos sens et de goûter à cette bière,
mais vous ne savez pas quoi regarder, sentir ou goûter. Chaque
élément de la bière doit être analysé et apprécié. Plus vous
goûterez des bières différentes, plus vous serez en mesure d'en
comprendre la fabrication, l'inspiration stylistique et les différentes saveurs.

La mousse

La mousse est le résultat de l'effervescence dans la bière.
À chaque remontée, une bulle emporte avec elle un peu de
matières en suspension contenues dans la bière qui, au contact
de l'air, forment une belle mousse.

Une bière contenant plus de protéines offrira une mousse plus
crémeuse. Les blanches, brassées avec une faible quantité de
blé, ont une mousse généralement plus riche que des bières qui
n'en contiennent pas. Pourquoi l'eau gazeuse n'a-t-elle pas de
mousse ? Parce qu'elle ne contient pas de protéines.

La tenue de la mousse est primordiale et favorise un aspect
visuel satisfaisant. Plusieurs facteurs déterminent la tenue de la
mousse, comme la présence de houblons ou de protéines dans la
bière. En règle générale, une mousse crémeuse et riche est signe
d'une bière en bonne santé.

Si certaines bières ne vous donnent pas une belle mousse, cela
ne veut pas nécessairement dire que la bière n'est pas bonne.
Les Lambics, par exemple, ne sont pas effervescents, ou le sont
peu, leur mousse est donc très volatile, voire inexistante.

DÉGUSTER POUR MIEUX COMPRENDRE

- Achetez trois bières pour cet exercice : une Blanche, une
  Triple et une Pilsner. Assurez-vous d'avoir trois verres
  identiques, propres et bien rincés.

- Servez les bières dans chaque verre en même temps.
  Si vous êtes seul, assurez-vous de le faire le plus rapidement possible avec la même méthode.

**Une belle dentelle
de mousse**

- **Si vous comparez les mousses, vous remarquerez que les trois ont un profil différent. La bière Blanche donne une mousse crémeuse et onctueuse, alors que celle de la bière Pilsner est plus volatile. Goûtez uniquement la mousse, vous constaterez que celle-ci est plus amère que la bière. C'est normal, l'amertume du houblon et de la levure aime s'y loger. Du côté de la bière Triple, la mousse est censée laisser une belle dentelle sur la paroi du verre lorsqu'elle disparaît. Cette dentelle est souvent gracieuse et agréable à voir.**

L'exercice peut différer légèrement en fonction de la fraîcheur de la bière, de l'interprétation du style par le brasseur, de la propreté du verre et de la méthode de service.

La couleur de la bière

Lorsqu'on parle de la couleur, on parle en fait principalement de celle du grain ou du sucre ajouté. Sans être le principal facteur d'arômes et de saveurs, il influence cependant le goût de la bière et définit son profil. Par exemple, un grain pâle a tendance à produire des arômes de céréales et de pain, tandis qu'un malt plus foncé proposera des arômes plus prononcés de caramel.

BLONDE	**Peut développer des notes légères de céréales et de pain**
BLANCHE	**Peut développer des notes de céréales et de pain**
AMBRÉE	**Peut développer des notes légères de caramel et de céréales grillées.**
ROUSSE	**Peut développer des notes moyennes à fortes de caramel et de céréales grillées.**
BRUNE	**Peut développer des notes de chocolat, de céréales rôties, de sucre candi ou de mélasse.**
NOIRE	**Peut développer des notes de torréfaction, de café ou de céréales rôties.**
FRUITÉE	**Est liée aux saveurs et arômes des fruits utilisés. Dépend de la couleur du ou des fruits.**

Il est très rare de boire une Blonde aux arômes de café et de torréfaction. Le profil est donc important et la couleur permet au consommateur d'orienter sa dégustation et ses attentes. Saviez-vous qu'il faut très peu de malt noir pour brasser un Stout ? Il suffit d'ajouter entre 10 et 15 % de malt noir à un malt pâle pour obtenir une bière noire. En regardant votre bière, vous associez sa couleur à des arômes que vous connaissez. Vous vous préparez à sa dégustation.

Il est faux de dire que seule la couleur définit la saveur de la bière. Le houblon, la levure et les épices ajoutées peuvent être dominants et offrir des saveurs marquées. Mais il est également faux de penser que la couleur ne l'influence pas. Une dégustation de plusieurs bières de même couleur vous permettra d'y trouver certaines similitudes.

DÉGUSTER POUR MIEUX COMPRENDRE

- Achetez trois bières pour cet exercice : une bière de couleur blonde, une bière de couleur rousse et une bière de couleur noire. Aucune des trois ne doit être fortement houblonnée ni contenir des épices ou des fruits.

- Servez les bières, dans chaque verre, en même temps. Si vous êtes seul, assurez-vous de le faire le plus rapidement possible et de la même façon.

- Si vous sentez les bières, vous remarquerez que celles-ci ont des saveurs différentes.

- La couleur permet de définir un profil type. La bière blonde n'offrira pas de saveurs de torréfaction ou de café, alors que vous en trouverez probablement dans la bière noire. Du côté de la bière rousse, vous relèverez des notes légères de caramel.

L'exercice peut différer légèrement en fonction de la fraîcheur de la bière, de l'interprétation du style par le brasseur, de la propreté du verre et de la méthode de service.

La clarté

La clarté de la bière est intimement associée à sa couleur et à sa fabrication. Plusieurs termes sont utilisés dans le langage de la dégustation et permettent de mieux comprendre les méthodes de brassage reliées au produit.

Bière voilée et lumière

BRILLANTE	La bière est transparente, elle reflète la lumière et brille sous celle-ci. Ce sont des bières filtrées ou décantées. C'est très souvent le cas pour des bières blondes.
VOILÉE	La bière est trouble, signe de matières en suspension. On voit ce phénomène le plus souvent dans les bières non filtrées ou contenant beaucoup de blé ou de céréales crues. Si vous voyez des matières en suspension formant de grosses particules, il est possible que la lie se soit décollée du fond de la bouteille ou que le houblon, fortement utilisé dans cette bière, ai subi une petite transformation laissant place à des particules peu appétissantes.
LIMPIDE	La bière est transparente et rien ne vient troubler cette transparence. Pour des bières allant de l'ambré jusqu'au brun, il s'agit le plus souvent de bières filtrées mais qui n'ont pas la brillance d'une bière blonde.

Avec un peu d'expérience, chaque analyse de la clarté de la bière vous permettra de déceler des erreurs ou anomalies ainsi que d'en connaître un petit peu plus sur la qualité de l'effervescence, la filtration, les matières premières, etc.

DÉGUSTER POUR MIEUX COMPRENDRE

- Achetez deux bières pour cet exercice : une bière Pilsner et une bière Blanche. Vous pouvez également faire l'exercice avec les bières achetées précédemment pour l'exercice concernant la mousse.
- Servez les bières dans chaque verre.
- Regardez la bière Pilsner au soleil ; si celle-ci est filtrée, vous aurez une impression de brillance car la bière est très transparente. Placez un doigt en arrière de votre verre : si votre doigt est clairement perceptible, la bière est limpide, voire brillante. Du côté de la bière Blanche, un voile se crée si la bière a été correctement servie comme nous l'avons décrit précédemment. Ce voile est le résultat principalement de l'utilisation de blé.

L'exercice peut différer légèrement en fonction de la fraîcheur de la bière, de l'interprétation du style par le brasseur, de la propreté du verre et de la méthode de service.

L'effervescence de la bière

La gazéification ou effervescence de la bière consiste à ajouter du CO_2 (de manière naturelle ou artificielle) dans le contenant et à s'assurer que la bière soit dans un milieu anaérobique (voir le chapitre sur le conditionnement).

LA TAILLE DES BULLES EST UN GAGE DE QUALITÉ :

- Si elles sont uniformes, la bière est servie dans d'excellentes conditions.

- Si elles sont inégales ou se tiennent sur la paroi du verre, celui-ci est peut-être sale ou endommagé.

- Si elles sont très grosses, la bière peut être infectée ou le verre peut contenir un produit non désiré.

Comment reconnaître la taille des bulles ? Par l'expérience, mais fiez-vous aux bières servies en fût, le système de service favorisant une gazéification adéquate pour chaque bière.

L'effervescence de la bière détermine également la sensation au premier contact de votre langue et la perception d'un élément que nous verrons bientôt : le corps de la bière.

- Si la bière est très effervescente, elle accentuera les saveurs acidulées et amères.

- Si la bière est moins effervescente, elle accentuera les saveurs sucrées. Voilà pourquoi les brasseurs préfèrent embouteiller leurs bières alcoolisées et sucrées à des taux de gazéification plus bas que leurs bières désaltérantes.

DÉGUSTER POUR MIEUX COMPRENDRE

- Achetez deux bières pour cet exercice : une bière Imperial Stout et une bière Pale Ale.

- Servez les bières dans chaque verre.

- Prenez une gorgée de pale ale, suivie d'une gorgée d'Imperial Stout. Vous remarquerez une légère différence de gazéification. Cette différence permet de mettre l'accent sur l'amertume, le sucre ou l'alcool, comme nous l'avons vu précédemment.

- Avec une cuillère, mélangez chacune des deux bières jusqu'à ce qu'il n'y ait plus de gazéification. Vous pouvez également secouer le verre (attention aux éclaboussures) ou utiliser un récipient hermétique.

- Au contact de la bière avec votre langue, vous remarquerez que la texture a légèrement changé et que les goûts prédominants sont perçus différemment. Pas de doute, la gazéification de la bière joue un rôle important.

L'exercice peut différer légèrement en fonction de la fraîcheur de la bière, de l'interprétation du style par le brasseur, de la propreté du verre et de la méthode de service.

LES BIÈRES TRANQUILLES *(STILL BEER)*

La révolution brassicole de ces dernières années a mis à l'avant-plan un nouveau type de bières, très apprécié, les bières tranquilles.

Bière sans aucune effervescence, la bière tranquille est le plus souvent oxydée volontairement et sans ajout de CO_2 à la mise en bouteille, le format par excellence de ce genre de bière. Le terme « bière tranquille » est une analogie avec le monde du vin : un vin tranquille ne forme pas de bulles à l'ouverture de la bouteille, c'est donc la grande majorité des vins consommés dans le monde. On spécifie « effervescent » s'il y a des bulles dans le verre. Pour la bière, c'est le contraire, on spécifie lorsque le produit est « tranquille ».

Caractéristiques d'une bière tranquille

- Aucune effervescence volontaire de la part du brasseur. Ne pas confondre avec une bière qui, après un très long entreposage, n'est plus effervescente. Le brasseur doit avoir décidé que sa bière ne serait pas effervescente.

- Un vieillissement et une maturation longue à la brasserie lui permettent de profiter d'une oxydation ou d'un ajout de saveurs (miel, sirop d'érable, etc.).

- Un taux d'alcool supérieur à la moyenne. Les brasseurs ayant tendance à utiliser des bières plus alcoolisées pour les transformer en bières tranquilles, nous en ferons donc une caractéristique du style.

Les arômes de la bière

Avant de tremper vos lèvres dans une bière, il est très important de la sentir, les arômes et flaveurs qui s'en échappent vous aideront à définir son profil. Chaque arôme est interprété par votre cerveau qui l'identifie en fouillant dans votre mémoire olfactive. Si vous reconnaissez une saveur associée à un aliment, c'est parce que vous en avez déjà mangé.

Dans le cadre professionnel, les experts en bières sont en mesure de déterminer le style grâce aux arômes et aux odeurs qui s'échappent du verre. La meilleure école est celle de la pratique. Plus vous sentez et dégustez de bières, plus vous êtes en mesure de les reconnaître.

Le profil des arômes d'une bière est très complexe, mais on peut associer ces arômes par famille de saveurs.

SAVEURS POSITIVES

Elles donnent le plus souvent une impression positive.

AROMATIQUES	Regroupe les arômes d'alcool, de fruits et de fleurs.
RÉSINEUSES	Regroupe les arômes de résines, d'herbes et de noix.
CÉRÉALIÈRES	Regroupe les arômes de pain ou de céréales.
CARAMÉLISÉES OU SUCRÉES	Regroupe les arômes de caramel, de mélasse, de sucre candi.
GRILLÉES OU BRÛLÉES	Regroupe les arômes de pain grillé, de caramel brûlé.

SAVEURS NÉGATIVES

Elles donnent le plus souvent une impression négative.

PHÉNOLIQUES	Regroupe des odeurs de pansement, de clinique, de fumée et de clou de girofle.
LACTÉES	Regroupe des odeurs de rance, de fromage.
SOUFRÉES	Regroupe des odeurs de soufre, d'allumettes, de caoutchouc.
VÉGÉTALES	Regroupe des odeurs de légumes verts, de légumes cuits ou d'eaux usées.

SAVEURS RELATIVES

Elles peuvent être positives ou négatives selon le style.

OXYDÉES	Regroupe des arômes de carton, de cuir, de cave humide.
GRASSES	Regroupe des arômes de beurre, de maïs soufflé, de caramel au beurre.

La dégustation étant un processus très personnel, puisque chaque individu a une mémoire olfactive différente, il est intéressant de comparer ses résultats. Vous découvrirez également les effets de la psychologie de la dégustation et de l'influence de vos convives sur votre propre perception. Voilà pourquoi, dans le cadre d'un concours, les juges sont invités à garder le silence.

DÉGUSTER POUR MIEUX COMPRENDRE

- Achetez trois bières pour cet exercice : une bière American Pale Ale, une bière Stout ou Porter et une bière au hasard, selon vos envies du moment.

- Servez les bières dans chaque verre.

- Approchez chaque bière de votre nez et sentez les arômes dominants. Trouvez-vous des arômes de fruits, d'agrumes ou de sapin ? Il s'agit fort probablement de l'American Pale Ale. Trouvez-vous des arômes de café, de toasts rôtis, de torréfaction ou de chocolat ? Vous êtes probablement en train de découvrir le Stout ou le Porter. Pour la troisième bière, à vous de découvrir les arômes.

- Si je vous demande de classer les bières par ordre de dégustation, êtes-vous plutôt du genre bière noire ou bière amère à la fin ? C'est une question de choix personnel, mais sachez que c'est le goût de la bière qui va déterminer l'ordre de service. Nous y reviendrons.

L'exercice peut différer légèrement en fonction de la fraîcheur de la bière, de l'interprétation du style par le brasseur, de la propreté du verre et de la méthode de service.

Le corps de la bière

Que la bière soit amère, sucrée, salée ou acide, qu'elle soit très effervescente ou tranquille, qu'elle soit forte en alcool ou légère, tous ces paramètres influencent ou sont influencés par la texture de la bière.

Le corps de la bière symbolise l'effet du liquide sur la langue et le palais et peut se voir dans le verre. Il varie en fonction de la densité de la bière, de son taux de sucre résiduel et de l'ajout de matières premières autres que les céréales ou le houblon. Un vocabulaire lui est associé.

MINCE	Se dit d'une bière peu présente en bouche et à faible densité, proche de celle de l'eau. Elle peut également offrir une sensation sèche, c'est-à-dire aucune perception de sucré.
ÉPAISSE	Se dit d'une bière proche d'un liquide crémeux ou plus épais. Peut avoir des éléments en suspension mais invisibles à l'œil nu. Une bière fortement alcoolisée et faiblement gazéifiée peut avoir un corps crémeux.
HUILEUSE	Se dit d'une bière proche d'un liquide huileux. Peut avoir des éléments en suspension mais invisibles à l'œil nu. Une bière très houblonnée, en houblonnage à cru, peut avoir un corps huileux, car les huiles essentielles du houblon sont nombreuses.

Suite du tableau à la page suivante

PIQUANTE	Se dit d'une bière ayant une forte effervescence qui pique la langue. À ne pas confondre avec le piquant d'un piment.
RONDE	Se dit d'une bière avec un taux de sucre résiduel élevé. L'impression de rondeur est basée sur la densité de la bière et le sucre résiduel qui se pose sur la langue.
LIQUOREUSE	Se dit d'une bière avec un taux de sucre résiduel très élevé et un taux d'alcool élevé. La sensation de boire une liqueur est dominante.

DÉGUSTER POUR MIEUX COMPRENDRE

- Achetez trois bières de votre choix ou utilisez les bières déjà achetées pour les exercices précédents.

- Servez les bières dans chaque verre.

- Prenez une gorgée de chaque bière et définissez la texture sur votre langue. Vous remarquerez que la couleur n'est pas un indice pertinent pour la texture de la bière. C'est le sucre résiduel, le taux d'alcool ou l'utilisation d'une matière première en abondance qui changera la texture de la bière.

- Avec de la pratique, on arrive à définir la texture et à comprendre la corrélation entre différents styles de bières et une texture en particulier.

L'exercice peut différer légèrement en fonction de la fraîcheur de la bière, de l'interprétation du style par le brasseur, de la propreté du verre et de la méthode de service.

Le goût de la bière

Au nombre de quatre (sucré, acide, salé et amer), les différents goûts sont perceptibles grâce aux papilles gustatives qui couvrent la langue. Certaines sont plus sensibles à un type de goût en particulier et favorisent la détection sur une zone précise de la langue, mais ce schéma est controversé si l'on considère que seule la zone visée est capable de détecter un type de goût en particulier.

IL NE FAUT PAS CONFONDRE GOÛT ET GOÛT

- Le premier est le résultat de la perception par vos papilles gustatives d'une sensation salée, sucrée, amère ou acide. On utilise la langue.

- Le second est un ensemble de saveurs, de flaveurs et de sensations sur votre langue et c'est le terme usuellement utilisé pour décrire un produit. On utilise la langue, le nez et la mémoire olfactive.

LA PERCEPTION DU GOÛT

Chaque individu est apte à goûter grâce à ses papilles gustatives. Mais son échelle de détection et de tolérance est très personnelle. Un produit très acide pour une personne peut être considéré comme plus doux par une deuxième. Néanmoins, les deux consommateurs seront en mesure d'évaluer le produit et de détecter cette acidité.

Le goût s'apprivoise. Vous n'êtes pas amateur des bières très amères que vos amis vous invitent à goûter? Prenez votre temps. Si vous voulez améliorer vos connaissances sur ce genre de produits, il faut tout simplement en déguster continuellement et vous vous habituerez aux sensations gustatives plus amères, une gorgée à la fois.

En vieillissant, vos papilles gustatives s'épuisent et sont de moins en moins sensibles à la détection. Les personnes âgées ne détectent que les produits aux goûts plus marqués. Un enfant, quant à lui, détecte les goûts plus facilement. Cela est vrai également pour l'amateur de bières houblonnées, qui demandera sans cesse des bières de plus en plus houblonnées. Et lorsqu'il goûtera à nouveau, quelques années plus tard, une de ses premières découvertes, il trouvera celle-ci sensiblement moins houblonnée que dans ses souvenirs.

LA DÉTECTION DES SAVEURS ET DU GOÛT

Sans le nez, la perception des saveurs est nulle. Sans la langue, la perception des goûts l'est aussi. Les deux effectuent un travail d'équipe qui vous permet de détecter, d'analyser et d'apprécier votre bière.

Avant votre première gorgée, vous sentez votre bière et détectez des saveurs. Celles-ci vous rappellent des souvenirs olfactifs ou non. Elles permettent également de donner un avis rapide sur l'appréciation du produit. Sont-elles positives ou négatives?

À la première gorgée, les papilles gustatives détectent la texture de la bière (piquante, huileuse, ronde, liquoreuse) et analysent les différentes saveurs (sucrée, acide, salée ou amère). Le nez, quant à lui, continue de recevoir des odeurs et arômes, par le biais de la voie rétro-nasale, derrière la langue (rétro-olfaction).

Après que vous avez avalé votre gorgée, la rétro-olfaction continue de vous offrir des saveurs que votre cerveau associe à la perception du goût. Vous n'avez plus de liquide en bouche, mais la perception des saveurs est encore bien présente. On parle d'étalement.

À la seconde gorgée, votre langue analyse à nouveau les différentes perceptions du goût, alors que le nez est toujours en rétro-olfaction sur la première gorgée. L'harmonie des goûts et saveurs est à son apogée, jusqu'à ce que votre verre soit vide.

- Utilisez les bières déjà achetées pour l'exercice précédent.

- Servez les bières dans chaque verre.

- Prenez une gorgée de chaque bière et identifiez le goût dominant sur votre langue. Vous remarquerez encore une fois que la couleur n'est pas un indice pertinent pour le goût de la bière. Ce sont les matières premières ou la technique de brassage et de fermentation qui vont influencer le goût.

- Certains styles historiques sont généralement associés à un goût en particulier. Les india pale ales sont amères, les scotch ales sont sucrées, etc. La perception de ces goûts varie en fonction de votre seuil de détection.

L'exercice peut différer légèrement en fonction de la fraîcheur de la bière, de l'interprétation du style par le brasseur, de la propreté du verre et de la méthode de service.

LES DÉFAUTS DE LA BIÈRE

Même si vous désirez vous offrir la plus belle des bières, il arrive parfois que celle-ci renferme un défaut. Exercice difficile, la détection des défauts demande beaucoup de rigueur et d'expérience : Qu'est-ce qu'un défaut dans une bière ? Quel est le pointage de référence pour analyser une bière et caractériser ses défauts ? La réponse est bien plus complexe que la question.

Je vous invite à découvrir quelques défauts communs dans la bière. La seule lecture de ce guide ne fera pas de vous un expert des défauts, car il faut parfois des dizaines de pratiques avant de bien détecter un défaut. Par contre, il n'est pas rare, dans les rassemblements d'amateurs de bière, d'entendre parler de ces défauts.

Les défauts de saveur de la bière
LE DIACÉTYLE
Le diacétyle est très facilement détectable pour certains et presque invisible pour d'autres. Sous-produit de la fermentation, le diacétyle est présent dans le beurre, dans la crème fraîche, les produits lactés et les boissons alcoolisées. Le diacétyle développe des odeurs de beurre ou de pop-corn.

Causes
Pendant la fermentation, la levure produit du diacétyle, qui est ensuite absorbé par celle-ci après quelques jours de fermentation. Certaines levures produisent beaucoup de diacétyle et n'arrivent pas à le réabsorber au complet. Il est également possible qu'une fermentation trop courte ou une variation de température non contrôlée en soit la cause.

Il peut arriver aussi que vous trouviez des traces de diacétyle dans des bières contenant des bactéries lactiques; votre seuil de perception appréciera plus ou moins.

L'ODEUR DE MOUFFETTE

Très facilement détectable pour certains, pratiquement inconnu pour d'autres, ce défaut généralement lié à l'odeur de mouffette dans votre verre est très commun.

Causes

Nous avons vu précédemment que le houblon contient des acides alpha, sources d'amertume. Au contact de la lumière, certains acides alpha développent des odeurs très marquantes de mouffette, une odeur peu agréable qui modifie considérablement les saveurs de la bière.

Si la bière n'est pas protégée pendant son entreposage ou si elle est au contact du soleil, l'odeur de mouffette se développe, parfois très rapidement. Un pichet de bière blonde bien houblonnée sur une terrasse en plein soleil peut très rapidement changer d'arômes.

Voilà pourquoi la bière est appréciée dans des bouteilles brunes qui la protègent de la lumière ou dans une canette qui ne laisse passer aucune lumière.

ODEUR D'ÉGOUT, DE POURRITURE

Certaines bières peuvent développer des odeurs d'égout ou de pourriture, qui ne sont pas très agréables. En règle générale, si une bière contient ce défaut, celui-ci est très facilement détectable.

Causes

Dans une brasserie, on peut réutiliser plusieurs fois une levure de brassin en brassin. Il n'est pas rare de voir une levure réutilisée 5 à 7 fois. Mais à chaque utilisation, la levure peut contenir des cellules mortes, la fermentation demandant beaucoup d'effort. Cette levure morte, si fortement concentrée, peut développer des odeurs de pourriture ou d'égout pendant la fermentation. Une autre cause peut être l'infection bactériologique du brassin. Il n'y a pas grand-chose à faire pour éradiquer ce défaut à part jeter la bière.

SAVEUR MÉTALLIQUE

Présentant des arômes de métal ou de fer et souvent détectable au nez ou après la première gorgée, ce défaut est présent à différentes échelles et le plus souvent chez les brasseurs amateurs.

Causes

Ce défaut est lié au matériel de brassage, à une cuve en aluminium, à certains types de levure ou de houblon ou à l'utilisation d'une eau trop riche en fer. Le seuil de perception varie et certains considèrent que ce défaut peut être une caractéristique de certains styles de bières s'il est relié aux matières premières utilisées.

PAPIER OU CARTON MOUILLÉ

Défaut très facilement perceptible s'il est marquant. Ce défaut est souvent lié aux conditions d'entreposage de la bière et se développe sur les tablettes du détaillant ou dans votre cellier. L'odeur perceptible est celle du papier ou du carton mouillé.

Causes

Si la bière vieillit, elle aura tendance à développer des notes de carton ou de papier, car elle s'oxyde également. Le contact avec l'air est indéniable, le brasseur ne peut contrôler que le temps d'oxydation en essayant de l'espacer le plus possible. Si la bière est sur une tablette depuis des années, elle est donc moins fraîche. Voilà pourquoi il est important de vérifier l'âge des bières avant l'achat.

LES PHÉNOLS

Les phénols sont des composés chimiques issus de l'activité de la levure pendant la fermentation. Ils développent des odeurs caractéristiques. Par exemple, la levure *Torulaspora delbrueckii* est reconnue pour ses arômes particuliers de banane et c'est un phénol qui y est associé. Certains phénols sont liés à des défauts : les odeurs de pharmacie, de clinique, de pansement ou de fumée froide en sont quelques exemples.

Causes

Si la levure utilisée subit un problème de fermentation pouvant varier, des phénols non désirés vont se créer et provoquer des arômes qui ne seront pas appréciés par le consommateur. Une fois les phénols créés, il n'y a rien à faire, la signature olfactive de la bière est scellée à tout jamais.

ASTRINGENCE

Vous pouvez percevoir ce défaut après avoir avalé la première gorgée. Il est lié à des goûts très acides, voire aigres. La texture de la bière peut également changer, car le plus souvent ce défaut est dû à une infection bactériologique qui apprécie particulièrement les sucres dans la bière. S'il est présent en petite quantité, ce n'est pas forcément un défaut.

Causes

Les causes sont multiples. Ce défaut peut survenir pendant le brassage ou la fermentation, à la suite d'une infection bactériologique dans l'air, d'un problème de propreté de l'équipement ou d'une infection due à une matière première qui contenait une bactérie parasite. Il est cependant intéressant de tenir compte du fait que certains styles de bières historiquement liés à la fermentation spontanée peuvent contenir un peu d'astringence ; ce n'est donc pas un défaut dans ce cas-là.

SULFURE D'HYDROGÈNE

Une odeur particulière d'œuf pourri ou de soufre se développe. Ce défaut est très facilement identifiable et désagréable.

Par contre, au-dessous d'une certaine quantité, c'est une caractéristique de certains styles ou types de levures.

Causes

Le sulfure d'hydrogène est produit par la levure pendant la fermentation et la phase de maturation. Faiblement concentré, c'est une caractéristique. Si la fermentation a subi quelques problèmes, il se peut que le sulfure d'hydrogène soit plus concentré et donc plus facilement perceptible.

SULFURE DE DIMÉTHYLE

Également appelé DMS par beaucoup de consommateurs, ce défaut est très facilement perceptible s'il est fortement concentré. Il développe des arômes de légumes cuits, de sauce tomate ou de maïs doux.

Causes

Lorsqu'il est faiblement concentré, il peut être associé à une caractéristique particulière de certains types de bière. Par contre, s'il est fortement concentré, c'est fort probablement parce que le brasseur n'a pas refroidi rapidement son moût après l'ébullition ou que le moût n'a pas évacué les vapeurs d'ébullition. Le sulfure de diméthyle se crée pendant que le moût est chaud et doit être évacué avec les vapeurs.

ACIDE BUTYRIQUE

L'acide butyrique provoque des arômes très particuliers de vomi ou de fromage très fort. Il est très facilement détectable s'il est présent dans la bière.

Causes

Pendant la fermentation de certains styles de bières, les brasseurs utilisent plusieurs techniques d'acidification du moût en le mettant en contact avec des bactéries ou des acides lactiques, par exemple. Mais il existe différentes bactéries ou acides, tel que l'acide butyrique, qui vont produire des odeurs désagréables dans le moût. Si une infection à l'acide butyrique se présente pendant la fermentation, la bière sera contaminée et l'odeur désagréable de vomi ou de fromage très fort vous sautera au nez.

ACÉTALDÉHYDE

L'acétaldéhyde produit des arômes de pomme verte ou peu mûre. Il est très facilement perceptible si la bière en contient beaucoup. Le seuil de perception varie en fonction de chaque consommateur.

Causes

Lorsque la levure crée de l'alcool pendant la fermentation, elle crée également des acétaldéhydes, qui développent des arômes de pomme. Après une période en cuve de garde, ces acétaldéhydes disparaissent. Si votre bière en contient, c'est que la bière est trop jeune et aurait mérité quelques jours de garde supplémentaire.

SAVEURS D'ALCOOL

Les saveurs d'alcool sont tout à fait normales dans des bières qui en contiennent beaucoup. En règle générale, plus la bière est alcoolisée, plus elle présentera des arômes d'alcool. Parfois, cet arôme est anormalement très présent dans la bière, on parle donc d'un défaut.

Causes

Une fermentation à des températures trop élevées ou une trop grande concentration de levures peut créer un alcool dit « alcool de fusel ». Cet alcool de fusel est très facilement perceptible.

SAVEURS DE PAILLE OU DE GRAIN MOUILLÉ

Voilà un défaut que l'on trouve le plus souvent dans des bières faiblement alcoolisées et peu houblonnées. Au nez, des odeurs de grain mouillé ou de paille sont présentes. En bouche, après que vous avez avalé la première gorgée, ces odeurs se manifestent encore plus.

Causes

Les causes sont multiples et liées aux céréales utilisées pendant le brassage. Ces dernières peuvent avoir été trop concassées, trop rincées ou trop chauffées.

Infection de la bière par des bactéries

Les bactéries sont des organismes vivants de très petite taille qui contaminent la bière. On les retrouve dans l'air ambiant ou sur des surfaces qui contiennent du sucre, leur source d'alimentation préférée.

Une bière infectée aux bactéries est signe d'un problème d'hygiène, excepté pour certains types de bières pour lesquels les brasseurs les utilisent afin de développer des saveurs et un goût uniques. Les Lambics, par exemple, sont très appréciés des amateurs de bières et contiennent différents types de bactéries.

LACTOBACILLES ET *PÉDIOCOQUES*

Ce sont des bactéries qui convertissent les sucres simples en acide lactique. Elles peuvent conduire à une acidification et à une aigreur, à un trouble de la bière et à la formation de faux goûts.

Les bactéries pédiocoques produisent de l'acide lactique en grande quantité et un peu de diacétyle à partir des dextrines, du glucose mais aussi du maltose, du fructose et du sucrose.

Symptômes

- Un goût acide qui rappelle le goût de citron, le manque de corps, un goût peu sucré, une bière trouble.
- Une acidité anormale de la bière.
- Un taux de sucre résiduel faible par comparaison avec celui du style évoqué.

- Des bouteilles qui peuvent exploser ou un liquide qui jaillit à l'ouverture (fermentation bactériologique non contrôlée et surpression dans la bouteille).

ACÉTOBACTÉRIES

Ces bactéries vivent dans l'air jusqu'à une température de 50 °C. L'acetobacter oxyde l'éthanol (alcool) en présence d'oxygène et produit de l'acide acétique (vinaigre). Pour éviter son contact avec la bière, il faut que la fermentation démarre le plus rapidement possible.

Symptômes

- Un goût et un arôme aigres, une bière trouble.
- Une acidité anormale de la bière.
- Une diminution anormale du taux d'alcool.
- Une densité finale normale (pas de fermentation mais une oxydation de l'alcool).

Infection de la bière par des levures sauvages

Si la levure sauvage est une méthode utilisée par certaines brasseries, elle est redoutée par la plupart des autres. Seule la levure sélectionnée par le brasseur doit être dans le contenant.

Une bière infectée à la levure sauvage est signe d'un problème lié à la fermentation en milieu anaérobique ou à l'embouteillage, le brasseur ayant laissé une levure sauvage contaminer sa bière. Tout comme l'infection par bactérie, elle peut survenir dans la cuve (problème généralisé) ou dans le contenant (problème isolé).

BRETTANOMYCES

Levures sauvages utilisées dans certains types de bières.

Symptômes

- Des arômes de cuir, d'écurie, de sueur, de pharmacie, de plastique.

Les défauts visuels de la bière

Les défauts visuels d'une bière peuvent indiquer un problème lié à une étape du brassage ou à l'interprétation erronée du style par le brasseur ; dans ce dernier cas, il s'agit d'un défaut très subjectif considérant que le brasseur a bien le droit de faire ce qu'il veut. Le débat est lancé.

COULEUR HORS STYLE

Si la bière est trop foncée, le brasseur a pu utiliser un type de malt qui n'est généralement pas associé au style ou réaliser une caramélisation du moût trop importante.

Si la bière est trop claire, le brasseur n'a pas équilibré ses différents malts ou a effectué une saccharification ou une caramélisation du moût trop courte.

FAIBLE TENUE DE MOUSSE

La mousse est le résultat de la rencontre entre les bulles (composées de CO_2) et les matières en suspension (principalement des protéines). S'il manque des bulles, la mousse sera courte. S'il manque des protéines, la mousse sera faible.

LIE IMPOSANTE AU FOND DE LA BOUTEILLE

Une bière sur lie est le résultat normal d'une fin de fermentation en bouteille et du dépôt de la levure au fond de celle-ci. Trop de lie peut être considéré comme un défaut et indiquer qu'il y a eu trop de levure dans la bouteille. Le brasseur a-t-il bien décanté ou filtré sa bière ? La levure dans la bouteille est-elle d'origine sauvage ? Votre nez et votre langue vous confirmeront vos inquiétudes.

TROUBLE IMPORTANT

Dans le cas d'une bière blanche, le trouble de la bière est en accord avec le style. Mais dans le cas de plusieurs autres styles, la bière ne doit pas être trouble. Le trouble étant associé aux protéines que contient la bière, le brasseur a fort probablement mal mesuré le taux de protéines.

Seconde source identifiable, une levure très poussiéreuse trouble également la bière. Le défaut peut provenir de la brasserie ou de la personne qui a servi la bière et secoué la bouteille juste avant le service.

Le *gushing* ou débordement

Un défaut le plus souvent désagréable car inattendu est le débordement, connu également sous le terme anglais de *gushing*. Le débordement de la bière au moment de la décapsuler est dû à la surpression dans la bouteille.

ERREUR DE CALCUL

Si vous avez lu le chapitre sur le conditionnement, vous connaissez le principe de la fermentation en bouteille et de l'ajout de sucre ou de levure dans la bière, avant l'embouteillage.

Un savant dosage du brasseur permettra de réaliser la fermentation en remplaçant l'air ambiant par du CO_2. Un mauvais dosage remplacera l'air ambiant par une quantité excessive de CO_2, ce qui créera une surpression dans le contenant pouvant mener à l'explosion. Le débordement n'indique pas forcément une altération du goût de la bière.

INFECTION BACTÉRIOLOGIQUE OU PAR LEVURES SAUVAGES

Nous l'avons déjà vu, l'infection dans un contenant par une bactérie ou une levure sauvage crée une surpression, de la même manière qu'une fermentation non contrôlée. Par contre, la bière étant infectée, il y a généralement altération de son goût.

DÉGUSTER POUR MIEUX COMPRENDRE
– EXERCICE FINAL

- Achetez cinq bières différentes de votre choix en quantité suffisante.

- Réunissez quelques convives.

- Servez les bières, dans chaque verre de dégustation, à chaque convive. Vous devriez avoir devant vous 5 verres dont chacun contient environ 100 ml d'une bière.

- Vos amis et vous dégustez chaque bière comme nous venons de le voir dans ce chapitre (aspect, texture, saveurs, goûts et appréciation personnelle).

- Comparez vos résultats. Certains de vos amis ont-ils des résultats très différents ? Avez-vous remarqué des similitudes ? Tous ont une perception différente, un seuil de détection différent également et, notons-le, un vocabulaire qui peut être très différent...

Bienvenue dans le monde de la bière et, surtout, consommez de manière responsable !

LES STYLES DE BIÈRES

Même si la bière est de plus en plus présentée en fonction de ses saveurs, la culture bière depuis des siècles et le rôle des trois grands courants brassicoles (Allemagne, Angleterre et Belgique) influencent encore les brasseurs qui s'inspirent de dizaines de styles.

Considérant que ces styles sont très souvent indiqués sur l'étiquette, voici la liste des plus communs. J'en profite pour vous présenter une liste de mots associés à des caractéristiques. Les brasseurs de plus de la moitié des nouvelles bières utilisent ce vocabulaire pour définir leur style.

L'ALLEMAGNE

L'Allemagne offre une vaste sélection de bières. Parfois associées à une matière première ou à une région, les bières allemandes ont un rôle déterminé : étancher la soif. Mais certaines d'entre elles présentent des saveurs complexes. Voici les styles les plus communs et ceux que vous retrouverez dans cet ouvrage.

PILSNER
Originaires de Plzen, en Bohême, les Pilsner sont reconnues pour leur couleur blonde dorée, leurs arômes de houblon et leur finale sèche. En Belgique, vous pouvez trouver le style Pils, proche cousin du style Pilsner.
Arômes : pain de mie, fleur, herbes
Profil : bière sèche et mince.

HELLES
Brassée en Bavière, la Helles est une bière blonde titrant de 5 à 6% d'alc/vol, de fermentation basse. Elle se rapproche de la Pilsner mais est moins houblonnée et un petit peu plus maltée.
Arômes : pain de mie, malt.
Profil : bière douce.

KELLERBIER
Originaire du nord de la Bavière, la Kellerbier est une bière de fermentation basse aux couleurs multiples mais souvent ambrée. Elle a la particularité d'être plus houblonnée et associée aux bières de garde, celle-ci profitant d'une maturation en cave (*keller*, en allemand).
Arômes : houblon, caramel, malt.
Profil : bière amère, mince.

WEIZEN

Les weizen sont des bières de blé et d'orge brassées en Allemagne. Elles sont troubles et brassées avec une levure qui développe des saveurs de banane et de clou de girofle. Les weizen ne sont pas forcément blanches ; si c'est le cas, on parle alors de **Weiss**. Les weizen sur lie sont appelées **Hefeweizen**.

Arômes : banane, clou de girofle, fruits.
Profil : bière ronde et riche.

BOCK

Originaires de l'Allemagne du Nord, les bières de type Bock sont de couleur blonde à brune et sont moyennement alcoolisées. Elles offrent un corps légèrement malté. Elles ne sont pas très amères.

Arômes : malt, caramel, mélasse.
Profil : bière légèrement maltée, moyennement ronde.

WEIZENBOCK

Semblables aux Bock, les Weizenbock sont brassées avec de l'orge et du blé *(weizen)* malté. Elles offrent un corps légèrement malté et trouble. La levure utilisée donne des saveurs de banane et de clou de girofle.

Arômes : caramel, banane, clou de girofle, fruits.
Profil : bière ronde et riche.

DOPPELBOCK

Basée sur la Bock, la Doppelbock est cependant plus alcoolisée et plus ronde, car la teneur en sucre du moût y est supérieure. La bière est peu amère. Certaines brasseries proposent également une **Doppelweizenbock**, plus maltée que la Weizenbock mais ayant le même profil de saveurs.

Arômes : malt, pain grillé, alcool.
Profil : bière ronde.

EISBOCK

On raconte qu'un tonneau de Bock oublié à l'extérieur pendant l'hiver a créé ce style de bière, mais cela tient plus de la légende. L'eau ayant gelé sous l'effet de la température, la Eisbock était beaucoup plus concentrée en alcool et plus ronde.

Arômes : alcool, sucre.
Profil : bière ronde et riche.

MARZEN OU OKTOBERFEST

Brassée à la fin de la période de brassage, la Marzen est une bière douce offrant un corps légèrement malté. C'est la bière que l'on boit pendant l'Oktoberfest et qui est brassée essentiellement en Bavière.

Arômes : malt, caramel
Profil : bière légère.

KÖLSCH

Brassées dans la ville de Cologne, les Kölsch sont légèrement fruitées et peu amères. Bière de fermentation haute profitant d'une garde à froid, la Kölsch jouit d'une indication géographique protégée même si son style est brassé partout dans le monde.

Arômes : fruits, pain de mie.
Profil : bière mince et légère.

ALTBIER

Brassées dans la région de Dusseldorf, les Altbier sont, comme les Kölsch, des bières de fermentation haute profitant d'une garde à froid. La bière est de couleur ambrée et développe des saveurs légèrement sucrées ou fruitées et moyennement amères. Les saveurs de caramel provenant de l'orge sont de moyennes à très présentes.

Arômes : malt, caramel, houblon.
Profil : bière sèche et amère.

GOSE

Brassée historiquement avec l'eau de la rivière Gose, cette bière subit également une fermentation lactique qui lui donne un caractère acidulé. Elle est parfumée à la coriandre et au sel, ce qui en fait une bière tout à fait unique et très désaltérante.

Arômes : citron, coriandre.
Profil : bière sèche et acidulée.

RAUCHBIER

Spécialité de la région de Bamberg, la Rauchbier est une bière brassée avec des malts fumés au bois de hêtre. Les saveurs de bois fumé y sont très présentes. Les exemples de style proposés s'inspirent des Rauchbier.

Arômes : fumée.
Profil : bière ronde.

LAGER BLONDE

Style générique utilisé par beaucoup de brasseries industrielles, la Lager blonde permet de regrouper certains styles atypiques ou méthodes de fabrication principalement dictées par le type de fermentation et le type de céréales utilisés. Le style Lager blonde n'est pas lié à un savoir-faire empirique.

Arômes : pain de mie, céréales.
Profil : bière sèche et mince.

LAGER BRUNE

Calqué sur le même principe que la Lager blonde, le style Lager brune est principalement dicté par le type de fermentation et le type de céréales utilisés et de sucre ajouté, pour la grande majorité des bières de ce style.

Arômes : malt, sucre.
Profil : bière sèche et mince.

L'ANGLETERRE

Au pays des Ales, la bière se boit à la température de la cave, aux environs de 12 à 14 °C. Les notes de malt et de houblon sont beaucoup plus perceptibles de cette façon. Les Anglais n'ont pas été les premiers à ajouter du houblon dans leur bière, mais ils ont fini par rattraper leur retard.

PALE ALE

Voilà le style le plus connu des îles Britanniques. Ses saveurs légèrement maltées et houblonnées en font une bière rafraîchissante, même à la température de la cave. On trouve également des interprétations du style sous le nom de **Bitter**.

> **Arômes : caramel, rôti, houblon.**
> **Profil : bière mince à ronde.**

Inspirés par les Anglais, les Américains brassent eux aussi des Pale Ales, mais utilisent des houblons beaucoup plus aromatiques que leurs cousins. Ces **American Pale Ales** sont également plus amères et moins maltées.

> **Arômes : agrumes, houblon.**
> **Profil : bière mince et amère.**

Inspirée de la Pale Ale anglaise, la **Pale Ale belge** présente un nez plus fruité provenant de l'utilisation de levures différentes de celles utilisées en Angleterre. Elle a un profil semblable à ses cousines anglaises, mais une amertume moins franche.

> **Arômes : fruits, caramel.**
> **Profil : bière mince**

RED ALE

La Red Ale ou **Rousse** est un style très populaire en Irlande. Brassée avec du malt caramel et du malt rôti, elle possède des arômes très proches des céréales utilisées.

> **Arômes : caramel, pain toasté**
> **Profil : bière mince.**

BARLEY WINE

Le Barley Wine est souvent la bière millésimée de chaque brasserie. Elle développe un nez franc d'alcool et de sucre malté.

> **Arômes : alcool, malt**
> **Profil : bière sucrée, ronde.**

Le **Barley Wine américain** ou **American Barley Wine** s'inspire du Barley Wine anglais en augmentant le houblonnage et le taux d'alcool de la bière. Il développe un nez plus complexe d'alcool, de sucre et des arômes provenant des différents houblons.

BROWN ALE

Brassées avec du malt brun, les bières de type Brown Ale développent des arômes de caramel et sont très faiblement houblonnées.

Arômes : caramel
Profil : bière ronde, douce.

INDIA PALE ALE (IPA)

Inspirée de la Pale Ale, la India Pale Ale est brassée avec plus de céréales et plus de houblon. À l'époque, cela lui donnait davantage de corps et d'amertume afin qu'elle puisse supporter le voyage en bateau jusqu'en Inde.

Arômes : caramel, houblon, épices poivrées.
Profil : bière douce, amère.

Les versions américaines des India Pale Ales sont plus houblonnées et présentent des arômes d'agrumes ou de résine de houblon.

Arômes : houblon, agrumes.
Profil : bière amère.

Par référence à l'utilisation du mot *imperial* ou *double*, utilisé en Angleterre et en Belgique pour définir une bière plus alcoolisée que sa version simple, plusieurs brasseries américaines ont créé des India Pale Ales beaucoup plus alcoolisées et sucrées aux noms de **Imperial India Pale Ale** ou **Double India Pale Ale**.

Arômes : houblon, agrumes, sucre.
Profil : bière ronde, amère.

PORTER

Anciennement brassé avec des malts bruns, le Porter est devenu, au fil du temps, une bière brassée avec du malt pâle et du malt torrefié, de couleur noire, aux saveurs de grains grillés, sans trop d'amertume. C'est un proche cousin du Stout.

Arômes : grain grillé, chocolat.
Profil : bière douce, mince.

Un Porter plus alcoolisé et plus malté était brassé sur les bords de la mer Baltique et ressemble à son cousin l'imperial stout. On le nomme **Porter baltique**.

Arômes : chocolat, alcool, grain torréfié.
Profil : bière ronde, riche.

SCOTCH ALE

Ce style de bière a pris son essor en Belgique grâce à l'importateur belge John Martin, à la fin de la Première Guerre mondiale. La Scotch Ale est la cousine des Wee Heavy provenant d'Écosse. Elle est sucrée et légèrement alcoolisée.

Arômes : caramel cuit, fruits.
Profil : bière ronde, sucrée.

STOUT

Désignant les bières noires les plus fortes au XVIIIe siècle, le Stout présente des saveurs de café, de grain grillé et il est légèrement plus amer qu'un porter.

Arômes : grain grillé, café.
Profil : bière mince, amère.

Plus alcoolisé et amer, l'**1mpérial Stout** était brassé pour être exporté à la cour impériale de Russie. Les bières de ce style sont très rondes et alcoolisées.

Arômes : alcool, grain grillé, fruits.
Profil : bière ronde, riche.

LA BELGIQUE

La Belgique offre une panoplie de bières et de styles. Chaque région de la Belgique a ses brasseries et son style de bière. Il y a par exemple les Lambics pour la région de Bruxelles et les Saisons pour la région de Wallonie.

BLANCHE

Le style Blanche Belge n'existe pas. On parle plutôt de Blanche : une bière au mélange de blé et d'orge qui est assaisonnée, le plus souvent, avec de la coriandre et des écorces d'orange séchées.

Arômes : agrumes, fruits.
Profil : bière mince, crémeuse.

SAISON

La Saison était brassée à la fin de l'hiver pour être consommée durant l'été. Elle se devait d'être rafraîchissante même à des températures de service élevées.

Arômes : épices, fruits.
Profil : bière mince, âcre.

BIÈRE DE GARDE

Bière brassée à la fin de la saison de brassage, elle était destinée à être gardée jusqu'à sa consommation – d'où son nom. La Bière de garde n'est pas exactement un style mais plutôt une méthode de conservation de la bière. Plusieurs experts s'accordent à dire que l'appellation Bière de garde doit être réservée aux bières du nord de la France et cette bière est maltée, légèrement alcoolisée et peu amère.

Arômes : pain de mie, malt, sucre.
Profil : bière ronde.

BELGE

Voilà un style de bière qui regroupe toutes les bières blondes de Belgique aux saveurs fruitées et au corps rond. Qu'elles soient associées à un passé monastique (p. ex., bière d'abbaye) ou non, ces bières ont toutes le même profil de saveurs.

Arômes : fruits, alcools, épices.
Profil : bière ronde, alcoolisée.

BELGE FORTE

Se voulant plus alcoolisées et typées que les Blondes belges, les bières fortes sont le résultat d'une initiative pour contrer l'arrivée de la Pilsner en Belgique. Cela a donné comme résultat une blonde alcoolisée et amère très désaltérante.

Aujourd'hui, certaines bières de couleurs différentes se classent également dans les Belges fortes, même si elles n'ont pas toutes les caractéristiques originales. C'est une catégorie très populaire et utilisée par beaucoup de brasseries.

Arômes : alcool, fruits, houblon.
Profil : bière ronde, alcoolisée.

DOUBLE

Anciennement brassée exclusivement par les moines, la Double est une bière brune aux saveurs de fruits, de caramel ou d'alcool. En Belgique, ces bières sont appréciées en digestif après un repas familial.

Arômes : fruits, caramel.
Profil : bière ronde.

QUADRUPLE

Plus fortes que les Doubles, les Quadruples sont le résultat d'un brassage avec une densité et une teneur en sucre avant fermentation bien supérieures aux autres bières. La bière est riche en alcool, en saveurs maltées et en sucre résiduel.

Arômes : sucre, malt, alcool.
Profil : bière ronde, moelleuse.

TRIPLE

La Triple est une bière plus alcoolisée qu'une Blonde belge. Elle développe des saveurs d'alcool, de fruits ou d'épices.

Arômes : alcool, épices, fruits.
Profil : bière ronde

ROUGE DES FLANDRES

Vieillie dans des barriques de chêne, cette bière possède des saveurs de bois, de fruits acidulés et d'épices. Certaines Rouges des Flandres sont produites avec un mélange de bières vieillies et de bières jeunes. Elles peuvent être minces ou rondes, selon la méthode utilisée par la brasserie.

Arômes : fruits aigres, sucre, vanille.
Profil : bière mince ou ronde, acidulée.

Cousine de la Rouge des Flandres, la **Brune des Flandres** est également vieillie, mais dans des cuves de garde plutôt que dans du bois. Les brasseries proposent également des assemblages de jeunes et vieilles bières. Elles peuvent être minces ou rondes, selon le cas.

Arômes : fruits confits, épices, caramel.
Profil : bière mince ou ronde, acidulée.

Fait intéressant, les Flamands utilisent le terme « *Oud Bruin* » (vieille brune) pour définir une Rouge des Flandres ou une Brune des Flandres, sans faire la distinction entre méthode de fabrication et fermentation.

LAMBIC/GUEUZE

Proche cousin de la Blanche puisqu'il utilise également de l'orge et du blé, le Lambic se différencie par sa méthode de fermentation. Le moût est refroidi dans de grandes cuves à l'air libre, ce qui laisse entrer des levures sauvages qui l'inoculent durant la nuit avant d'être fermentées dans des barriques en bois. La Gueuze est un mélange de vieux Lambics de 3 ans, 2 ans et 1 an, refermentés en bouteille.

Arômes : animal, citron, pomme.
Profil : bière mince, aigre, acidulée.

Un **Lambic aux fruits** est une bière de type Lambic à laquelle on a ajouté des fruits. Ces bières peuvent être sucrées si les fruits ou le sirop ont été ajoutés après la filtration de la bière ou surettes si les fruits ont été fermentés dans la bière. Un Lambic traditionnel est aigre.

Arômes : fruits, citron.
Profil : bière mince, aigre, acidulée (traditionnelles), sucrées (coupées).

BRUT

La Brut est une bière à haute teneur en alcool qui est refermentée en bouteille à l'aide d'une levure de champagne. La levure procure une finale sèche et une carbonatation très fine. C'est le champagne de la bière.

Arômes : épices, fruits.
Profil : bière sèche.

AUTRES STYLES

Plusieurs autres styles sont présentés dans cet ouvrage. Ils ne sont pas forcément liés à l'histoire d'un pays ou d'une région brassicole mais dépendent le plus souvent des matières premières utilisées pour la fabrication de la bière.

BIÈRES AUX FRUITS

Une bière aux fruits est une bière à laquelle on ajoute des fruits pendant le processus de brassage. Selon la méthode utilisée, la bière développera des arômes de fruits ou un profil gustatif proche du fruit utilisé. Les bières avec ajout de fleurs sont également dans cette catégorie.

Arômes : fruits.
Profil : bière mince à ronde.

BIÈRE AUX HERBES/ÉPICES

Une bière aux herbes/épices est une bière à laquelle on ajoute des herbes/épices de manière significative pendant le processus de brassage. Selon la méthode utilisée, la bière développera des arômes liés au profil aromatique de chaque herbe ou épice ajoutée. Les bières avec ajout de légumes sont également dans cette catégorie.

Arômes : herbes ou épices.
Profil : bière mince à ronde.

COMPRENDRE LES NOUVEAUX STYLES

Au cours des dernières années, les brasseurs nord-américains ont utilisé un vocabulaire inspiré des grands courants brassicoles pour donner des caractéristiques bien précises à leur bière. Je vous présente une liste, non exhaustive, des termes que vous pourriez lire sur une étiquette de bière. Vous remarquerez que la plupart des termes sont en anglais, les États-Unis étant aujourd'hui un moteur très important de la culture bière dans le monde.

TERMES	CARACTÉRISTIQUES	EXEMPLES
IMPERIAL DOUBLE	Ajout de plus de houblon, développement de plus d'alcool, plus de densité finale ou plus de goûts. L'utilisation du terme imperial ou double définit clairement l'augmentation des caractéristiques du style cité.	IMPERIAL IPA IMPERIAL BROWN ALE DOUBLE PORTER
AMERICAN WEST COAST	Créées au milieu des années 1980, les American Pale Ales sont associées à l'utilisation de houblons dans le but de développer principalement l'aspect aromatique. Ces bières mettent l'accent sur les arômes de houblon.	AMERICAN PALE ALE AMERICAN BROWN ALE WEST COAST IPA

SESSION	Terme emprunté aux brasseurs anglais et définissant une bière faible en alcool, mais tout aussi riche en saveurs et en goûts. Il est l'antithèse du terme *light*, plus fréquent dans le catalogue des grands groupes brassicoles.	SESSION IPA SESSION PALE ALE
INDIA IPA INDIA PALE ALE	Définit l'utilisation plus soutenue du houblon dans une recette qui, historiquement, était moins houblonnée et moins amère.	BLACK INDIA PALE ALE BROWN IPA BLACK IPA INDIA PORTER
BRETTS	Ajout de *Brettanomyces* après la première fermentation ou durant la fermentation principale.	BRETTS IPA
SOUR WILD	Le mûrissement se déroule en présence de bactéries. Il peut se faire en cuve d'acier inoxydable ou dans des fûts de bois.	SOUR ALE WILD ALE
RYE WHEAT	Utilisation de seigle ou de blé dans le brassage de la bière. Très souvent utilisé quand il s'agit de brasser une bière dont le style historique ne contenait pas de céréales ajoutées.	RYE PALE ALE
SAISON BELGIUM ETC.	Sur le continent américain, il n'est pas rare de découvrir une bière qui utilise une levure particulière pour un style tout autre. Dans ce cas, le brasseur indiquera la levure utilisée et le style d'inspiration. Vous remarquerez que l'utilisation du terme «Belgium» ou «à la Belge» veut tout simplement indiquer que le brasseur a utilisé une levure provenant de Belgique.	SAISON IPA BELGIUM INDIA PALE ALE

LE CLASSEMENT DES BIÈRES DANS CE LIVRE

Nouveauté de cette édition, j'ai décidé de classer les bières non par style mais par capsules sensations, un système de classement que j'ai développé et qui est disponible dans de nombreux établissements au Québec.

Ce système permet de présenter la bière autrement, sans se soucier de l'interprétation du style par le brasseur, et de s'arrêter sur deux éléments importants que je décris ci-après : la couleur, qualificatif utilisé par bon nombre de consommateurs, et la sensation, le cumul du goût et de la texture de la bière.

COULEUR OU STYLE ?

Êtes-vous plutôt couleur ou plutôt style ? Les amateurs avertis préfèrent parler de style, alors que le consommateur grand public préfère parler de couleur. Dans les deux cas, on parle de bières et de culture brassicole.

Que vous soyez un consommateur averti ou un néophyte, vous buvez un produit qui développe des goûts et des saveurs, tout en offrant une sensation.

Peut-on créer un vocabulaire commun pour tous les consommateurs en continuant à promouvoir la culture brassicole et s'assurer que ce vocabulaire soit simple et compréhensible rapidement ?

LE CONSOMMATEUR AVERTI, AMBASSADEUR DE LA CULTURE BRASSICOLE

Depuis plusieurs décennies, le système de classement préféré des amateurs avertis est celui par style. Se voulant un hommage à plusieurs courants d'influence brassicole (Allemagne, Belgique et Angleterre), il a très vite atteint un seuil critique en raison, entre autres, de l'imagination débordante de plusieurs artisans brasseurs et de la réinterprétation des styles par des brasseries influentes du monde entier, que celle-ci soit positive (développement des saveurs) ou négative (allègement du goût).

On découvre de plus en plus souvent de nouveaux styles tels que Black IPA, Imperial Porter, Double IPA Tripel, etc. ; ces nouveaux styles tirent leur inspiration d'anciens styles connus.

Imaginons un brasseur créant une nouvelle bière ; il l'appellerait Saison IPA (Saison India Pale Ale). Ce pourrait être une bière ambrée amère avec un taux d'alcool de près de 6,5 %, aux caractéristiques principales d'une India Pale Ale contemporaine, avec une souche de levure récoltée dans une brasserie connue pour sa production de bières aux notes légèrement poivrées et disponible dans un catalogue de fournisseur de levures sous le nom de levure de saison.

Dans cet exemple, seuls les plus érudits comprennent clairement la signification de Saison IPA puisqu'ils connaissent le profil de tous les styles. C'est un dialogue réservé au consommateur averti, et le brasseur pourrait utiliser les termes Saison Houblonnée ou India Saison Ale, on parlerait du même profil de bière.

De plus, plusieurs brasseries qui brassent des bières de mêmes styles n'offrent pas toutes le même profil de saveurs et d'arômes. Si deux bières du même style ont plusieurs similitudes mais de grandes différences de saveurs, il s'avère que leurs différences sont bien plus importantes aux yeux du consommateur averti.

LE CONSOMMATEUR GRAND PUBLIC, À LA DÉCOUVERTE DE LA BIÈRE

Avez-vous déjà remarqué que la plupart d'entre nous classent la bière ou la commandent au serveur par sa couleur ?

Nous aimons instinctivement utiliser le classement par couleur. Dans la bière, comme dans le vin, la couleur joue un rôle important mais n'est pas prédominante. S'il est trompeur de se baser uniquement sur la couleur pour définir le profil de saveurs de la bière, il est également faux de dire qu'elle n'influence pas le goût de la bière.

Si l'on adopte une approche principalement basée sur la dégustation, une bière offre un profil de saveurs et de sensations uniques qui sont influencées par les matières premières de la bière, y compris les céréales utilisées, donc la couleur.

LA BIÈRE, UNE SENSATION !

La bière peut être douce, ronde, amère, acide, tranchante ou mordante. À chaque gorgée, sa texture et son goût façonnent son caractère, qui influencera votre appréciation. Dans le langage courant, il n'est pas rare d'entendre parler de bières douces ou de bières amères, et un amateur de bières douces ne sera peut-être pas amateur de bières amères, même si elles ont la même couleur.

Considérant que le caractère de chaque bière influence son appréciation, il devient intéressant de classer les bières également à partir de la sensation perçue et de l'expérience attendue.

UN SYSTÈME DE CLASSEMENT COMBINATOIRE

En tenant compte des observations ci-dessus, des nombreuses dégustations et de l'intérêt du consommateur pour un système de classement simplifié, je vous invite à découvrir un classement combinatoire qui réunit deux paramètres :

- **La couleur,** qui influence le profil gustatif de la bière et qui est largement utilisée par les consommateurs néophytes.

- **La sensation**, une perception du goût et des saveurs de la bière.

Une bière blonde douce possédera des arômes légers de pain et de céréales avec une très légère amertume, alors qu'une blonde acidulée aura des arômes légers de pain et de céréales avec une acidité moyenne. Le consommateur de bières douces se consacrera à l'expérience recherchée et sera intéressé à découvrir plusieurs sensations identiques, de couleurs différentes.

COULEUR	
BLONDE	Peut développer des arômes légers de pain et de céréales.
BLANCHE	Peut développer des arômes de céréales et de pain.
AMBRÉE	Peut développer des arômes légers de caramel et de céréales grillées.
ROUSSE	Peut développer des arômes moyens à forts de caramel et de céréales grillées.
BRUNE	Peut développer des arômes de céréales rôties, de sucre candi ou de mélasse.
NOIRE	Peut développer des arômes de torréfaction, de café ou de céréales rôties.
FRUITÉE	Est liée aux arômes des fruits utilisés.

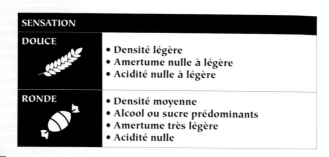

SENSATION	
DOUCE	• Densité légère • Amertume nulle à légère • Acidité nulle à légère
RONDE	• Densité moyenne • Alcool ou sucre prédominants • Amertume très légère • Acidité nulle

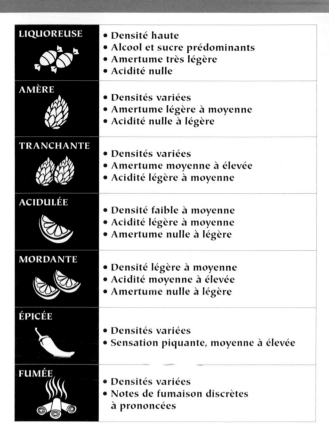

LIQUOREUSE	• Densité haute • Alcool et sucre prédominants • Amertume très légère • Acidité nulle
AMÈRE	• Densités variées • Amertume légère à moyenne • Acidité nulle à légère
TRANCHANTE	• Densités variées • Amertume moyenne à élevée • Acidité légère à moyenne
ACIDULÉE	• Densité faible à moyenne • Acidité légère à moyenne • Amertume nulle à légère
MORDANTE	• Densité légère à moyenne • Acidité moyenne à élevée • Amertume nulle à légère
ÉPICÉE	• Densités variées • Sensation piquante, moyenne à élevée
FUMÉE	• Densités variées • Notes de fumaison discrètes à prononcées

UNE SEULE CAPSULE !

Comment classer une bière qui offre différentes sensations ?
En sélectionnant celle qui est dominante. J'ai donc déterminé un
ordre précis basé sur les sensations identifiées : douce, ronde,
liquoreuse, amère, tranchante, acidulée, mordante, épicée,
fumée. La sensation de fumée étant dominante dans une bière.

- Une bière sucrée et très bien houblonnée sera classée dans
  les bières amères ou tranchantes, même si son taux de
  sucre résiduel est élevé.

- Une bière sucrée et fumée sera classée dans les bières
  fumées, car c'est la sensation dominante.

- Une bière amère et mordante sera classée dans les mor-
  dantes, car l'acidité prononcée de la bière est l'aspect le
  plus déterminant.

Le consommateur peut dorénavant reconnaître un profil de bières
qui lui permet de se concentrer sur les sensations recherchées et
le profil gustatif du produit.

UN SYSTÈME GRAND PUBLIC

Le système de classification proposé est déjà en place chez différents détaillants au Québec. Nous avons dégusté plus de 1000 bières et les avons toutes catégorisées en utilisant la méthode expliquée précédemment. Toutes les bières sont analysées par le même comité afin que les paramètres et les seuils de dégustation soient identiques.

Je vous invite à découvrir nos « capsules sensations » dans un magasin proche de chez vous.

	DOUCE	RONDE	LIQUOREUSE	AMÈRE
BLONDE	Cream Ale Ale Blonde Light Ale Light Lager	Bière de garde Blonde belge Triple		Belge forte Maibock Kölsch Pilsner
BLANCHE	Blanche Weissbier			
AMBRÉE	Pale Ale belge Cream Ale Oktoberfest		Bière tranquille	Bitter Pale Ale Rye Pale Ale India Pale Ale
ROUSSE	Red Ale	Doppelbock	Bière tranquille	Pale Ale Bock Altbier Red Ale
BRUNE	Mild Brown Ale Dunkel Weizen	Old Ale Double Quadruple Weizenbock	Eisbock	Barley Wine
NOIRE	Porter	Imperial Stout Porter Baltique	Imperial Stout Porter Baltique	Porter Stout
FRUITÉE	Ale aux fruits	Lambic aux fruits (sirop)		Ale aux fruits

TABLEAU COMPARATIF STYLES/SENSATIONS

Considérant le système de classement présenté et le système de classement par style utilisé depuis des décennies, il est intéressant d'associer un style avec une sensation. Bien entendu, le classement n'a aucune valeur de référence et vous est présenté uniquement à titre d'information puisque chaque brasseur peut brasser sa bière avec le profil gustatif de son choix et la compréhension qu'il a du style, sans oublier que plusieurs nouveaux styles peuvent être rapidement identifiés par la sensation perçue.

Je me suis cependant amusé à répertorier quelques styles dans le système de classement «capsules sensations». Vous serez d'accord avec moi, il y a matière à interprétation.

TRANCHANTE	ACIDULÉE	MORDANTE	ÉPICÉE	FUMÉE
	Saison	Lambic Gueuze		
		Berliner Weisse		
American Pale Ale India Pale Ale Imperial India Pale Ale				Rauchbier
	Rouge des Flandres	Rouge des Flandres		Rauchbier
American Brown Ale American Barley Wine	Brune des Flandres	Brune des Flandres		Rauchbier
				Rauchbier
	Ale aux fruits	Lambic aux fruits (naturels)		

Charcuteries et bières sont d'excellents complices.

LES ACCORDS BIÈRES ET METS

Véritable tendance actuelle, les accords bières et mets sont de plus en plus populaires. De plus en plus de personnes aiment en découvrir la délicatesse, que ce soit avec des plats, des fromages, des desserts ou du chocolat.

Les accords bières et mets demandent cependant un petit peu plus de méthodologie que de parler simplement de poulet et de Blonde. Lorsqu'un chef vous propose un plat, il espère que vous en découvrirez toutes les subtilités, l'assaisonnement qui devrait être parfait, le mélange des arômes et saveurs qui ouvre l'appétit et l'équilibre des goûts qui doit être irréprochable.

Choisir une bière qui accompagnera ce plat est un exercice un peu plus rigoureux qu'on ne le croit habituellement. Certaines bières ne convenant pas à certains types de plats, il est important d'offrir une expérience positive, d'autant plus que la bière, sur une table gastronomique, est victime de préjugés. Pourtant la bière n'est pas qu'une boisson alcoolisée à faible coût qui permet de s'enivrer en mangeant des chips ; au contraire, elle offre une panoplie de saveurs utiles en cuisine.

BIÈRE OU VIN

Il n'est pas rare que j'entende un amateur de bières me vanter les mérites de sa boisson favorite et dénigrer le vin, qui est trop cher, trop snob ou tout simplement trop vin. Du côté des amateurs de vins, il est également fréquent qu'on me parle de la bière comme d'une boisson populaire, amère, sans goût et surtout parfaite pour être bue en arrière d'un dépanneur, couverte d'un papier brun.

Les deux se trompent. La bière, comme le vin, offre des saveurs complexes et riches qui sont des partenaires idéales pour un accord réussi. Avez-vous remarqué que la bière n'est pas tanique et que le vin n'est pas amer ? Deux sensations qui permettent de surfer sur d'innombrables accords avec toutes les cuisines du monde.

Chaque fois que je vois un menu gastronomique qui propose des accords bières et vins, je considère qu'on avance dans la bonne direction. Certains plats, aux saveurs subtiles et aux goûts fins, apprécieront mieux la légèreté d'une bière pâle que du vin.

À vous d'essayer !

COMMENT MARIER BIÈRES ET METS

Vous désirez offrir une bière à table, mais ne savez pas comment vous y prendre ? La dégustation d'une bière en mangeant est un exercice très semblable à celui du mariage vin et mets. Les objectifs sont identiques : apprécier l'expérience et découvrir de nouvelles sensations et saveurs tertiaires – une saveur qui se développe par la combinaison de celles du plat et de celles de la bière.

MARIER LES CORPS

Associer une bière à un plat est une opération très subjective. Vous devez aimer le plat et la bière pour profiter pleinement de l'expérience. Il n'existe cependant pas de science exacte de l'accord, car chaque plat cuisiné est unique et chaque palais qui le déguste l'est également.

Je vous invite cependant à considérer le corps de la bière, qui doit être en harmonie avec le mets présenté. Sa densité, son étalement et sa texture seront les complices d'un accord parfait. Une bière avec un haut taux de sucre résiduel sera ronde, jusqu'à liquoreuse. Les plats qui l'accompagneront devront ainsi offrir la même sensation en bouche. Une similitude entre le corps de la bière et la texture du mets est donc conseillée, et le respect de cette règle est très souvent un gage de réussite.

LES SAVEURS DOMINANTES DANS UNE BIÈRE

Les saveurs dominantes de la bière seront les premières perçues. Ce sont ces saveurs qu'il faut marier avec des plats du même type. Nous avons vu précédemment qu'on pouvait les classer par famille : **aromatiques, résineuses, céréalières, caramélisées ou sucrées, grillées ou brûlées**. Une technique consiste à associer une bière avec des plats qui offrent un profil de saveurs et d'arômes identiques.

LES SENSATIONS ET LES GOÛTS

Je vous expliquais plus haut que la sensation est basée sur le corps, la texture et les goûts d'une bière ; ainsi, la bière peut être douce, amère, tranchante, acidulée, mordante, ronde, liquoreuse, épicée ou fumée. La sensation ne remplace pas les saveurs et les arômes.

Une bière amère peut posséder des saveurs de sapin, d'agrumes ou de fruits tropicaux alors qu'une autre vous proposera des saveurs plus épicées et caramélisées. Mais les deux auront un profil amer en bouche. C'est cette amertume qu'il est important de considérer lorsqu'il s'agit de marier la bière à un plat.

La sensation que vous ressentez en goûtant un plat est basée sur le même principe. Il est donc important de tenir compte des différentes sensations pour réaliser les meilleurs mariages.

MA MÉTHODOLOGIE

Je vous propose une méthode d'analyse que j'utilise très fréquemment lorsqu'on me demande de créer des accords bières et mets. Cette méthode a le mérite d'être simple et vous pouvez conserver vos analyses. À chaque accord que vous créez, n'hésitez pas à prendre des notes ; vous les comparerez plus tard et remarquerez certainement des tendances, car les accords sont quand même très subjectifs.

Analyser le plat

Avant de choisir une bière, je m'efforce de mieux connaître le plat à marier. J'utilise une technique rapide et efficace qui consiste à décortiquer le plat en différentes sensations ou goûts et à y appliquer une note de 1 à 5 pour chaque sensation. Je définis également les saveurs dominantes du plat, qui seront fort utiles pour sélectionner deux bières de sensations identiques mais de saveurs différentes.

SALÉ	AMER	ÉPICÉ	ACIDE	SUCRÉ	RÔTI
0 à 5	0 à 5	0 à 5	0 à 5	0 à 5	0 à 5
Saveurs dominantes : 2 ou 3 saveurs dominantes					

0 étant une sensation nulle et 5 étant la sensation dominante.

En Belgique, une tartine de fromage frais avec des radis et un peu de poivre est la compagne idéale des Lambics et Gueuze.

Choisir deux types de bières

Par la suite, je choisis deux types de bières en fonction des sensations perçues. Dans mes choix, je propose toujours un accord complémentaire ou en contraste.*

ACCORD COMPLÉMENTAIRE

L'accord complémentaire est basé sur les mêmes sensations. Si un plat est légèrement sucré, la bière le sera également.

ACCORD DE CONTRASTE

L'accord de contraste est basé sur une sensation qui s'oppose à celle du plat. Plus la sensation du plat est dominante, plus l'accord de contraste doit être important. Pour des plats proposant des sensations moyennes, l'accord en contraste sera léger.

Choisir des bières en fonction des saveurs

À cette étape, vous avez déterminé deux types de bières que vous aimeriez marier avec votre plat. Il ne vous reste plus qu'à choisir parmi la grande sélection en vous basant sur les saveurs du plat qui se marieront avec celles de la bière. C'est l'opération qui sera la plus subjective et celle qui fera de vous un génie des accords… ou pas.

EXEMPLES PRATIQUES

Mijoté de veau aux abricots

Un mijoté, cuit lentement dans son jus, contenant du veau, des abricots, des oignons caramélisés et un fond de volaille. On y aura ajouté une tige de romarin, du sel et du poivre au goût.

SALÉ	AMER	ÉPICÉ	ACIDE	SUCRÉ	RÔTI
3	0	0	0	2	0
Saveurs dominantes: romarin, abricots					

Ce plat procure une sensation salée-sucrée sur la langue sans avoir de sensations dominantes. Mon accord complémentaire sera un accord offrant la même sensation ou une sensation très proche, soit une bière douce ou ronde. Mon accord de contraste sera une bière légèrement amère. Les saveurs dominantes étant celles du romarin et de l'abricot, je m'attarderai soit à une bière aux notes de romarin ou d'herbes, soit à une bière aux notes fruitées mais pas caramélisée, plus facile à trouver.

---

* Plusieurs auteurs, dans le domaine du vin ou de la bière, utilisent également les termes *accords complémentaires* et *accords de contraste*. L'utilisation d'un langage commun dans un esprit de collégialité permet de diffuser un message plus cohérent et global.

Accords proposés
- **Une Triple (blonde ronde)** aux notes légères de fruits provenant de la levure - Accord complémentaire
- **Une American Pale Ale (blonde amère)** aux notes légères de fruits provenant du houblon – Accord de contraste

Darne de Saumon, sauce aneth, petits légumes en macédoine

Une sauce crémeuse et riche composée de crème, d'aneth, d'échalotes, de sel et de poivre. Le chef aura également ajouté une petite touche de vinaigre pour couper la richesse de la sauce. La cuisson de la darne est faite au beurre et les légumes en macédoine sont très peu assaisonnés.

SALÉ	AMER	ÉPICÉ	ACIDE	SUCRÉ	RÔTI
2	0	0	2	0	0
Saveurs dominantes: aneth, crème					

Un plat tout en subtilité, car il repose sur une sauce légèrement vinaigrée et une chair de poisson fragile. Mon accord complémentaire sera basé sur une bière douce et légèrement minérale, sans amertume. Alors que mon accord de contraste sera une bière ronde. Du côté des saveurs, je veux privilégier celles du plat donc ne pas surcharger mon accord.

Accords proposés
- **Une Blanche (blanche douce)** aux saveurs discrètes – Accord complémentaire
- **Une bière de garde (blonde ronde)** qui mise sur son sucre résiduel sans développer de saveurs dominantes – Accord de contraste

Côtes levées – sauce barbecue

Les fameuses côtes levées qui accompagnent si bien la bière. Mais quelle bière ? Dans ce cas-ci, les côtes ont été longuement fumées et cuites avec une sauce barbecue sucrée.

SALÉ	AMER	ÉPICÉ	ACIDE	SUCRÉ	RÔTI
1	0	1	0	4	2
Saveurs dominantes: mélasse, paprika, fumée					

Un plat sucré, aux arômes de paprika et de fumée et qui a une texture grasse et riche. Mon accord complémentaire sera donc un accord sur le sucre, alors que mon accord de contraste sera basé sur l'amertume tranchante de la bière. Du côté des saveurs et des arômes, on se concentre sur la mélasse et la fumée.

Accords proposés
- **Une Scotch Ale (brune ronde)** bien sucrée et alcoolisée aux saveurs de sucre candi – Accord complémentaire
- **Une Double IPA (ambrée tranchante)** à l'amertume puissante qui rincera les gras et le sucre du plat – Accord de contraste

Poulet tandoori

Des cuisses de poulet cuites dans un four de pierre et assaisonnées avec un mélange de cari, de cumin, de paprika et de poivre de Cayenne. Elles sont piquantes et épicées.

SALÉ	AMER	ÉPICÉ	ACIDE	SUCRÉ	RÔTI
1	0	4	0	1	2
Saveurs dominantes : paprika, poivre de Cayenne, rôti					

Tout se joue sur le piquant et la cuisson du poulet. Dans ce cas-ci, on le mange avec les doigts, sans accompagnement. Mon accord complémentaire sera un peu particulier : je laisse la place au plat et propose une bière douce. Mon accord de contraste sera basé sur l'amertume tranchante ou l'acidité mordante pour contraster avec le piquant. Du côté des saveurs, les épices du poulet sont nombreuses, autant les laisser s'exprimer et se concentrer sur les saveurs de malt, par exemple.

Accords proposés
- **Une Red Ale (Rousse douce).** Une bière légère qui accentuera le piquant de votre plat – Accord complémentaire
- **American India Pale Ale (Ambrée tranchante).** Une bière très amère qui offre également des notes fruitées et céréalières – Accord de contraste

Quelques faits
Même si vous venez de découvrir ma méthode, il n'existe pas de méthodologie exacte sur les mariages bières et mets puisque ceux-ci sont influencés par plusieurs facteurs tels que votre seuil de perception, votre appréciation personnelle et votre humeur du moment.

Je vous propose un tableau qui compile quelques années d'expériences et de statistiques. Ce tableau étant bien entendu subjectif et basé sur mes appréciations personnelles, j'espère que nous avons les mêmes goûts. La seule véritable école d'apprentissage des accords bières et mets restera toujours la pratique.

	PLAT SALÉ	PLAT AMER	PLAT ÉPICÉ	PLAT ACIDE	PLAT SUCRÉ	PLAT RÔTI
DOUCE	●	●	●	●	●	●
RONDE	●	●	–	●	●	●
LIQUOREUSE	X	X	–	–	●	●
AMÈRE	●	●	●	X	●	●
TRANCHANTE	–	–	●	X	–	–
ACIDULÉE	–	–	●	●	–	–
MORDANTE	–	–	●	X	–	–
ÉPICÉE	–	–	●	–	–	●
FUMÉE	X	–	X	–	●	●

● Si un accord fonctionne en règle générale.

X Si l'accord ne fonctionne pas.

– Si je n'ai aucune information particulière à transmettre.

L'ORDRE DE SERVICE

Les repas de plusieurs services entièrement dédiés aux accords bières et mets sont de plus en plus appréciés. Lorsque vous préparez un menu de trois à cinq services pour vos convives, respectez l'ordre des saveurs, des goûts et des textures. L'éveil des papilles doit se faire en crescendo.

Premier service – MISE EN BOUCHE

Des bières douces ou légèrement amères. Des plats salés sans saveurs prédominantes. On appelle ce service la « mise en bouche ». On se prépare les papilles et on ne veut pas les brusquer.

Deuxième service – L'ENTRÉE

On peut rester dans le même type de bières qu'au premier service, mais on change les saveurs et les accords. On offre une entrée froide ou chaude, des petites portions pas trop riches en saveurs.

Troisième service – LE PLAT

C'est la pièce maîtresse de votre menu et ce doit être votre meilleur accord. Laissez-vous aller et amusez-vous.

Quatrième service – LES FROMAGES

Un repas gastronomique à la bière sans fromage, c'est un concert de musique classique sans finale. Je vous invite à lire le prochain chapitre pour mieux comprendre.

Cinquième service – LES DESSERTS ET CHOCOLATS

On finit avec un accord insolite, les bières et chocolats, qui amusera vos convives. Je vous explique, dans quelques pages, les plaisirs des accords bières et chocolats.

BIÈRES ET FROMAGES

Véritables complices dans une soirée découverte, les bières et fromages offrent des mariages qui plairont à vos convives, les différentes saveurs de la bière se mariant parfaitement avec plusieurs types de fromages.

STYLES DE FROMAGE

Pâtes semi-fermes

Les fromages semi-fermes sont très connus au Québec. On les divise en deux sous-catégories : les fromages affinés dans la masse et les fromages affinés en surface. La croûte peut être artificielle pour protéger le fromage ou lavée avec une solution salée ou saumurée, ce qui donne une croûte naturelle. Ses multiples arômes et saveurs vont des saveurs de noisettes et saveurs fruitées à celles d'une grange ou d'une écurie. Vous pouvez les conserver dans la partie la moins froide du frigo et si vous voyez des taches blanchâtres sur la pâte, les retirer avec un couteau avant la consommation.

Pâtes fermes

C'est le fromage le plus consommé au Québec, car il regroupe la famille des cheddars et des goudas. Sa texture est tendre et élastique. Le plus souvent dépourvu de croûte ou ayant une croûte artificielle, il doit offrir des arômes frais et sa texture doit être lisse.

Pâtes persillées

Fromage aux notes puissantes, il est ensemencé au *Penicillium roqueforti,* qui lui donne sa fameuse couleur bleue et ses arômes marqués de cave humide, de cuir ou de champignon. Sa consistance doit être lisse et sa texture friable, et sa pâte doit être blanche ou jaune clair.

Pâtes molles à croûte fleurie

Facilement reconnaissables à leur duvet blanc, les fromages à pâte molle et à croûte fleurie offrent le plus souvent des notes de beurre, de crème, de champignon et de noisettes. L'affinage se fait de l'extérieur vers l'intérieur du fromage, pour donner un corps crémeux aux notes fraîches. Choisir des fromages qui ont un duvet bien blanc et une pâte de la même couleur que le beurre.

Pâtes molles à croûte lavée

Fabriqués avec les mêmes méthodes que les fromages à pâte molle et à croûte fleurie, les fromages à croûte lavée sont affinés par lavage de leur croûte avec une solution saumurée. L'affinage se faisant également de l'extérieur vers l'intérieur, leur cœur peut être crémeux et frais et leurs arômes sont, en règle générale, plus puissants et concentrés vers l'extérieur du fromage.

LA FORCE DE CARACTÈRE DE VOTRE FROMAGE

Peu importe son style, le fromage peut être doux ou fort et proposer un ensemble d'arômes qu'il faut considérer lorsqu'on le choisit. Comme pour les mariages bières et mets, un fromage qui n'est pas votre favori aura du mal à vous plaire, même si vous avez une bière à la main.

BIÈRES ET CHOCOLATS

Avez-vous déjà entendu parler du mariage bière-chocolat ? Plus souvent associé aux portos et autres vins liquoreux, le chocolat est un excellent complice de la bière, car il offre une palette de saveurs et d'arômes qui s'accordent avec subtilité aux saveurs typées de certaines bières.

Qualité d'un bon chocolat

Le chocolat est fabriqué à partir de la cabosse du cacaoyer. On y prend les fèves de cacao, qui seront torréfiées et broyées pour former la pâte de cacao, contenant également du beurre de cacao. Le chocolat est un judicieux mélange de pâte de cacao, de beurre de cacao et parfois d'épices, de vanille et de sucre.

La qualité d'un bon chocolat varie selon plusieurs critères :

- **Sa teneur en pâte et beurre de cacao plutôt qu'en matières grasses diverses.**
- **Sa brillance et sa couleur, gages de qualité.**
- **Son odeur : les parfums doivent être exotiques, épicés ou tropicaux.**
- **Sa texture, qui doit être soyeuse et sans aucun grumeau.**

Privilégiez les artisans chocolatiers, qui transforment divers chocolats d'origines et de plantations du monde entier, et les chocolats purs.

Les arômes du chocolat

Si vous comparez trois chocolats noirs de trois origines différentes, vous découvrirez trois profils aromatiques différents. Le terroir et les méthodes de fabrication influencent les arômes. Ce sont ces arômes et le profil aromatique de chaque chocolat que vous allez marier avec des bières.

Suite page 97

	DOUCE	**RONDE**	**LIQUOREUSE**	**AMÈRE**
BLONDE	PÂTE MOLLE À CROÛTE FLEURIE			PÂTE SEMI-FERME
	Accentue les notes de champignon.			Adoucit la bière.
BLANCHE	PÂTE MOLLE À CROÛTE FLEURIE			PÂTE SEMI-FERME
	Accentue les notes de champignon.			Mariage qui laisse place à la douceur de la bière et à l'onctuosité du fromage.
AMBRÉE	PÂTE MOLLE À CROÛTE FLEURIE	PÂTE MOLLE À CROÛTE FLEURIE		PÂTE MOLLE À CROÛTE LAVÉE
	Accentue les notes de crème.	Accentue les notes de crème.		Accentue la crème et le beurre du fromage.
ROUSSE	PÂTE MOLLE À CROÛTE FLEURIE	PÂTE MOLLE À CROÛTE FLEURIE		PÂTE MOLLE À CROÛTE LAVÉE
	Accentue les notes de crème.	Accentue les notes de crème.		Accentue les notes rôties des céréales et les arômes de noisettes du fromage.
BRUNE	PÂTE FERME	PÂTE PERSILLÉE	PÂTE PERSILLÉE	
	Relance les saveurs sucrées de la bière.	Adoucit la force de caractère du fromage.	Adoucit la force de caractère du fromage.	
		PÂTE FERME		
		Relance les saveurs sucrées de la bière.		
NOIRE	PÂTE FERME		PÂTE MOLLE À CROÛTE FLEURIE	
	Relance les saveurs sucrées de la bière.		Accentue les notes de beurre et de crème.	
FRUITÉE				

TRANCHANTE	ACIDULÉE	MORDANTE	ÉPICÉE	FUMÉE
PÂTE SEMI-FERME	PÂTE PERSILLÉE	PÂTE PERSILLÉE		
Adoucit la bière.	Relance les arômes de cave humide et de cuir.	Relance les arômes de cave humide et de cuir.		
	PÂTE PERSILLÉE	PÂTE PERSILLÉE		
	Relance les arômes de cave humide et de cuir.	Relance les arômes de cave humide et de cuir.		
PÂTE MOLLE À CROÛTE LAVÉE			PÂTE SEMI-FERME	
Accentue la crème et le beurre du fromage.			Adoucit la bière.	
PÂTE MOLLE À CROÛTE LAVÉE			PÂTE MOLLE À CROÛTE LAVÉE	
Accentue les notes rôties des céréales et les arômes de noisettes du fromage.			Adoucit la bière.	
				PÂTE FERME
				Relance les saveurs fumées de la bière.

	DOUCE	RONDE	LIQUOREUSE	AMÈRE
BLONDE	Acidité Fruité	Épicé Amer		Épicé Amer
BLANCHE	Fruité			
AMBRÉE		Sucré		
ROUSSE	Épicé	Sucré		Acidité
BRUNE		Épicé Chocolaté	Chocolaté Épicé	
NOIRE			Chocolaté Épicé	
FRUITÉE				

Ce tableau est incomplet. À vous de le compléter en fonction de vos découvertes.

LES ACCORDS BIÈRES ET METS

Le profil aromatique définit les saveurs sucrées, acides, amères, fruitées, épicées et cacaotées du chocolat. Les arômes confirment ce profil aromatique. Par exemple, un chocolat non transformé de Tanzanie sera plus sucré qu'un chocolat provenant du Venezuela qui offrira une légère acidité en fin de bouche. La notion de terroir est très importante. Au contact d'une bière noire liquoreuse, le chocolat s'exprimera différemment.

Le tableau ci-dessous vous permettra de classer les types de chocolat et profils aromatiques en fonction du type de bière. N'hésitez pas à goûter chaque chocolat avant d'acheter vos bières, car la signature de l'artisan chocolatier modifie souvent le profil aromatique du chocolat.

TABLEAU DES BIÈRES ET CHOCOLATS

TRANCHANTE	ACIDULÉE	MORDANTE	ÉPICÉE	FUMÉE
Épicé Amer Acidité				
	Chocolaté			
			Épicé Acidité	
Acidité			Épicé	

GUIDE D'ACHAT DES BIÈRES

Cet ouvrage ne propose pas l'ensemble des bières disponibles au Québec mais une sélection. Avant de consulter plus longuement la liste de bières, je vous invite à découvrir la méthodologie utilisée pour la sélection des bières et la signification des informations proposées sur les fiches.

À la fin de cet ouvrage, vous trouverez un index des bières classées selon le style et l'ordre alphabétique.

LA SÉLECTION

Quelle est la méthodologie de sélection utilisée ? Pourquoi n'avoir choisi que 224 bières ? Les raisons sont multiples. Chaque année, plus de 200 nouvelles bières sont disponibles sur le marché, souvent une seule fois. Le choix est donc difficile et doit tenir compte de plusieurs facteurs :

- Je voulais vous offrir une sélection de bières à essayer en une année. Soit environ 4 bières par semaine, une consommation tout à fait responsable.

- **Toutes les bières sont disponibles dans le réseau de vente au détail ou à la SAQ.** Même si certains produits sont distribués en très petite quantité, il est possible de les trouver dans plusieurs régions du Québec.

- Toutes les bières sont en bouteille ou en canette, aucune bière uniquement disponible en fût n'est proposée.

- J'ai dégusté toutes ces bières à plusieurs reprises et à différents moments de l'année.

- Je ne présente pas les 224 meilleures bières du Québec, mais **224 bières que vous pouvez acheter en toute confiance** et que j'ai appréciées.

- Considérant le marché fluctuant et la disponibilité de certains produits, il est possible que vous ne puissiez trouver certaines bières au moment où vous lirez ces lignes. Contactez la brasserie (voir la liste des brasseries aux pages 338-340).

- J'ai retiré environ cinquante bières de la liste de la première édition et les ai remplacées par une soixantaine d'autres.

LA FICHE, EN DÉTAIL

Nom de la bière tel qui apparaît sur l'étiquette.

Format dégusté identique au format présenté sur la photo.

Nom de la **brasserie**.

Taux d'alcool par volume indiqué sur l'étiquette.

Type de verre : Tulipe, ballon, pinte ou flûte.

Pays ou province d'origine indiqué sur l'étiquette.

Présentation : Informations supplémentaires sur le produit.

Types d'établissements où est disponible le produit.

Quand le produit est-il disponible ?

Description : Notes de dégustation.

Nouveauté de cette édition : bière qui a été ajoutée dans la présente édition sans pour autant être nouvelle sur le marché.

Suggestion : Accords gourmands ou épicuriens.

Appréciation : Commentaires personnels.

Capsule Sensation : Perception ressentie au moment de la dégustation. (Voir pages 80-81 pour plus d'information.)

Style indiqué sur l'étiquette ou le plus souvent celui fourni par la brasserie. Pour certains produits, j'ai noté un style différent.

ÉPHÉMÈRE POIRE Unibroue

341 ml QUÉBEC 5.5 % alc./vol.

La toute nouvelle de la gamme Éphémère nous propose des notes de poire. Elle est disponible en différents formats.

Toute l'année • Épicerie

Un nez plus levuré que la plupart des Éphémères que j'ai goûtées. On y distingue cependant quelques discrètes notes de poire. En bouche, la bière propose une finale sur le sucre mais pas trop prononcée, elle reste désaltérante. La poire se fait discrète tout au long de la dégustation.

SUGGESTION
Une bière apéritive à partager avec quelques fromages frais et un peu de soleil.

APPRÉCIATION
Avec Unibroue, on ne se trompe pas. Le produit est de qualité et il cadre bien avec la description sur la contre-étiquette. Cette Éphémère ne tombe pas dans la caricature des bières aux fruits exponentiellement trop fruitées.

NOUVEAUTÉ

Fruitée
Ronde

	FAIBLE								FORT	
Arrière-goût	1	1,5	2	2,5	3	3,5	4	4,5	5	
Caractère	1	1,5	2	2,5	3	3,5	4	4,5	5	
Température	1	1,5	2	2,5	3	3,5	4	4,5	5	333

BIÈRE AUX FRUITS

Arrière-goût (échelle de 1 à 5) : Puissance de l'étalement sur une échelle de 1 à 5. L'arrière-goût d'une bière avec un indice de 1 sera plus doux que celui d'une bière avec un indice de 5. L'arrière-goût est influencé par plusieurs facteurs comme les matières premières ou les méthodes de fabrication.

Caractère (échelle de 1 à 5) : Basé sur la perception à la dégustation ; plus la bière a du caractère, plus la valeur est élevée. L'échelle de caractère n'a aucune valeur qualitative, une bière avec un indice proche de 1 n'est pas moins bonne qu'une bière avec un indice de 5.

Température de service (échelle de 1 à 5) : Température de service conseillée pour apprécier le plus possible les qualités aromatiques et gustatives de chaque produit. 1 = très frais et 5 = température de la cave.

Elles peuvent développer des arômes légers de pain et de céréales si la matière première prédominante est la céréale et que le brassage s'est effectué sans ajout d'acides ou de bactéries. C'est la couleur de bière la plus commune dans le monde.

DOUCES

RONDES

AMÈRES

TRANCHANTES

ACIDULÉES

MORDANTE

FUMÉE

BELLE GUEULE BLONDE D'ÉTÉ   Les Brasseurs RJ

341 ml	QUÉBEC	4,5 % alc./vol.

Brassée avec du malt d'orge, du riz et du blé malté. La Belle Gueule blonde d'été est uniquement disponible en été. Les houblons utilisés sont le Nugget et le Perle.

Épicerie   Été

De belle couleur dorée, cette Pilsner offre un nez de céréales et de mie de pain ressemblant à la Belle Gueule Pilsner. En bouche, la bière est légèrement plus sucrée et sa finale est courte et moins sèche que la Belle Gueule Pilsner.

SUGGESTION
Un match de baseball et quelques amis.

APPRÉCIATION
Légèrement plus sucrée que la Belle Gueule Pilsner, la Blonde d'été est une bière rafraîchissante qui plaira à l'amateur de bières blondes douces à très faible amertume.

Blonde
Douce

PILSNER

	FAIBLE								FORT
Arrière-goût	1	1,5	2	2,5	3	3,5	4	4,5	5
Caractère	1	1,5	2	2,5	3	3,5	4	4,5	5
	FROIDE								TIÈDE
Température	1	1,5	2	2,5	3	3,5	4	4,5	5

Brassée avec du malt d'orge et de blé. Houblonnée au Saaz et au Tradition, cette Pilsner est offerte toute l'année.

Toute l'année   Épicerie

De belle couleur dorée, cette Pilsner offre un nez de céréales et de mie de pain typique des blondes très céréalières. En bouche, elle est douce et sa légère amertume offre une bière rafraîchissante. La finale est sèche, typique du style Pilsner.

SUGGESTION
Un autre match de base-ball et quelques amis.

APPRÉCIATION
Vous cherchez une blonde douce et vous désirez encourager une microbrasserie ? Ce produit doit être dans votre glacière. Je rêve de la voir en format canette. L'idée est lancée.

Blonde
Douce

	FAIBLE							FORT
Arrière-goût	1	1,5	2	2,5	3	3,5	4	4,5	5
Caractère	1	1,5	2	2,5	3	3,5	4	4,5	5
	FROIDE							TIÈDE
Température	1	1,5	2	2,5	3	3,5	4	4,5	5

PILSNER

341 ml	QUÉBEC	5,5 % alc./v

Un mélange d'herbes sauvages des Îles-de-la-Madeleine compose cette Saison aux accents floraux.

Épicerie	Toute l'année

Une belle mousse en dentelle surmonte cette blonde limpide. Au nez, des notes florales se bousculent accompagnées d'une légère touche d'agrumes. En bouche, un mélange d'épices prend d'assaut vos papilles, vous laissant sur une finale douce et sans amertume. J'y ai même perçu une petite pointe mentholée.

SUGGESTION

Des huîtres, pas trop iodées et bien charnues. Demandez à votre poissonnier.

APPRÉCIATION

Superbe innovation du maître brasseur, la sélection d'herbes donne une touche légèrement méditerranéenne à cette Saison. On a envie de la boire dans des périodes de canicule. À garder dans son frigo pour les grandes chaleurs.

Blonde

Douce

SAISON

	FAIBLE							FORT
Arrière-goût	1	1,5	2	2,5	3	3,5	4	4,5	5
Caractère	1	1,5	2	2,5	3	3,5	4	4,5	5

	FROIDE							TIÈDE
Température	1	1,5	2	2,5	3	3,5	4	4,5	5

JLONDE BIOLOGIQUE

La Barberie

500 ml	QUÉBEC	4,5 % alc./vol.

Brassée avec du malt biologique, la Blonde biologique de la Barberie est une bière d'inspiration Blonde belge. Elle offre une faible amertume sur un corps malté et doux.

Toute l'année · Épicerie

Sa mousse est merveilleuse et laisse une dentelle remarquable. Son corps est d'un blond scintillant. Au nez, des notes légères de céréales et de pain de mie sont perceptibles. En bouche, la bière est légèrement acidulée et ses notes de céréales se manifestent discrètement. L'amertume est très légère.

SUGGESTION
Un fromage de chèvre frais, le lait de chèvre appréciant les bières légèrement acidulées.

APPRÉCIATION
Se voulant une des rares Blondes belges au caractère discret, cette Blonde biologique offre une alternative intéressante aux consommateurs qui aiment les bières blondes douces.

Blonde
Douce

	FAIBLE							FORT
Arrière-goût	1	1,5	2	2,5	3	3,5	4	4,5	5
Caractère	1	1,5	2	2,5	3	3,5	4	4,5	5

	FROIDE							TIÈDE
Température	1	1,5	2	2,5	3	3,5	4	4,5	5

BLONDE BELGE

CLAIRE

Alchimis.

341 ml   QUÉBEC   5 % alc./vol.

Inspirée par ses cousines tchèques ou alle-mandes, cette Lager blonde est un produit phare de la brasserie et se consomme beau-coup en fût dans divers bars et restaurants.

Épicerie   Toute l'année

Emporté par la mousse dense, un nez de grain et de pain est présent. En bouche, la bière est douce et son caractère est principalement motivé par des notes de céréales. Une très légère amertume vient équilibrer le tout.

SUGGESTION

Devant un match de votre choix avec des amis.

APPRÉCIATION

Cette Claire est douce et sans amertume. Les ama-teurs de bières douces et blondes seront comblés.

Blonde
Douce

LAGER BLONDE

	FAIBLE								FORT
Arrière-goût	1	1,5	2	2,5	3	3,5	4	4,5	5
Caractère	1	1,5	2	2,5	3	3,5	4	4,5	5
	FROIDE								TIÈDE
Température	1	1,5	2	2,5	3	3,5	4	4,5	5

DOMINUS VOBISCUM SAISON Microbrasserie Charlevoix

750 ml	QUÉBEC	6 % alc./vol.

La série Dominus Vobiscum, signifiant « Que le Seigneur soit avec vous » en latin, est un clin d'œil aux nombreuses bières d'abbaye en Belgique. Toute la gamme Dominus Vobiscum offre des bières d'inspiration belge.

Toute l'année | **Épicerie**

De couleur jaune paille et légèrement voilée, cette Dominus Vobiscum Saison offre une magnifique mousse invitante. Au nez, des notes de poivre et de céréales marquent principalement les arômes de cette bière. En bouche, la bière est douce, laissant place à une finale légèrement acidulée, mais pas marquante.

SUGGESTION
Un pâté de campagne artisanal et ses notes poivrées.

APPRÉCIATION
Une Saison comme on les aime : rafraîchissante, désaltérante et accessible à bien des amateurs qui n'aiment pas les bières trop amères.

Blonde

Douce

	FAIBLE							FORT
Arrière-goût	1	1,5	2	2,5	3	3,5	4	4,5	5
Caractère	1	1,5	2	2,5	3	3,5	4	4,5	5

	FROIDE							TIÈDE
Température	1	1,5	2	2,5	3	3,5	4	4,5	5

SAISON

GINGER BEER

Microbrasserie du Lièvi

| 341 ml | QUÉBEC | 5 % alc./vol. |

À l'origine brassée en collaboration avec la brasserie du Château à Lausanne, cette bière au gingembre est disponible dans plusieurs points de vente au Québec et est la première bière de ce style brassée et commercialisée au Québec.

| Épicerie | Toute l'année |

De couleur blond doré et à la mousse fugace, cette Ginger Beer développe un nez puissant de gingembre mariné. Le même que celui servi dans les restaurants japonais. En bouche, la bière est douce, suivie d'une légère finale sur le gingembre qui est en vedette.

SUGGESTION

Le gingembre, servi avec vos sushis, sert à rafraîchir le palais. Succès garanti auprès de vos convives si vous utilisez cette Ginger Beer. Essayez également le Mimosa du brasseur : ⅓ de Ginger Beer et ⅔ de jus d'orange, c'est sa potion magique pour être de bonne humeur.

APPRÉCIATION

Une bière douce, aux puissantes notes de gingembre et sans complexe. Mission accomplie.

Blonde

Douce

BIÈRE AUX AROMATES

	FAIBLE							FORT
Arrière-goût	1	1,5	2	2,5	3	3,5	4	4,5	5
Caractère	1	1,5	2	2,5	3	3,5	4	4,5	5

	FROIDE							TIÈDE
Température	1	1,5	2	2,5	3	3,5	4	4,5	5

GLUTENBERG BLONDE

Brasseurs sans Gluten

341 ml	QUÉBEC	4,5 % alc./vol.

Brasseurs sans Gluten offre une gamme de bières brassées dans un environnement 100 % sans gluten. Rapidement, la brasserie a su démontrer, dans plusieurs concours internationaux, la grande qualité de ses produits en remportant plusieurs médailles.

Toute l'année	Épicerie

Même si elle est classée comme une Pale Ale, sa couleur fait plus penser à une Lager blonde ou Golden Ale, une dénomination de style peu utilisée. Des arômes sucrés se fondent à travers des notes légères d'épices et de maïs. En bouche, la bière est douce, très douce, et se termine sur une note légèrement épicée.

SUGGESTION

Des croustilles sans gluten et un match de votre sport favori.

APPRÉCIATION

Les consommateurs intolérants au gluten seront ravis de savoir que cette Pale Ale blonde, aux allures de bière rafraîchissante, les attend dans leur frigo. Brassée avec du sucre de Demerara, elle est douce et plaira aux consommateurs de bières sans amertume.

Blonde

Douce

	FAIBLE							FORT
Arrière-goût	1	1,5	2	2,5	3	3,5	4	4,5	5
Caractère	1	1,5	2	2,5	3	3,5	4	4,5	5

	FROIDE							TIÈDE
Température	1	1,5	2	2,5	3	3,5	4	4,5	5

PALE ALE

LA BLONDE DE L'ANSE

Pit Caribou

500 ml QUÉBEC 5 % alc./vol.

Le style Golden Ale est la source d'inspiration de plusieurs blondes nord-américaines que les grands brasseurs brassent encore actuellement. Cette Blonde de l'Anse est une version 100 % pur malt.

Épicerie Toute l'année

Sa couleur fait penser à une Lager blonde et pourtant, c'est bien une Ale blonde. En bouche, la bière est douce et ses saveurs de céréales sont très présentes. L'amertume est quasi inexistante et la finale laisse toute la place à la très timide acidité des grains. À servir plus fraîche pour profiter de ses qualités désaltérantes.

SUGGESTION

Un pain de mie frais grillé, une tomate du jardin, une noix de beurre fermier. L'équation parfaite pour accompagner cette bière si céréalière.

APPRÉCIATION

Si vous voulez découvrir les saveurs et arômes des céréales dans une bière, la Blonde de l'Anse sera parfaite. Une bière à offrir à l'amateur de blonde, il découvrira un monde de saveurs 100 % malt.

Blonde

Douce

GOLDEN ALE

	FAIBLE							FORT
Arrière-goût	1	1,5	2	2,5	3	3,5	4	4,5	5
Caractère	1	1,5	2	2,5	3	3,5	4	4,5	5

	FROIDE							TIÈDE
Température	1	1,5	2	2,5	3	3,5	4	4,5	5

P'TIT TRAIN DU NORD Microbrasserie Saint-Arnould

341 ml	QUÉBEC	5,5 % alc./vol.

Soulignant l'ancienne voie ferrée dans les Laurentides, la P'tit Train du Nord est une Pale Ale plus blonde que ses cousines anglaises, une tendance très marquée pour plusieurs brasseries dans les années 1990.

Toute l'année   Épicerie

Une belle mousse crémeuse se fait invitante. L'effervescence de la bière est vive. Au nez, des notes légèrement fruitées, poivrées et céréalières se mélangent. En bouche, la bière est très céréalière, laissant place à une finale légèrement houblonnée et poivrée.

SUGGESTION
Un fish and chips.

APPRÉCIATION
Légèrement plus poivrée en finale grâce à la signature de la levure, cette Pale Ale est moins sucrée que ses cousines. Elle se démarque par ses saveurs particulières.

Blonde

Douce

	FAIBLE							FORT
Arrière-goût	1	1,5	2	2,5	3	3,5	4	4,5	5
Caractère	1	1,5	2	2,5	3	3,5	4	4,5	5
	FROIDE							TIÈDE
Température	1	1,5	2	2,5	3	3,5	4	4,5	5

PALE ALE

VIRE-CAPOT — Microbrasserie du Lac Saint-Jean

500 ml	QUÉBEC	5,5 % alc./vol.

C'est l'histoire d'un député à la réputation d'opportuniste politique qui, voyant qu'il n'avait plus la cote avec les Rouges, décida de se présenter pour les Bleus. Sa renommée de Vire-Capot était faite !

Épicerie   Toute l'année

Bière non filtrée d'une belle couleur dorée, ses arômes sont ceux de la levure et des céréales. On remarque cependant quelques notes épicées fort intéressantes. En bouche, la bière est douce et principalement axée sur les arômes et saveurs de la céréale. L'amertume est très discrète et sa finale est légèrement poivrée.

SUGGESTION

Un club sandwich avec du poulet bien frais et du bacon croustillant. La bière l'accompagnera en douceur.

APPRÉCIATION

Accessible tout en offrant du caractère, cette blonde, comme aiment si bien dire les consommateurs, a un caractère légèrement plus prononcé que ses consœurs. Une bière à découvrir si vous commencez à explorer le monde des bières artisanales.

Blonde — **Douce**

PALE ALE

	FAIBLE								FORT
Arrière-goût	1	1,5	2	2,5	3	3,5	4	4,5	5
Caractère	1	1,5	2	2,5	3	3,5	4	4,5	5

	FROIDE								TIÈDE
Température	1	1,5	2	2,5	3	3,5	4	4,5	5

BLONDE AU CHARDONNAY

La Barberie

| 500 ml | QUÉBEC | 10 % alc./vol. |

C'est en visitant la France que le maître brasseur a eu l'idée de mélanger du moût de Chardonnay avec du moût de bière. Naissait alors la Blonde au Chardonnay, offrant des arômes et saveurs proches de certains vins jaunes.

| Toute l'année | Épicerie |

Sa couleur blonde dorée est invitante mais la mousse est fugace, ne laissant que quelques dentelles sur le verre. Au nez, des notes sucrées et fruitées s'offrent à vous. Est-ce le Chardonnay ? Difficile de répondre, car le malt se manifeste également. En bouche, la bière est ronde, agréable et s'apprivoise doucement sans aucune amertume. Une bière ronde, comme certains vins.

SUGGESTION
Un époisses qui se doit d'être crémeux et collant.

APPRÉCIATION
Depuis quelques années, ce petit bijou a réussi à s'améliorer pour devenir un produit que, pourtant, l'on sous-estime et qu'on oublie de goûter. Faites-vous plaisir et n'hésitez pas à raconter la petite anecdote sur le produit.

Blonde

Ronde

	FAIBLE							FORT
Arrière-goût	1	1,5	2	2,5	3	3,5	4	4,5	5
Caractère	1	1,5	2	2,5	3	3,5	4	4,5	5
	FROIDE							TIÈDE
Température	1	1,5	2	2,5	3	3,5	4	4,5	5

BIÈRE AUX FRUITS

CÉLÉBRANTE

Brasseurs du Monde

750 ml	QUÉBEC	7 % alc./vol.

Ale blonde fermentée avec une levure à champagne, elle est la bière parfaite pour célébrer les divers moments importants de votre vie.

Épicerie | Toute l'année

Ses fines bulles sont une des caractéristiques de l'utilisation de levure à champagne, mais on ne peut se tromper, sa couleur blonde dorée nous fait penser à une bière. Au nez, des arômes de miel s'offrent à vous. En bouche, la bière est douce et ronde. Aucune amertume ne vient perturber cette douceur. En rétro-olfaction, on peut sentir quelques notes mielleuses et sucrées.

SUGGESTION
À l'apéritif entre amis avec quelques croustilles et arachides.

APPRÉCIATION
Ce n'est pas la première fois qu'une brasserie offre une bière fermentée avec une levure de champagne, mais c'est une des très rares fois où le produit est intéressant. Nous sommes encore sur un profil très typique d'une bière, mais il est amusant de souligner un apéritif à la manière du champagne.

Blonde

Ronde

	FAIBLE								FORT
Arrière-goût	1	1,5	2	2,5	3	3,5	4	4,5	5
Caractère	1	1,5	2	2,5	3	3,5	4	4,5	5
	FROIDE								TIÈDE
Température	1	1,5	2	2,5	3	3,5	4	4,5	5

BELGE FORTE

DOMINUS VOBISCUM TRIPLE Microbrasserie Charlevoix

500 ml	QUÉBEC	9 % alc./vol.

La série Dominus Vobiscum, signifiant « Que le Seigneur soit avec vous » en latin, est un clin d'œil aux nombreuses bières d'abbaye en Belgique. Toute la gamme Dominus Vobiscum offre des bières d'inspiration belge.

Toute l'année   Épicerie

Une belle mousse formant une dentelle sur le verre surplombe une bière blonde à l'effervescence dynamique. Au nez, des arômes fruités et floraux se dégagent et offrent une impression très agréable. En bouche, la bière est ronde et son effervescence accentue l'amertume des houblons offrant une finale légèrement amère et sucrée.

SUGGESTION

À servir accompagnée d'un plateau de fromages aux saveurs multiples. C'est une des bières les plus intéressantes et complexes qui accompagne beaucoup de fromages.

APPRÉCIATION

Cette Triple est une superbe interprétation des bières de style identique provenant de Belgique. Un excellent rapport qualité-prix, disponible au Québec.

Blonde

Ronde

	FAIBLE							FORT
Arrière-goût	1	1,5	2	2,5	3	3,5	4	4,5	5
Caractère	1	1,5	2	2,5	3	3,5	4	4,5	5

	FROIDE							TIÈDE
Température	1	1,5	2	2,5	3	3,5	4	4,5	5

TRIPLE

DON DE DIEU

Unibroue

750 ml	QUÉBEC	9 % alc./vol.

Samuel de Champlain traversa l'Atlantique, en route pour l'Amérique, à bord du *Don de Dieu*.

Épicerie   Toute l'année

Blonde, on s'éloigne légèrement de la couleur habituelle d'une Blanche. Sa mousse laisse un fin collet sur le verre et son effervescence est très vive. Au nez, on a des arômes fruités, signature de la plupart des bières Unibroue.

En bouche, la bière est douce, offrant une finale sur une très légère note épicée et une amertume fine.

SUGGESTION

La brasserie propose un fromage de chèvre et c'est une excellente idée. Prenez-le frais, la légère acidité de la bière accompagnera à merveille les notes caprines du fromage.

APPRÉCIATION

Est-ce une Triple ou une Blanche forte ? Elle a plutôt l'apparence d'une Triple et offre un produit qui plaira aux amateurs de bières rondes et riches, sans tomber dans l'excès.

Blonde
Ronde

BLANCHE

	FAIBLE							FORT
Arrière-goût	1	1,5	2	2,5	3	3,5	4	4,5	5
Caractère	1	1,5	2	2,5	3	3,5	4	4,5	5

	FROIDE							TIÈDE
Température	1	1,5	2	2,5	3	3,5	4	4,5	5

FLACATOUNE

Microbrasserie Charlevoix

500 ml   QUÉBEC   7 % alc./vol.

La Flacatoune, Blonde belge forte brassée pour un bistro cabaret du même nom à Saint-Irénée, s'inspire des bières comme la Duvel.

Toute l'année   Épicerie

Une mousse formant une belle dentelle surmonte une bière d'une couleur dorée. Au nez, des notes fruitées provenant de la levure s'expriment pleinement. En bouche, la bière est douce et se dévoile sur des notes céréalières et sucrées. Son amertume est très légère.

SUGGESTION

Apportez-en quelques-unes dans une guinguette et faites-la découvrir à vos amis.

APPRÉCIATION

Une des mes bières préférées au Québec pour ses arômes fruités et doux. À découvrir absolument.

Blonde

Ronde

	FAIBLE							FORT
Arrière-goût	1	1,5	2	2,5	3	3,5	4	4,5	5
Caractère	1	1,5	2	2,5	3	3,5	4	4,5	5

	FROIDE							TIÈDE
Température	1	1,5	2	2,5	3	3,5	4	4,5	5

BLONDE BELGE

LA FIN DU MONDE

Unibroue

750 ml	QUÉBEC	9 % alc./vol.

Cette bière est un hommage aux explorateurs français partis à la découverte du monde et qui croyaient être arrivés à la Fin du Monde. La Fin du Monde est la bière canadienne ayant gagné le plus de médailles dans différents concours internationaux.

Épicerie   Toute l'année

J'aime cette couleur blonde invitante aux reflets dorés sous une mousse présentant un très fin collet. Au nez, on perçoit des arômes de sucre, d'alcool et de fruits. En bouche, la bière est très ronde et offre une finale très légèrement amère, mais compensée par la chaleur de l'alcool.

SUGGESTION

Accompagne parfaitement une variété incroyable de saucisses sur le BBQ et d'amis qui attendent avec impatience que celles-ci soient servies.

APPRÉCIATION

Une des meilleures bières de style Triple du monde. Son caractère chaleureux et la richesse de l'alcool, sans exagérer l'amertume, en font un produit très apprécié des amateurs de bière ronde.

Blonde

Ronde

TRIPLE

	FAIBLE							FORT
Arrière-goût	1	1,5	2	2,5	3	3,5	4	4,5	5
Caractère	1	1,5	2	2,5	3	3,5	4	4,5	5

	FROIDE							TIÈDE
Température	1	1,5	2	2,5	3	3,5	4	4,5	5

De couleur blonde, les Triples sont arrivées sur le marché de la bière après les années 1950. On doit cette création à la brasserie trappiste Westmalle. Elles sont reconnues pour leur haut taux d'alcool, la présence de sucre résiduel et quelques notes épicées.

Toute l'année   Épicerie

Une mousse ample et sans complexe s'installe dans le verre. Au nez, la bière offre des notes de levure et de sucre. En bouche, elle est sucrée et le taux d'alcool bien présent. La finale, encore une fois sur le sucre, laisse poindre une légère amertume.

SUGGESTION
Accompagne divinement les plats à base de sauce blanche, crémeuse ou non.

APPRÉCIATION
Un classique, aujourd'hui disponible en épicerie. Les amateurs de bières rondes l'apprécieront indubitablement.

NOUVEAUTÉ
DE CETTE ÉDITION

Blonde
Ronde

	FAIBLE							FORT
Arrière-goût	1	1,5	2	2,5	3	3,5	4	4,5	5
Caractère	1	1,5	2	2,5	3	3,5	4	4,5	5

	FROIDE							TIÈDE
Température	1	1,5	2	2,5	3	3,5	4	4,5	5

TRIPLE

SIMPLE MALT TRIPLE

Brasseurs Illimités

500 ml   QUÉBEC   9,3 % alc./vol.

Inspirée des bières blondes d'abbaye qui ont fait la renommée de la Belgique brassicole, cette Triple est cependant plus houblonnée, selon la brasserie.

Épicerie   Toute l'année

Belle mousse compacte. Au nez, le houblon se fait sentir délicatement, très vite rattrapé par l'alcool et le sucre résiduel. En bouche, la bière est ronde et sucrée. L'amertume est discrète mais bien présente.

SUGGESTION
Une plat de pâtes à la carbonara, avec de la pancetta, pas du bacon…

APPRÉCIATION
Une Triple accessible, agréable et très bien brassée, qui plaira à l'amateur du style voulant un produit légèrement plus houblonné. Disponible en tout temps, elle doit être bue fraîche pour que les arômes en soient appréciés.

Blonde

Ronde

TRIPLE

	FAIBLE							FORT
Arrière-goût	1	1,5	2	2,5	3	3,5	4	4,5	5
Caractère	1	1,5	2	2,5	3	3,5	4	4,5	5

	FROIDE							TIÈDE
Température	1	1,5	2	2,5	3	3,5	4	4,5	5

TCHUCKÉ

Broadway Pub

500 ml	QUÉBEC	7 % alc./vol.

La brasserie vient à peine de changer ses formats de bouteilles et ses étiquettes pour nous offrir une gamme de produits qui ont déjà fait la réputation du bistrot-brasserie de Shawinigan. Cette Tchucké a un nouveau look qui lui va bien.

Toute l'année   Épicerie

Belle mousse compacte et crémeuse. Au nez, le sucre se manifeste. En bouche, il se confirme. La finale est sucrée et bien ronde. Servie un petit peu plus tempérée que ses cousines, elle offre un corps plus rond qui est bien agréable.

SUGGESTION
Les plats en sauce sont d'excellents alliés.

APPRÉCIATION
Très agréable Triple qui me fait penser à certaines bières Triples de Belgique. On pourrait s'y méprendre. À redécouvrir, pour ceux qui n'ont pas bu une Tchucké depuis longtemps.

NOUVEAUTÉ DE CETTE ÉDITION

Blonde
Ronde

	FAIBLE							FORT
Arrière-goût	1	1,5	2	2,5	3	3,5	4	4,5	5
Caractère	1	1,5	2	2,5	3	3,5	4	4,5	5
	FROIDE							TIÈDE
Température	1	1,5	2	2,5	3	3,5	4	4,5	5

TRIPLE

600 ml	QUÉBEC	5,49 % alc./vol.

Albert 3 est une bête courageuse lancée en orbite par l'équipe Le Trou du diable dans le but avoué de conquérir les palais en quête perpétuelle de bières sèches et houblonnées, nous confie la brasserie sur son étiquette. Le pari est lancé.

Épicerie   Printemps

Belle mousse persistante et légère. Au nez, des notes d'agrumes légèrement sapineuses se profilent. En bouche, la bière présente une amertume bien prononcée mais qui ne tombe pas dans l'excès, suivie d'une finale sèche. Mission accomplie.

NOUVEAUTÉ DE CETTE ÉDITION

SUGGESTION
La bière idéale pour les longues journées chaudes.

APPRÉCIATION
Rafraîchissante, légère et surtout très désaltérante, cette Albert accomplit sa mission sans trop de problème. Un voyage sur vos papilles qui vous plaira.

BIÈRE DE TABLE

Blonde

Amère

	FAIBLE							FORT
Arrière-goût	1	1,5	2	2,5	3	3,5	4	4,5	5
Caractère	1	1,5	2	2,5	3	3,5	4	4,5	5
	FROIDE							TIÈDE
Température	1	1,5	2	2,5	3	3,5	4	4,5	5

ALDRED

Le Trou du diable

| 600 ml | QUÉBEC | 4,5 % alc./vol. |

Fermentée avec une levure de saison et houblonnée comme une IPA, cette Aldred offre des arômes de zeste de citron et d'herbes fraîches, selon la brasserie.

Printemps   Épicerie

Une mousse très aérienne se pose sur la boisson. Des saveurs de houblons du Nouveau Monde telles qu'agrumes et fruits tropicaux se démarquent. En bouche, la bière est mince et présente dès la première gorgée une amertume qui vous accompagne jusqu'à la fin.

SUGGESTION
La bière apéritive
par excellence.

APPRÉCIATION
Voilà un produit que
vous devez avoir dans
votre frigo, prêt à
être décapsulé en cas
d'extrême urgence.
La bière est désaltérante
à souhait et surtout très
bien équilibrée.

NOUVEAUTÉ
DE CETTE ÉDITION

Blonde
Amère

	FAIBLE							FORT
Arrière-goût	1	1,5	2	2,5	3	3,5	4	4,5	5
Caractère	1	1,5	2	2,5	3	3,5	4	4,5	5

	FROIDE							TIÈDE
Température	1	1,5	2	2,5	3	3,5	4	4,5	5

SAISON IPA

DOMINUS VOBISCUM LUPULUS Microbrasserie Charlevoix

750 ml	QUÉBEC	10 % alc./vol.

La série Dominus Vobiscum, signifiant « Que le Seigneur soit avec vous » en latin, est un clin d'œil aux nombreuses bières d'abbaye en Belgique. Toute la gamme Dominus Vobiscum offre des bières d'inspiration belge.

Épicerie	Toute l'année

Une mousse riche et crémeuse surplombe cette bière aux couleurs dorées. Comment ne pas succomber ? Au nez, des notes d'épices, d'alcool et de céréales se démarquent. En bouche, la bière est ronde, chaleureuse et complexe. Sa finale est un judicieux mélange d'amertume et de rondeur. Un chef-d'œuvre.

SUGGESTION
Un fromage à pâte molle et à croûte lavée au caractère affirmé.

APPRÉCIATION
Une des meilleures bières au Québec : un corps magnifique, une mousse superbe et une finale complexe offrant une amertume soutenue, mais loin d'être agressive. À avoir dans son frigo et à consommer rapidement, elle est trop complexe pour la faire vieillir.

Blonde

Amère

TRIPLE

	FAIBLE							FORT
Arrière-goût	1	1,5	2	2,5	3 ▼	3,5	4	4,5	5
Caractère	1	1,5	2	2,5	3	3,5 ▼	4	4,5	5

	FROIDE							TIÈDE
Température	1	1,5	2	2,5	3 ▼	3,5	4	4,5	5

L'Écume s'inspire des vents salins qui soufflent sur l'île. Elle est également composée d'épices provenant du terroir des Îles-de-la-Madeleine.

Toute l'année   Épicerie

D'une couleur blonde scintillante, elle est fidèle à la Lager blonde. La mousse est sublime, une belle dentelle recouvre le verre. Au nez, des notes céréalières se mêlent aux arômes légèrement salins. En bouche, la bière est fraîche. Une amertume tranchante, typique du style, s'éloigne discrètement jusqu'à la prochaine gorgée.

SUGGESTION

Un tartare de bœuf, légèrement relevé, se mariera parfaitement avec l'amertume et les notes salines de cette Écume.

APPRÉCIATION

Agréable sensation que de découvrir des notes tranchantes d'amertume liées aux notes salines. Non seulement la bière est désaltérante, mais elle offre une palette de saveurs que peu de bières peuvent proposer.

Blonde
Amère

	FAIBLE						FORT	
Arrière-goût	1	1,5	2	2,5	3	3,5	4	4,5	5
Caractère	1	1,5	2	2,5	3	3,5	4	4,5	5

	FROIDE						TIÈDE	
Température	1	1,5	2	2,5	3	3,5	4	4,5	5

LAGER BLONDE

KROMBACHER PILS

Krombacher

| 330 ml | ALLEMAGNE | 4,8 % alc./vol. |

Krombacher est une des plus grandes brasseries en Allemagne. Fondée en 1803, elle propose différentes bières inspirées des styles historiques de l'Allemagne. Disponible depuis peu au Québec.

| Épicerie | Toute l'année |

Sa mousse forme une belle dentelle sur le verre. Au nez, des notes franches de céréales et de pain de mie se manifestent. En bouche, la bière est sèche et libère quelques notes de céréales. La finale est douce, sans être trop agressante, elle propose une très légère amertume.

SUGGESTION
Une Wiener Schnitzel ou escalope viennoise, pour se sentir dépaysé.

APPRÉCIATION
Beaucoup de Pilsners allemandes brassées par des grandes brasseries vous proposeront le même nez et le même corps. Si vous avez envie de découvrir le goût de la bière allemande, voici votre bière.

Blonde
Amère

PILSNER

	FAIBLE							FORT
Arrière-goût	1	1,5	2	2,5	3	3,5	4	4,5	5
Caractère	1	1,5	2	2,5	3	3,5	4	4,5	5

	FROIDE							TIÈDE
Température	1	1,5	2	2,5	3	3,5	4	4,5	5

LA PITOUNE

Le Trou du diable

375 ml	QUÉBEC	5 % alc./vol.

Du nom des célèbres billots de bois qui descendaient les rivières du Québec, la Pitoune fait référence à la rivière Saint-Maurice qui fut la dernière rivière dravée au Québec.

Toute l'année · Épicerie

Cette blonde dorée surmontée d'une mousse abondante offre un nez de céréales, d'herbes et de levure typique des Pilsners. En bouche, elle est céréalière et son amertume vient caresser les papilles assoiffées. L'étalement est aussi simple dans les saveurs que complexe dans les arômes. Une bière de soif ! Et c'est loin d'être péjoratif.

SUGGESTION

Une glacière en bois verni, des glaçons à l'eau de source et quelques bouteilles de Pitoune. Une expérience de camping de luxe pour cette bière de soif de luxe.

APPRÉCIATION

Une Pilsner comme je les aime, me rappelant les meilleures, brassées par des petites brasseries belges familiales.

Blonde
Amère

	FAIBLE							FORT
Arrière-goût	1	1,5	2	2,5	3	3,5	4	4,5	5
Caractère	1	1,5	2	2,5	3	3,5	4	4,5	5

	FROIDE							TIÈDE
Température	1	1,5	2	2,5	3	3,5	4	4,5	5

LES QUATRE SURFEURS DE L'APOCALYPSO Le Trou du diable

600 ml	QUÉBEC	6,5 % alc./vol.

Une bière houblonnée qui pousse l'aromatique du houblon et qui contient du blé. Bref, une Blanche IPA, selon la brasserie.

Épicerie · Printemps - Été

Une belle mousse en dentelle. Au nez, des notes flagrantes de fruits tropicaux, mangues et agrumes. En bouche, la bière offre une densité relativement légère qui laisse place à une belle amertume. Voilà une bière sèche et rafraîchissante, tout simplement.

SUGGESTION
À boire telle quelle, sans rien d'autre.

APPRÉCIATION
Cette bière est un hommage aux nombreux talents des brasseurs nord-américains qui rivalisent d'ingéniosité et de nouveaux produits. Elle est tout bonnement réconfortante.

Blonde
Amère

BLANCHE IPA

	FAIBLE							FORT
Arrière-goût	1	1,5	2	2,5	3	3,5	4	4,5	5
Caractère	1	1,5	2	2,5	3	3,5	4	4,5	5
	FROIDE							TIÈDE
Température	1	1,5	2	2,5	3	3,5	4	4,5	5

LOT 9 PILSNER

Creemore Springs Brewery

341 ml	ONTARIO	4,7 % alc./vol.

Lot 9 est le nom du lot de terre qui a été transformé en champ d'orge au moment de la création de la brasserie. Cette Pilsner traditionnelle a été créée en l'honneur des fondateurs de la brasserie.

Toute l'année   Épicerie

Une mousse fuyante laisse place à une belle dentelle. Au nez, on sent bien la céréale. On y trouve également quelques arômes de houblon noble. Du côté du goût, les céréales s'expriment à chaque gorgée et cèdent la place à une finale légèrement amère, comme le demande le style.

SUGGESTION
Elle remplace facilement la bière que vous buvez le plus souvent.

APPRÉCIATION
Peu connue au Québec, cette Lot 9 Pilsner a le mérite d'être bien brassée et agréable à boire. À découvrir si vous cherchez une bière « blonde » qui vous séduira en toute occasion.

NOUVEAUTÉ DE CETTE ÉDITION

Blonde
Amère

	FAIBLE							FORT
Arrière-goût	1	1,5	2	2,5	3	3,5	4	4,5	5

	FAIBLE							FORT
Caractère	1	1,5	2	2,5	3	3,5	4	4,5	5

	FROIDE							TIÈDE
Température	1	1,5	2	2,5	3	3,5	4	4,5	5

MAIBOCK

Les Trois Mousquetaires

375 ml   QUÉBEC   6,8 % alc./vol.

La gamme Série Signature propose des bières d'inspiration du monde entier et disponibles toute l'année. Traditionnellement brassées en Allemagne, les Maibocks sont des Lagers blondes plus maltées qui soulignent l'arrivée du printemps.

Épicerie   Toute l'année

Une riche mousse surplombe cette Maibock d'une belle couleur dorée. Au nez, la bière offre des notes florales accompagnées de saveurs de céréales. En bouche, son corps malté s'exprime pleinement laissant place à une finale légèrement amère, suivie des notes sucrées des céréales.

SUGGESTION
Un Waterzoeï et des petites carottes croquantes.

APPRÉCIATION
Ni trop houblonnée ni trop sucrée, cette Lager blonde offre un corps plus malté que ses cousines Lagers blondes de type Pilsner. Pour ceux qui aiment les Pilsners qui ont du corps.

Blonde
Amère

LAGER BLONDE

	FAIBLE							FORT
Arrière-goût	1	1,5	2	2,5	3	3,5	4	4,5	5
Caractère	1	1,5	2	2,5	3	3,5	4	4,5	5

	FROIDE							TIÈDE
Température	1	1,5	2	2,5	3	3,5	4	4,5	5

MONS BLONDE D'ABBAYE

Belgh Brasse

750 ml	QUÉBEC	7 % alc./vol.

D'abord apparue sur les tablettes de nos voisins américains, Mons est une gamme de bières aujourd'hui disponibles et brassées au Québec. Inspirées par les bières d'abbaye belges, elle porte le nom d'une ville de Belgique.

Toute l'année   Épicerie

Au service, une superbe mousse forme de la dentelle sur le verre. L'effervescence est pétillante et débordante d'énergie. Sa couleur est fidèle au style. Au nez, des notes légères de levure et de houblon s'offrent à vous. En bouche, la bière est douce et très bien maintenue par un taux d'alcool adéquat. Sa finale est légèrement amère. Tout à fait agréable.

SUGGESTION
Un fromage à pâte semi-ferme et à croûte lavée.

APPRÉCIATION
Un excellent rapport qualité-prix pour ce produit très fidèle à son inspiration d'origine : les Blondes belges. Le choix du format, de l'étique-tage et de la levure en fait une cousine très proche d'un produit belge. À boire frais.

Blonde
Amère

	FAIBLE							FORT
Arrière-goût	1	1,5	2	2,5	3	3,5	4	4,5	5
Caractère	1	1,5	2	2,5	3	3,5	4	4,5	5

	FROIDE							TIÈDE
Température	1	1,5	2	2,5	3	3,5	4	4,5	5

| 341 ml | QUÉBEC | 11,9 % alc./vol. |

La Palabre raconte que lorsque le vent se met à souffler sur la lagune gelée, les chars à glace se mettent à filer à 100 km/h.

Épicerie   Toute l'année

Une mousse riche et abondante sur un corps blond et voilé. Au nez, des notes d'alcool et d'abricots se démarquent, comme l'indique la brasserie. En bouche, l'alcool très présent laisse un peu de place au sucre résiduel. L'amertume s'installe délicatement, sans être trop présente.

SUGGESTION

Un fromage à pâte semi-ferme et à croûte lavée au caractère bien fort.

APPRÉCIATION

Un produit d'exception qui démontre à quel point nos brasseurs ont du talent. Une bière à ouvrir avec un ami et à partager dehors, en regardant passer les chars à glace.

Blonde

Amère

SAISON DE GLACE

	FAIBLE							FORT
Arrière-goût	1	1,5	2	2,5	3	3,5	4	4,5	5
Caractère	1	1,5	2	2,5	3	3,5	4	4,5	5

	FROIDE							TIÈDE
Température	1	1,5	2	2,5	3	3,5	4	4,5	5

SAISON

La Chouape

500 ml	QUÉBEC	6,2 % alc./vol.

Brassée avec des céréales crues et des céréales maltées provenant de la ferme brasserie, cette Saison rend hommage aux Saisons brassées historiquement en Belgique et qui désaltéraient les travailleurs, même l'été.

Toute l'année   Épicerie

Voilà une belle couleur blonde et une mousse loin d'être discrète. De discrets arômes fruités et floraux sont très agréables. En bouche, la bière est amère dès la première gorgée ; sucrée dès qu'on avale ; de nouveau amère et légèrement astringente en rétro-olfaction. C'est très désaltérant et l'amertume de la bière, jumelée à l'acidité des céréales, est très bien équilibrée.

SUGGESTION
Un poisson blanc et une sauce crémeuse citronnée. Les notes acidulées feront valser vos papilles.

APPRÉCIATION
Une Saison agréable qui rafraîchit même si servie trop chaude. L'amertume est franche, voire tranchante, et l'acidité des céréales vient réveiller les papilles jusqu'à la prochaine gorgée.

Blonde
Amère

	FAIBLE							FORT
Arrière-goût	1	1,5	2	2,5	3	3,5	4	4,5	5
Caractère	1	1,5	2	2,5	3	3,5	4	4,5	5
	FROIDE							TIÈDE
Température	1	1,5	2	2,5	3	3,5	4	4,5	5

SAISON

SAISON RUSTIQUE

Brasserie Dunham

750 ml	QUÉBEC	6 % alc./vol.

Cette Saison Rustique se veut la plus proche possible des Saisons belges et du nord de la France. Elle est brassée avec du malt d'orge, du seigle et de l'avoine.

Épicerie   Été

Belle mousse légère qui recouvre le verre. Sa couleur blonde rappelle certaines Saisons typiques du Hainaut belge. Au nez, la bière développe quelques notes épicées et fruitées. En bouche, elle est sèche, laissant apparaître une finale légèrement amère. C'est une Saison !

SUGGESTION

Vivez l'expérience jusqu'au bout, buvez-la dans un champ en plein mois d'août pendant que vous récoltez l'orge de la brasserie.

APPRÉCIATION

Une des plus intéressantes Saisons disponible sur le marché québécois. Sèche, rafraîchissante et désaltérante, même si elle est servie à température pièce. Je vous conseille cependant de la servir à 8-10 °C.

Blonde
Amère

SAISON

	FAIBLE							FORT
Arrière-goût	1	1,5	2	2,5	3	3,5	4	4,5	5
Caractère	1	1,5	2	2,5	3	3,5	4	4,5	5

	FROIDE							TIÈDE
Température	1	1,5	2	2,5	3	3,5	4	4,5	5

SEERAUBER   Corsaire

473 ml	QUÉBEC	5 % alc./vol.

Une des premières bières mises en canette
par la brasserie, son nom signifie « pirate »
en allemand.

Toute l'année   Épicerie

Avec une belle couleur jaune paille, surmontée
d'une mousse fugace, elle offre des arômes de
pain et de miel provenant des céréales qui la
composent. En bouche, la bière est légèrement
amère et sa finale est sèche, signe des bières de
la même famille de type Lager. Son corps légèrement plus malté que ses cousines allemandes lui
permet d'offrir une finale un peu plus douce.

SUGGESTION
Un hot-dog européen
avec une moutarde
piquante à souhait.

APPRÉCIATION
Un format en canette
idéal pour une bière
aussi rafraichissante
et désaltérante. La
Seerauber est une excel-
lente ambassadrice des
bières de microbrasseries
pour accompagner vos
plus beaux voyages de
pêche. À emporter dans
la chaloupe !

Blonde
Amère

	FAIBLE							FORT
Arrière-goût	1	1,5	2	2,5	3	3,5	4	4,5	5
Caractère	1	1,5	2	2,5	3	3,5	4	4,5	5
	FROIDE							TIÈDE
Température	1	1,5	2	2,5	3	3,5	4	4,5	5

PILSNER

SIEUR DE LÉRY

Frampton Brasse

341 ml   QUÉBEC   5 % alc./vol.

Frampton Brasse utilise un système de décoction, assez rare en Amérique du Nord. Cette Pilsner est le fruit du travail du jeune maître brasseur Gilbert, qui a étudié en Allemagne.

Épicerie   Toute l'année

Belle couleur blonde scintillante surmontée par une mousse offrant une superbe dentelle. Au nez, des notes de grains et de levure se font sentir. En bouche, la bière est douce, suivie d'une finale légèrement amère typique du style.

SUGGESTION
Des chips et une finale de la coupe Stanley.

APPRÉCIATION
Vous cherchiez une bière à avoir en tout temps dans votre frigo ? En voici une. Équilibrée et bien balancée entre l'amertume et la douceur des grains, cette Pilsner n'a rien à envier à ses cousines brassées en Amérique du Nord.

Blonde

Amère

PILSNER

	FAIBLE							FORT
Arrière-goût	1	1,5	2	2,5	3	3,5	4	4,5	5
Caractère	1	1,5	2	2,5	3	3,5	4	4,5	5

	FROIDE							TIÈDE
Température	1	1,5	2	2,5	3	3,5	4	4,5	5

ST-AMBROISE SESSION IPA

McAuslan

341 ml | QUÉBEC | 4,5 % alc./vol.

Se voulant une India Pale Ale moins alcoolisée que ses cousines, la Session IPA est un hommage aux bières anglaises faibles en alcool qui se consommaient moins modérément.

Toute l'année | Épicerie

Une mousse très volatile dans le verre disparaît au bout de quelques minutes en laissant place à une belle dentelle. Au nez, la signature de la levure typique de McAuslan se présente, accompagnée par quelques notes florales et herbacées de houblon. En bouche, la bière est mince et propose une amertume soutenue mais sans tomber dans l'excès.

SUGGESTION
Une bière apéritive pour faire découvrir l'amertume et le rôle du houblon.

APPRÉCIATION
Les amateurs de bières houblonnées mais non sucrées seront ravis. C'est l'antithèse d'une Double IPA américaine.

NOUVEAUTÉ DE CETTE ÉDITION

Blonde / Amère

	FAIBLE							FORT
Arrière-goût	1	1,5	2	2,5	3	3,5	4	4,5	5

Caractère	1	1,5	2	2,5	3	3,5	4	4,5	5

	FROIDE							TIÈDE
Température	1	1,5	2	2,5	3	3,5	4	4,5	5

SESSION IPA

GLUTENBERG INDIA PALE ALE Brasseurs sans Gluten

473 ml   QUÉBEC   6 % alc./vol.

Les Brasseurs Sans Gluten se sont spécialisés dans les bières sans gluten qui ont du goût. Depuis qu'ils ont remporté de nombreuses médailles dans des concours prestigieux, leur réputation n'est plus à faire.

Épicerie   Toute l'année

De belle couleur blonde, cette India Pale Ale offre un nez très aromatique de fruits et de fleurs. En bouche, la bière est sur le thème de l'amertume, avec une petite finale florale fort sympathique. Entre bière amère et bière tranchante, elle ne cache pas son amertume.

SUGGESTION
Des charcuteries italiennes.

APPRÉCIATION
Cette brasserie nous offre une qualité de produits jamais atteinte dans les bières sans gluten. Un produit d'exception.

Blonde
Tranchante

INDIA PALE ALE

	FAIBLE							FORT
Arrière-goût	1	1,5	2	2,5	3	3,5	4	4,5	5
Caractère	1	1,5	2	2,5	3	3,5	4	4,5	5

	FROIDE							TIÈDE
Température	1	1,5	2	2,5	3	3,5	4	4,5	5

HERBE À DÉTOURNE

Dieu du Ciel !

341 ml	QUÉBEC	10,2 % alc./vol.

« Cette bière prend ses racines dans la tradition des Triples belges, mais a été conçue à la façon du Nouveau Monde », nous indique la brasserie. L'utilisation d'un houblon très aromatique comme le Citra donne une dimension contemporaine à cette Triple.

Été   Épicerie

De couleur blond ambré, cette Triple semble calme derrière une effervescence très lente. Elle attend que vous y trempiez les lèvres. Des arômes de fruits tropicaux se démarquent et les amateurs de Citra reconnaîtront sa signature aromatique si particulière. En bouche, la bière offre une attaque puissante d'alcool, de houblon, et son amertume tranchante est très bien équilibrée par un sucre résiduel et un taux d'alcool loin d'être timide.

SUGGESTION

Une pizza maison sur le BBQ avec une poitrine de poulet et une sauce BBQ en fin de soirée. Un accord particulier, vous en conviendrez, mais que j'ai testé avec beaucoup de plaisir.

APPRÉCIATION

Véritable révolution dans le style Triple, cette Herbe à Détourne repousse les attentes du style en ajoutant une autre dimension : l'amertume tranchante sur une blonde liquoreuse. Un délice.

Blonde
Tranchante

	FAIBLE							FORT
Arrière-goût	1	1,5	2	2,5	3	3,5	4	4,5	5
Caractère	1	1,5	2	2,5	3	3,5	4	4,5	5

	FROIDE							TIÈDE
Température	1	1,5	2	2,5	3	3,5	4	4,5	5

TRIPLE

IPA AMÉRICAINE

Pit Caribou

660 ml · QUÉBEC · 7 % alc./vol.

Brassée avec différents types de houblon pour l'amateur d'India Pale Ale d'inspiration américaine, cette bière de la microbrasserie Pit Caribou a reçu un excellent accueil depuis sa sortie en 2013.

Épicerie · Toute l'année

Magnifique mousse crémeuse surplombant une bière de couleur blonde ambrée, elle offre un nez puissant d'agrumes et de résine de houblon. Avant d'y tremper ses lèvres, on se doute de son amertume qui sera tranchante. En bouche, on ne se trompe pas, la bière s'appuie sur une base maltée qui permet de compenser une amertume et une finale très longue, de plus en plus amère. L'amateur appréciera.

SUGGESTION
Un fromage à pâte molle et à croûte lavée aux accents prononcés.

APPRÉCIATION
Une IPA américaine qui n'a rien à envier à certaines cousines. Même si sa base est maltée afin de compenser une amertume tranchante, elle n'est pas trop lourde ni ronde. Un produit à découvrir pendant la canicule.

Blonde
Tranchante

	FAIBLE							FORT
Arrière-goût	1	1,5	2	2,5	3	3,5	4,5	5
Caractère	1	1,5	2	2,5	3	3,5	4	4,5	5

	FROIDE							TIÈDE
Température	1	1,5	2	2,5	3	3,5	4	4,5	5

LA MORSURE

Le Trou du diable

600 ml	QUÉBEC	6,5 % alc./vol.

Inspirée des IPA américaines qui sont très résineuses, cette Morsure a fait la renommée de la brasserie.

Toute l'année	Épicerie

Une généreuse mousse prend place dans le verre, surplombant une bière aux reflets blonds. Au nez, des notes fruitées se font discrètes, rapidement rattrapées par une bouffée de résine de houblon. En bouche, la bière est tout d'abord maltée, suivie de très près par une longue et grande finale en amertume.

SUGGESTION

Un plat indien avec trois piments à côté de son nom dans le menu.

APPRÉCIATION

Si vous appréciez les bières très houblonnées, vous serez ravi. La Morsure est un éloge au houblon, lui laissant toute la place pour s'exprimer.

Blonde Tranchante

	FAIBLE							FORT	
Arrière-goût	1	1,5	2	2,5	3	3,5	4	4,5	5
Caractère	1	1,5	2	2,5	3	3,5	4	4,5	5

	FROIDE							TIÈDE	
Température	1	1,5	2	2,5	3	3,5	4	4,5	5

INDIA PALE ALE

MORALITÉ

Dieu du Ciel !

341 ml	QUÉBEC	6,9 % alc./vol.

La bière qui fait vibrer les amateurs de houblon au Québec. Parlez-en à n'importe quel *beer geek* du Québec, il n'aura que de bons mots pour cette American IPA.

Épicerie	Toute l'année

Une mousse formant une belle dentelle, une robe blond doré. Des arômes fruités de mangue et d'agrumes provenant des houblons. Une amertume bien soutenue dès l'entrée en bouche mais accompagnée d'un sucre résiduel pour soutenir le tout. La finale est amère, très amère. Les amateurs apprécieront.

NOUVEAUTÉ DE CETTE ÉDITION

SUGGESTION

On aime cette bière pour ce qu'elle est. Mais quelques plats épicés profiteront de la rencontre.

APPRÉCIATION

Peu de bières peuvent jouir d'une aussi belle réputation que la Moralité au Québec. Celle-ci partage le haut du podium avec la Yakima IPA de la brasserie Castor et c'est amplement mérité.

Blonde Tranchante

	FAIBLE							FORT	
Arrière-goût	1	1,5	2	2,5	3	3,5	4	4,5	5
Caractère	1	1,5	2	2,5	3	3,5	4	4,5	5

	FROIDE							TIÈDE	
Température	1	1,5	2	2,5	3	3,5	4	4,5	5

PEAU D'OURS

Le Bilboquet

500 ml	QUÉBEC	5 % alc./vol.

Résultat d'un pacte amer, la Peau d'ours dévoile une douceur qui, de réputation, se révélait austère, nous informe la brasserie.

Toute l'année   Épicerie

Une mousse généreuse et bien aérée, indiquant un houblonnage abondant. Au nez, des notes de houblon se révèlent sous forme d'agrumes et de pins. En bouche, la bière est mince, et l'amertume vient attaquer le palais sans ménagement. Les amateurs du style apprécieront.

SUGGESTION
Des plats épicés
et piquants.

APPRÉCIATION
Très tranchante, cette
Peau d'ours plaira à
l'amateur du genre.
Elle possède en outre
un faible taux d'alcool,
ce qui donne une bière
au corps mince et donc
très désaltérante.

NOUVEAUTÉ
DE CETTE ÉDITION

Blonde
Tranchante

AMERICAN IPA

	FAIBLE							FORT
Arrière-goût	1	1,5	2	2,5	3	3,5	4	4,5	5
Caractère	1	1,5	2	2,5	3	3,5	4	4,5	5

	FROIDE							TIÈDE
Température	1	1,5	2	2,5	3	3,5	4	4,5	5

SAISON BRETT

Les Trois Mousquetaires

750 ml	QUÉBEC	7 % alc./vol.

Une Saison qui a passé quelques mois dans des barils de chêne avec ajouts de *Brettanomyces* et de bactéries. Elle sera bientôt disponible toute l'année.

Épicerie	Toute l'année

Une mousse fuyante, résultat d'une effervescence très présente, laisse place à un beau col. La bière est d'une belle couleur dorée. Au nez, les arômes typiques de cuir se manifestent. En bouche, la bière est acidulée puis des notes légèrement citriques apparaissent. La finale est sur une timide présence du sucre résiduel.

SUGGESTION

À boire fraîche à l'apéritif, accompagnée de quelques charcuteries.

APPRÉCIATION

Une réussite. Un produit qui offre de la complexité tout en ayant un équilibre parfaitement maîtrisé. Une des rares bières que je garde dans mon cellier pour la laisser vieillir quelques années, elle a tout le potentiel nécessaire.

Blonde
Tranchante

SAISON

	FAIBLE							FORT
Arrière-goût	1	1,5	2	2,5	3	3,5	4	4,5	5
Caractère	1	1,5	2	2,5	3	3,5	4	4,5	5
	FROIDE							TIÈDE
Température	1	1,5	2	2,5	3	3,5	4	4,5	5

SIMPLE MALT DOUBLE IPA

Brasseurs Illimités

500 ml	QUÉBEC	8 % alc./vol.

D'abord disponible dans la gamme alphabétique de Brasseurs Illimités sous la lettre O, cette double IPA a plu au consommateur, et la brasserie a décidé de la produire sous sa marque Simple Malt.

Toute l'année   Épicerie

Une belle mousse en dentelle, une robe de couleur blond doré, une effervescence dynamique. Au nez, les notes de fruits tropicaux proviennent du houblon. En bouche, la bière est sucrée, alcoolisée mais rattrapée par une amertume qui s'installe et qui offre une finale longue et sèche.

SUGGESTION
Un fromage oka classique.

APPRÉCIATION
Assurez-vous de sa fraîcheur, elle sera meilleure. Cette Double IPA est brassée à l'aide de quelques techniques propres aux plus grandes Doubles IPA du continent. Elle a le mérite de s'en approcher.

NOUVEAUTÉ DE CETTE ÉDITION

Blonde
Tranchante

DOUBLE IPA

	FAIBLE							FORT
Arrière-goût	1	1,5	2	2,5	3	3,5	4	4,5	5
Caractère	1	1,5	2	2,5	3	3,5	4	4,5	5

	FROIDE							TIÈDE
Température	1	1,5	2	2,5	3	3,5	4	4,5	5

Disponible au printemps, cette Triple houblonnée à froid avec du Saphir et du Zythos est d'inspiration belge, avec un fort accent américain.

Épicerie   Printemps

Sa mousse est invitante et dominante. Sa robe est blond doré, fidèle aux couleurs d'une Triple belge. Au nez, des notes franches de levure et de houblon se font sentir. En bouche, la bière est chaleureuse, mais n'a pas le temps de vous amadouer, les houblons arrivent au galop et vous offrent une finale sur l'amertume.

SUGGESTION
Un plat d'agneau épicé au cari rouge.

APPRÉCIATION
Rares sont les Triples belges à l'accent américain. La brasserie Dunham peut se féliciter d'avoir réussi un superbe produit qui plaira à l'amateur de sensations fortes.

Blonde

Tranchante

TRIPLE

	FAIBLE							FORT
Arrière-goût	1	1,5	2	2,5	3	3,5	4	4,5	5
Caractère	1	1,5	2	2,5	3	3,5	4	4,5	5

	FROIDE							TIÈDE
Température	1	1,5	2	2,5	3	3,5	4	4,5	5

YAKIMA IPA

Microbrasserie Le Castor

660 ml	QUÉBEC	6,5 % alc./vol.

Yakima est une vallée dans la chaîne de montagnes des Cascades dans l'État de Washington. Cette Yakima IPA rend hommage aux arômes puissants du houblon qui pousse dans cette vallée.

Toute l'année · Épicerie

Voguant entre la couleur ambrée et blonde, cette India Pale Ale est sublime avec sa mousse en persistance laissant place à une fine dentelle. Au nez, des effluves marqués d'agrumes sont splendides. En bouche, la bière est amère, sans aucun doute. Une amertume qui sera prolongée dans l'étalement des saveurs jusqu'à la prochaine gorgée.

SUGGESTION

Un fromage à pâte molle et à croûte lavée au caractère puissant. L'amertume se fera un plaisir de marier les saveurs de crème et les saveurs marquées de la croûte.

APPRÉCIATION

Quelle magnifique India Pale Ale d'influence nord-américaine, sans aucun doute. Un houblonnage puissant et judicieux plaira à l'amateur de blonde tranchante. À boire frais.

Blonde Tranchante

	FAIBLE							FORT
Arrière-goût	1	1,5	2	2,5	3	3,5	4	4,5	5
Caractère	1	1,5	2	2,5	3	3,5	4	4,5	5

	FROIDE							TIÈDE
Température	1	1,5	2	2,5	3	3,5	4	4,5	5

DULCIS SUCCUBUS

Le Trou du diable

750 ml   QUÉBEC   7 % alc./vol.

Vieillie pendant six mois dans des barriques de vin blanc californien, elle porte le nom de Douce Succube en latin. La Succube est une démone à l'apparence de femme qui damne les hommes pendant leur sommeil… en alimentant leurs rêves.

Épicerie   Toute l'année

Belle couleur blonde dorée pour cette Saison. Au nez, des notes de cuir et de vanille soulignent sa présence en barrique de bois. En bouche, la bière est enveloppante, laissant place à une finale légèrement acide.

SUGGESTION

Une cueillette de morilles bien fraîches et une petite noix de beurre.

APPRÉCIATION

Les amateurs de bières acidulées apprécieront cette Succubus aux multiples saveurs. Disponible en quantité limitée selon le bon vouloir du brasseur ; on peut la conserver quelques mois dans son cellier à bière avant d'en profiter.

Blonde
Acidulée

SAISON

	FAIBLE								FORT
Arrière-goût	1	1,5	2	2,5	3	3,5	4	4,5	5
Caractère	1	1,5	2	2,5	3	3,5	4	4,5	5

	FROIDE								TIÈDE
Température	1	1,5	2	2,5	3	3,5	4	4,5	5

LA SAISON DU TRACTEUR

Le Trou du diable

600 ml	QUÉBEC	6 % alc./vol.

Inspirée par les Saisons du nord de la France et de Belgique, cette Saison profite également des houblons du Nouveau Monde qui lui donnent un caractère différent.

Toute l'année Épicerie

Sa couleur blonde est très invitante. Sa mousse est des plus expressives. Au nez, des notes tropicales et fruitées sont présentes. En bouche, la bière est légèrement acidulée, de la première gorgée à la finale.
Rafraîchissante et désaltérante.

SUGGESTION
Une salade bien fraîche et sa vinaigrette acidulée.

APPRÉCIATION
Le brasseur a réussi à offrir les notes acidulées d'une Saison d'antan au nez tropical des houblons d'aujourd'hui. Un chef-d'œuvre.

Blonde
Acidulée

	FAIBLE							FORT
Arrière-goût	1	1,5	2	2,5	3	3,5	4	4,5	5
Caractère	1	1,5	2	2,5	3	3,5	4	4,5	5

	FROIDE							TIÈDE
Température	1	1,5	2	2,5	3	3,5	4	4,5	5

SAISON

LA SAISON TRADITION   Brasseurs du Monde

500 ml   QUÉBEC   5,2 % alc./vol.

Elle est brassée selon la tradition des Saisons wallonnes, nous informe la brasserie. Sa légère acidité en fait une bière rafraîchissante.

Épicerie   Toute l'année

Une belle mousse généreuse se dépose sur la bière. L'effervescence est constante sans être trop dominante. Au nez, des notes légères de levure et de céréales sont bien présentes. En bouche, la bière est sèche et une légère acidité vient couvrir le tout. Elle remplit sa mission.

SUGGESTION
Un pique-nique dans un champ, beaucoup moins de labeur et tellement plus agréable.

APPRÉCIATION
Une Saison qui réussit à nous combler car elle est bien équilibrée. Un produit à découvrir pour les amateurs de Saisons typiques de Belgique.

NOUVEAUTÉ DE CETTE ÉDITION

Blonde
Acidulée

SAISON

	FAIBLE							FORT
Arrière-goût	1	1,5	2	2,5	3	3,5	4	4,5	5
Caractère	1	1,5	2	2,5	3	3,5	4	4,5	5

	FROIDE							TIÈDE
Température	1	1,5	2	2,5	3	3,5	4	4,5	5

SOFIE

Goose Island

| 750 ml | ÉTATS-UNIS | 6,5 % alc./vol. |

Une Farmhouse Ale américaine, c'est-à-dire une Saison de type belge, plus acidulée et plus amère. Un produit de plus en plus à la mode en Amérique du Nord.

Toute l'année — Épicerie

Une mousse très fuyante. Un nez de cuir, de céréales et de houblon. En bouche, la bière est légèrement acidulée, car l'acidité varie avec l'âge de la boisson, jeune dans ce cas-ci. La finale est sur l'acidité, qui n'est pas trop prononcée, suivie de la sécheresse recherchée dans ce type de bières.

SUGGESTION
Charcuteries, fromages et pain frais dans un champ, au soleil.

APPRÉCIATION
Les amateurs de bières acidulées l'apprécieront. Les amateurs de Saisons seront un peu déstabilisés. En effet, le type Farmhouse Ale ne veut pas forcément dire Saison au sens le plus belge du terme. Un produit fort intéressant, cela dit.

NOUVEAUTÉ DE CETTE ÉDITION

Blonde
Acidulée

	FAIBLE							FORT
Arrière-goût	1	1,5	2	2,5	3	3,5	4	4,5	5
Caractère	1	1,5	2	2,5	3	3,5	4	4,5	5

	FROIDE							TIÈDE
Température	1	1,5	2	2,5	3	3,5	4	4,5	5

SAISON

GOSE

Les Trois Mousquetaires

375 ml	QUÉBEC	3,8 % alc./vol.

La gamme Hors-série propose des styles de
bières différents, brassés au goût du brasseur.
Les contre-étiquettes de la brasserie sont les
plus complètes sur le marché de la bière.

Épicerie — Été

De couleur légèrement ambrée, la bière est
trouble, faisant penser à une Hefeweizen,
mais même si cette Gose provient historiquement d'Allemagne et qu'elle partage certaines
céréales, elle est loin d'y ressembler. Au nez,
des notes légèrement citriques s'amusent avec
la coriandre. En bouche, la bière est salée et
sa finale est complexe, mélangeant des notes
salines et céréalières.

SUGGESTION
Le fromage Paillasson de
l'île d'Orléans prolonge
la finale salée de la bière.

APPRÉCIATION
Fraîche, cette bière
plaira à l'amateur de
sensations. Brassée avec
de l'eau légèrement salée
et des céréales acidi-
fiées, elle présente une
palette de saveurs que
peu de bières peuvent
vous offrir. À essayer
très fraîche sous un
soleil de plomb.

Blonde / **Mordante**

	FAIBLE							FORT
Arrière-goût	1	1,5	2	2,5	3	3,5	4	4,5	5
Caractère	1	1,5	2	2,5	3	3,5	4	4,5	5

	FROIDE							TIÈDE
Température	1	1,5	2	2,5	3	3,5	4	4,5	5

GOSE

BOSON DE HIGGS

Hopfenstark

750 ml	QUÉBEC	3,8 % alc./vol.

Le Boson de Higgs, qui est une particule élémentaire en physique, est également une bière issue de l'imagination du brasseur. Un hybride de Saison, de Rauchbeer et de Berliner Weisse qui ne passe pas inaperçu.

Toute l'année | Épicerie

Légèrement voilée, la bière offre un nez de fumée provenant des malts sélectionnés. En bouche, elle est rafraîchissante et légèrement acidulée, laissant place à une finale fumée. Étrange sensation.

SUGGESTION

Un morceau de lard fumé cuit sur feu de bois sous un chaud soleil d'été.

APPRÉCIATION

Une bière qui ne passe pas inaperçue. On aime ou pas ! La légère acidité de la bière compense les saveurs fumées et offre une dégustation très particulière.

Blonde
Fumée

	FAIBLE							FORT
Arrière-goût	1	1,5	2	2,5	3	3,5	4	4,5	5
Caractère	1	1,5	2	2,5	3	3,5	4	4,5	5

	FROIDE							TIÈDE
Température	1	1,5	2	2,5	3	3,5	4	4,5	5

SAISON

BLANCHES

Elles sont voilées par l'utilisation de blé ou de froment dans la recette. Elles peuvent offrir différents goûts et sensations. Elles sont parfois aromatisées en fonction du style d'interprétation.

DOUCES

BLANCHE   Alchimiste

| 341 ml | QUÉBEC | 4,7 % alc./vol. |

La Blanche de l'Alchimiste est une des premières bières brassées par Carl Dufour, maître brasseur des lieux. Elle s'inspire des Weiss allemandes et de leur nez si particulier.

| Épicerie | Toute l'année |

Sa couleur blonde, légèrement voilée, nous fait croire à une bière non filtrée. Au nez, des notes de céréales et de pain accompagnent la signature particulière des bières de type Weizen sans qu'elle soit dominante. En bouche, la bière est douce et sucrée, laissant place à une finale légère et sans aucune amertume.

SUGGESTION
À l'apéritif, servie un tout petit peu plus frais qu'à l'habitude.

APPRÉCIATION
Les Weizens offrent un nez particulier qui est leur signature. Pour la Blanche de l'Alchimiste, cette signature est discrète, laissant toute la place aux saveurs de céréales et de pain habituellement masquées.

Blanche
Douce

WEIZEN

	FAIBLE							FORT
Arrière-goût	1	1,5	2	2,5	3	3,5	4	4,5	5
Caractère	1	1,5	2	2,5	3	3,5	4	4,5	5

	FROIDE							TIÈDE
Température	1	1,5	2	2,5	3	3,5	4	4,5	5

BLANCHE

Les Trois Mousquetaires

341 ml   QUÉBEC   5 % alc./vol.

Du nom de Blanche, en l'honneur de la couleur, les consommateurs avertis pourraient la confondre avec le style Blanche provenant de Belgique. Il s'agit, en fait, d'une Weizen.

Toute l'année   Épicerie

Sa robe voilée ne la trahit pas, on a bel et bien affaire à une bière de blé. Au nez, des notes marquées de banane et de clou de girofle provenant clairement de la levure particulière des Weizens. En bouche, la bière est douce et sa finale est très légèrement acidulée avec quelques notes épicées en rétro-olfaction.

SUGGESTION
Soyons dans la thématique, un boudin blanc artisanal fait dans la plus pure tradition.

APPRÉCIATION
Le brasseur voulait modifier un peu sa recette pour vous offrir des arômes plus soutenus de la levure particulière des Weizens. Mission accomplie. Une Blanche à redécouvrir.

Blanche
Douce

	FAIBLE							FORT
Arrière-goût	1	1,5	2	2,5	3	3,5	4	4,5	5
Caractère	1	1,5	2	2,5	3	3,5	4	4,5	5

	FROIDE							TIÈDE
Température	1	1,5	2	2,5	3	3,5	4	4,5	5

WEIZEN

BLANCHE DE CHAMBLY

Unibroue

750 ml	QUÉBEC	5 % alc./vol.

Brassée pour le première fois en 1992, la Blanche de Chambly s'inspire des Blanches de Belgique qui ont la particularité de porter le nom de la ville où la bière est brassée.

Épicerie	Toute l'année

D'une belle couleur jaune paille, surmontée par une mousse crémeuse laissant rapidement un fin collet, la bière est invitante. En se basant uniquement sur la couleur particulière des Blanches, les amateurs avertis savent que cette bière sera rafraîchissante. Au nez, des arômes fruités, d'agrumes et d'épices. En bouche, la bière est douce et accompagnée d'une très légère acidité provenant des céréales utilisées.

SUGGESTION

Un fromage frais, une tranche de pain complet et quelques radis et oignons verts. Une tartine belge que l'on apprécie avec ce genre de bières.

APPRÉCIATION

La reine des Blanches. Indétrônable, elle est souvent considérée comme la référence des Blanches de Belgique, brassée au Québec.

Blanche

Douce

	FAIBLE							FORT
Arrière-goût	1	1,5	2	2,5	3	3,5	4	4,5	5
Caractère	1	1,5	2	2,5	3	3,5	4	4,5	5

	FROIDE							TIÈDE
Température	1	1,5	2	2,5	3	3,5	4	4,5	5

BLANCHE

BORÉALE BLANCHE

Les Brasseurs du Nord

341 ml	QUÉBEC	4,2 % alc./vol.

Contenant de l'orge, de l'avoine et du blé, la Boréale Blanche s'inspire de ses cousines belges, mais se démarque par une touche de gingembre qui rehausse sa fraîcheur.

Toute l'année   Épicerie

Belle robe voilée surmontée par une mousse tenace laissant une belle dentelle sur le verre. Au nez, le gingembre est présent mais laisse de la place aux agrumes. En bouche, la bière est d'une grande fraîcheur et d'un très bel équilibre. La finale est douce et légèrement acide, laissant de la place pour une prochaine gorgée.

SUGGESTION

Un gravlax de saumon et un petit peu de jus de citron. Un accord tout en fraîcheur.

APPRÉCIATION

La Boréale Blanche plaira à beaucoup de convives, car sa fraîcheur et son absence d'amertume en font une excellente alliée pour les consommateurs peu adeptes des bières houblonnées. À servir très fraîche et à réchauffer dans ses mains.

Blanche

Douce

	FAIBLE							FORT
Arrière-goût	1	1,5	2	2,5	3	3,5	4	4,5	5
Caractère	1	1,5	2	2,5	3	3,5	4	4,5	5
	FROIDE							TIÈDE
Température	1	1,5	2	2,5	3	3,5	4	4,5	5

CHEVAL BLANC

Les Brasseurs RJ

750 ml — QUÉBEC — 5 % alc./vol.

Du nom de la célèbre brasserie artisanale de Montréal, cette Cheval Blanc est une des premières bières du groupe Les Brasseurs RJ.

Épicerie | Toute l'année

Sous une mousse fuyante et discrète se cache une Blanche très peu voilée. Au nez, les notes d'écorces d'orange et de coriandre se manifestent, accompagnées par un arôme de levure. En bouche, la bière est douce, laissant une finale sur les épices et la levure.

SUGGESTION

Une salade de crevettes sur une vinaigrette aux accents d'agrumes.

APPRÉCIATION

D'inspiration Blanche, cette Cheval Blanc est rafraîchissante et douce. Elle plaira à bon nombre de convives qui veulent découvrir les styles de bières sans déguster des bières trop amères. Un excellent rapport qualité-prix.

Blanche
Douce

	FAIBLE							FORT
Arrière-goût	1	1,5	2	2,5	3	3,5	4	4,5	5
Caractère	1	1,5	2	2,5	3	3,5	4	4,5	5

	FROIDE							TIÈDE
Température	1	1,5	2	2,5	3	3,5	4	4,5	5

BLANCHE

CHI

Brasseur de Montréal

341 ml   QUÉBEC   4,5 % alc./vol.

Avez-vous remarqué que toutes les bières de la brasserie Brasseur de Montréal vous regardent avec une paire d'yeux différente. Le concept est fort simple : à chaque style ses yeux.

Toute l'année   Épicerie

La Chi laisse paraître ses premières notes de gingembre dès l'ouverture de la bouteille ; c'est encore plus flagrant au moment du service. Dans le verre, son effervescence est mélodieuse, ni trop lente ni trop rapide, laissant place à une mousse discrète mais persistante. Au nez, des notes de gingembre confit. En bouche, sa douceur est remarquable, j'y perçois des notes de pétales de rose.

SUGGESTION

Des sushis, sans aucun doute.

APPRÉCIATION

Une bière qui marie avec délicatesse la puissance du gingembre et la douceur d'une Blanche. À servir légèrement plus froid que conseillé. Ses saveurs se libéreront dans un crescendo si vous la dégustez avec vos sushis préférés.

Blanche

Douce

	FAIBLE							FORT
Arrière-goût	1	1,5	2	2,5	3	3,5	4	4,5	5
Caractère	1	1,5	2	2,5	3	3,5	4	4,5	5
	FROIDE							TIÈDE
Température	1	1,5	2	2,5	3	3,5	4	4,5	5

BIÈRE AUX AROMATES

DOMINUS VOBISCUM BLANCHE — Microbrasserie Charlevoix

500 ml QUÉBEC 5 % alc./vol.

La série Dominus Vobiscum, signifiant « Que le Seigneur soit avec vous » en latin, est un clin d'œil aux nombreuses bières d'abbaye en Belgique. Toute la gamme Dominus Vobiscum offre des bières d'inspiration belge.

Épicerie | Toute l'année

De couleur jaune paille, influence du blé, cette Blanche est surmontée par une mousse formant une belle dentelle. Au nez, des arômes floraux sont très clairement perceptibles suivis de notes d'agrumes. En bouche, la bière est effervescente, accentuant la très légère pointe d'acidité. La finale est un doux mélange d'épices et de fruits.

SUGGESTION
Essayez-la avec des sashimis de poisson blanc.

APPRÉCIATION
Plus complexe qu'une Blanche traditionnelle, cette Dominus Vobiscum Blanche vous offre un nez intéressant et une finale surprenante. Elle adore surfer avec des fruits de mer et quelques poissons.

Blanche
Douce

BLANCHE

	FAIBLE								FORT
Arrière-goût	1	1,5	2	2,5	3	3,5	4	4,5	5
Caractère	1	1,5	2	2,5	3	3,5	4	4,5	5
	FROIDE								TIÈDE
Température	1	1,5	2	2,5	3	3,5	4	4,5	5

LA JOUFFLUE

Microbrasserie Archibald

473 ml QUÉBEC 4,2 % alc./vol.

Une des très rares bières en canette proposée par une microbrasserie du Québec. La Joufflue s'inspire de sa cousine la Hoegaarden et du style Blanche.

Toute l'année   Épicerie

Très belle couleur blonde voilée surmontée par une mousse fuyante. Au nez, elle offre des arômes de coriandre et de céréales. En bouche, la bière est légèrement acidulée et développe quelques arômes d'agrumes en rétro-olfaction.

SUGGESTION
Une salade estivale aux notes légèrement vinaigrées.

APPRÉCIATION
Une Blanche qui propose des saveurs plus céréalières que fruitées. Sa légère acidité en fait un produit rafraîchissant et son format en canette permet de la transporter partout.

Blanche

Douce

	FAIBLE							FORT
Arrière-goût	1	1,5	2	2,5	3	3,5	4	4,5	5
Caractère	1	1,5	2	2,5	3	3,5	4	4,5	5
	FROIDE							TIÈDE
Température	1	1,5	2	2,5	3	3,5	4	4,5	5

KROMBACHER WEIZEN

Krombacher

330 ml	ALLEMAGNE	5,3 % alc./vol.

Krombacher est une des plus grandes brasseries en Allemagne. Fondée en 1803, elle propose différentes bières inspirées des styles historiques de l'Allemagne. Disponibles depuis peu au Québec.

Épicerie	Toute l'année

Une mousse généreuse se pose dans le verre et attend patiemment. Au nez, on y perçoit des notes de banane. En bouche, la bière est douce, laissant place à une finale légèrement acidulée qui se présente avec tendresse et délicatesse. On a envie d'y regoûter.

SUGGESTION
Accompagnez-la d'une crème de légumes, elle s'y marie parfaitement bien.

APPRÉCIATION
Cette Weizen étonne par sa douceur et son équilibre. Elle plaira aux amateurs de bières douces, en offrant des saveurs fruitées et bananées. C'est une Weizen.

Blanche
Douce

	FAIBLE							FORT
Arrière-goût	1	1,5	2	2,5	3	3,5	4	4,5	5
Caractère	1	1,5	2	2,5	3	3,5	4	4,5	5

	FROIDE							TIÈDE
Température	1	1,5	2	2,5	3	3,5	4	4,5	5

WEIZEN

MONS WITTE D'ABBAYE

Belgh Brasse

750 ml	QUÉBEC	5 % alc./vol.

D'abord apparue sur les tablettes de nos voisins américains, Mons est une gamme de bières aujourd'hui disponibles et brassées au Québec. Inspirées par les bières d'abbaye belges, elle porte le nom d'une ville de Belgique.

Toute l'année   Épicerie

Cette Blanche est filtrée. Mais derrière cette couleur limpide se cachent des arômes légers d'écorces d'orange et de levure. En bouche, elle est douce et laisse place à une finale sucrée.

SUGGESTION
Un poulet à la King et ses champignons dans la crème.

APPRÉCIATION
Plus sucrée que ses cousines belges, cette Blanche mérite de se retrouver dans votre verre pour une fin de journée de plein air.

Blanche
Douce

	FAIBLE							FORT
Arrière-goût	1	1,5	2	2,5	3	3,5	4	4,5	5
Caractère	1	1,5	2	2,5	3	3,5	4	4,5	5

	FROIDE							TIÈDE
Température	1	1,5	2	2,5	3	3,5	4	4,5	5

BLANCHE

Brassée selon la tradition des Blanches de Belgique, la Rickard's White est volontairement trouble pour rappeler l'utilisation de blé cru dans les recettes traditionnelles.

Épicerie | Toute l'année

Sa couleur blonde voilée aux reflets ambrés fait penser à certaines Blanches fortes de Belgique. Au nez, des notes franches d'agrumes et de coriandre se manifestent. En bouche, la bière est douce, moelleuse et sans aucune amertume. Une finale légèrement acidulée vient compenser la rondeur de la bière.

SUGGESTION
La brasserie vous suggère d'ajouter une tranche d'orange au service, je vous conseille de la boire au naturel.

APPRÉCIATION
Une des meilleures bières Blanches brassées par un grand groupe industriel. Tout simplement.

Blanche
Douce

BLANCHE

	FAIBLE							FORT
Arrière-goût	1	1,5	2	2,5	3	3,5	4	4,5	5
Caractère	1	1,5	2	2,5	3	3,5	4	4,5	5

	FROIDE							TIÈDE
Température	1	1,5	2	2,5	3	3,5	4	4,5	5

WEIHENSTEPHANER HEFEWEISSBIER   Weihenstephan

| 500 ml | ALLEMAGNE | 0,5 % alc./vol. |

Une bière sans alcool provenant d'Allemagne
et disponible depuis quelques mois au Québec.
Une des plus anciennes brasseries d'Allemagne.

Toute l'année   Épicerie

Belle mousse crémeuse. Au nez, les notes particulières de la levure typique des bières de blé
allemandes s'expriment mais laissent place également à quelques arômes particuliers de céréales.
En bouche, la bière est plus mince qu'une weizen
classique, mais l'équilibre est cependant très
intéressant.

SUGGESTION
Pour le conducteur dési-
gné qui aime des bières
savoureuses.

APPRÉCIATION
La meilleure bière sans
alcool au Québec, tout
simplement.

NOUVEAUTÉ
DE CETTE ÉDITION

Blanche
Douce

	FAIBLE							FORT
Arrière-goût	1	1,5	2	2,5	3	3,5	4	4,5	5
Caractère	1	1,5	2	2,5	3	3,5	4	4,5	5
	FROIDE							TIÈDE
Température	1	1,5	2	2,5	3	3,5	4	4,5	5

WEISS

SIEBENBÜRGEN WEISSKIRCH

Kruhnen

660 ml	QUÉBEC	5,5 % alc./vol.

Weisskirch est un village perdu au cœur de la Transylvanie, où la vie suit son cours comme au XVIIIe siècle, nous indique la brasserie.

Épicerie	Toute l'année

Proche de la couleur blonde et non filtrée, cette Weizen offre un nez particulier qui s'éloigne des arômes habituellement perçus. Des notes de fleurs, de fruits et d'épices se distinguent. En bouche, la bière est douce et des arômes plus soutenus d'épices se présentent en rétro-olfaction. L'étalement est long, surfant sur une agréable pointe d'amertume.

SUGGESTION

Une salade estivale avec une vinaigrette crémeuse et légèrement moutardée.

APPRÉCIATION

Nouvelle apparue sur nos tablettes, la Microbrasserie Kruhnen arrive à impressionner avec ses bières aux accents d'Europe de l'Est. Le brasseur s'amuse à réinterpréter les styles pour le plus grand bonheur de nos papilles. Cette Blanche en est un excellent exemple.

Blanche
Amère

WEIZEN

	FAIBLE							FORT
Arrière-goût	1	1,5	2	2,5	3	3,5	4	4,5	5
Caractère	1	1,5	2	2,5	3	3,5	4	4,5	5

	FROIDE							TIÈDE
Température	1	1,5	2	2,5	3	3,5	4	4,5	5

HOPFENWEISSE — Les Trois Mousquetaires

375 ml	QUÉBEC	6 % alc./vol.

La gamme Série Signature propose des bières d'inspiration du monde entier et disponibles toute l'année. Se voulant un hybride entre une Weiss et une bière houblonnée au houblon de la côte ouest américaine, elle est originale et particulière.

Toute l'année — Épicerie

Sa mousse riche et crémeuse s'installe copieusement dans le verre. Au nez, des notes d'agrumes provenant du houblon et de l'houblonnage à cru. En bouche, la bière est tranchante. Son amertume se manifeste dès la première gorgée et ne semble pas vouloir disparaître.

SUGGESTION
Fromages à pâte molle et à croûte lavée.

APPRÉCIATION
Les amateurs de sensations fortes apprécieront cette bière. Son amertume est présente, sans aucun complexe. Elle est d'ailleurs aidée par la légère acidité des céréales utilisées. Les amateurs du genre apprécieront son caractère fruité au nez et son corps tranchant en bouche.

Blanche Tranchante

	FAIBLE							FORT
Arrière-goût	1	1,5	2	2,5	3	3,5	4	4,5	5
Caractère	1	1,5	2	2,5	3	3,5	4	4,5	5

	FROIDE							TIÈDE
Température	1	1,5	2	2,5	3	3,5	4	4,5	5

WEIZEN

BLANCHE DU PARADIS

Dieu du Ciel !

341 ml   QUÉBEC   5,5 % alc./vol.

La Blanche du Paradis est inspirée des Blanches belges très populaires sur les terrasses en Belgique. Brassée avec une belle quantité de blé, elle offre une acidité légèrement plus marquée que certaines de ses cousines, selon la brasserie.

| Épicerie | Toute l'année |

Même si cette bière est non filtrée, son voile est très timide, laissant plutôt croire à une bière blonde. Au nez, les caractéristiques d'une Blanche sont bien présentes offrant même un nez franc d'orange fraîchement pelée. En bouche, la bière est moins ronde que ses cousines mais très complexe. La finale est splendide, mélangeant des notes d'agrumes, d'épices, de céréales et d'alcool. Une Blanche qui a du caractère.

SUGGESTION
Une praline belge à la crème au beurre et à la liqueur d'orange.

APPRÉCIATION
Judicieux mélange de Blanche traditionnelle et du Nouveau Monde, cette Blanche du Paradis est sublime. Ses notes d'agrumes frais associées à la petite pointe d'acidité des céréales utilisées en font une superbe interprétation du style.

Blanche
Acidulée

	FAIBLE							FORT
Arrière-goût	1	1,5	2	2,5	3	3,5	4	4,5	5
Caractère	1	1,5	2	2,5	3	3,5	4	4,5	5

	FROIDE							TIÈDE
Température	1	1,5	2	2,5	3	3,5	4	4,5	5

Avez-vous remarqué que toutes les bières de la brasserie Brasseur de Montréal vous regardent avec une paire d'yeux différente. Le concept est fort simple : à chaque style ses yeux.

| Toute l'année | Épicerie |

Cette Blanche a le mérite d'offrir une mousse crémeuse sur une effervescence soutenue, la mousse en est très reconnaissante. Au nez, des notes d'agrumes et de grains sont clairement perçues. En bouche, la bière est légèrement acide et cette acidité vous accompagne jusqu'à la prochaine gorgée.

SUGGESTION

Un petit goûter composé de quelques grains de fromage, frais du jour, et de la bière. Le sel du fromage s'amuse avec la bière.

APPRÉCIATION

S'éloignant des Blanches habituellement plus sucrées, la Van Derbull propose une petite pointe d'acidité qui n'est pas déplaisante. Si vous la servez froide, les saveurs de grains seront plus présentes.

Blanche Acidulée

	FAIBLE							FORT
Arrière-goût	1	1,5	2	2,5	3	3,5	4	4,5	5
Caractère	1	1,5	2	2,5	3	3,5	4	4,5	5

	FROIDE							TIÈDE
Température	1	1,5	2	2,5	3	3,5	4	4,5	5

BLANCHE

171

Le plus souvent légèrement caramélisées car elles utilisent des malts également caramélisés. Elles sont très populaires dans les pays où la culture bière a été influencée par le Royaume-Uni.

TRANCHANTES

ACIDULÉES

FUMÉE

BELLE GUEULE HEFEWEIZEN — Les Brasseurs I

341 ml · QUÉBEC · 5,2 % alc./vol.

Brassée avec une souche de levure bavaroise importée par le maître brasseur Jérôme C. Denys, selon la brasserie. La Belle Gueule Hefeweizen a reçu un accueil des plus chaleureux auprès des amateurs.

Épicerie · **Toute l'année**

Superbe mousse crémeuse surplombant une bière limpide aux reflets dorés, cette Hefeweizen est tout en levure quand vous approchez votre nez. Ses notes de banane et de clou de girofle en font un exemple du style. On y perçoit également quelques notes céréalières. En bouche, la bière est douce et très bien balancée, offrant un produit rafraîchissant avec du caractère.

SUGGESTION
Quelques cretons ou rillettes pas trop assaisonnés qui relèveront les notes de clou de girofle dans la bière.

APPRÉCIATION
Voici une Hefeweizen très abordable qui doit être dans votre frigo. Jérôme C. Denys, maître brasseur reconnu, a réussi à offrir un produit qui a du style, du caractère, mais également du charme.

Ambrée — Douce

	FAIBLE								FORT
Arrière-goût	1	1,5	2	2,5	3	3,5	4	4,5	5
Caractère	1	1,5	2	2,5	3	3,5	4	4,5	5

	FROIDE								TIÈDE
Température	1	1,5	2	2,5	3	3,5	4	4,5	5

WEIZEN

.assée pour la brasserie Helm, située
ue Bernard à Montréal, cette Pale Ale est
disponible depuis 1 an sur nos tablettes.

| Toute l'année | Épicerie |

Une mousse compacte et bien blanche, un nez
de céréales caramélisées, un corps mince et une
finale amère sans tomber dans l'excès. Pas de
doute, c'est une Pale Ale.

SUGGESTION
Quelques ailes de poulet
pas trop piquantes.

APPRÉCIATION
La bière qu'appréciera le
consommateur adepte
des bières légèrement
caramélisées sans être
trop houblonnées.

NOUVEAUTÉ DE CETTE ÉDITION

Ambrée
Douce

PALE ALE

	FAIBLE							FORT
Arrière-goût	1	1,5	2	2,5	3	3,5	4	4,5	5
Caractère	1	1,5	2	2,5	3	3,5	4	4,5	5

	FROIDE							TIÈDE
Température	1	1,5	2	2,5	3	3,5	4	4,5	5

CHARLES HENRI ALE AMBRÉE Brasserie L

| 500 ml | QUÉBEC | 6,2 % |

Charles-Henri aimait beaucoup de choses dan la vie : sa famille, sa décapotable rouge, Mauric Richard et jouer aux cartes, nous informe la brasserie. Charles-Henri était le grand-papa des deux frères. Cette bière est un hommage aux valeurs de la famille.

| Épicerie | Toute l'année |

Une mousse bien présente et appétissante. Un nez de céréales, de biscuit et de sucre malté. En bouche, la bière est douce, et la présence du malt se fait sentir. La finale, également douce, laisse place au sucré du malt. Une bière très intéressante et faiblement houblonnée.

SUGGESTION

Des pâtes *al dente*, une réduction de tomates, ail, persil et huile d'olive et un excellent parmesan.

APPRÉCIATION

C'est une des bières préférées de ma femme, qui n'aime pas l'amertume mais plutôt le caractère typé des malts bien brassés. Elle qui n'appréciait pas la bière il y a quelques années…

Ambrée
Douce

AMBER ALE

	FAIBLE							FORT
Arrière-goût	1	1,5	2	2,5	3	3,5	4	4,5	5
Caractère	1	1,5	2	2,5	3	3,5	4	4,5	5

	FROIDE							TIÈDE
Température	1	1,5	2	2,5	3	3,5	4	4,5	5

É GRISOU

Les Brasseurs RJ

QUÉBEC   5 % alc./vol.

coup de grisou est une explosion accidentelle d'une poche de gaz dans une mine. La Coup de Grisou des Brasseurs RJ est une bière épicée de sarrasin.

| Toute l'année | Épicerie |

Légèrement ambrée et voilée, cette Coup de Grisou offre un nez franc d'épices et de levure sur une note plus florale. En bouche, elle est crémeuse et douce jusqu'à la dernière gorgée. La coriandre, très expressive, offre des saveurs qui se marient très bien aux autres arômes épicés.

SUGGESTION

Un fromage à pâte molle et à croûte lavée aux saveurs de beurre et de crème. Un mariage qui laissera les épices dominer la dégustation.

APPRÉCIATION

Agréable grâce à ses saveurs rondes et épicées, elle n'en demeure pas moins rafraîchissante. Cette Coup de Grisou est une excellente compagne pour une soirée bières et fromages.

L'absence d'amertume sera remarquée, même avec les fromages les plus forts.

Ambrée
Douce

	FAIBLE							FORT
Arrière-goût	1	1,5	2	2,5	3	3,5	4	4,5	5
Caractère	1	1,5	2	2,5	3	3,5	4	4,5	5
	FROIDE							TIÈDE
Température	1	1,5	2	2,5	3	3,5	4	4,5	5

BIÈRE AUX AROMATES

LA BOCK

A

341 ml	QUÉBEC	6,1 % a.

Une Bock est une Lager allemande plus forte qu'à l'habitude. La microbrasserie l'Alchimiste la propose toute l'année et offre une version spéciale pendant les mois d'hiver.

Épicerie	Toute l'année

De couleur ambrée avec une effervescence tranquille et un collet peu dominant, la bière développe des arômes de caramel et de céréales au nez. En bouche, elle est douce avec quelques notes de caramel provenant des céréales utilisées. Son amertume est très faible, laissant place à la douceur.

SUGGESTION
Une choucroute et ses légères notes de clou de girofle et baies de genièvre.

APPRÉCIATION
Pour les amateurs de bières ambrées douces et désaltérantes. Sa faible amertume plaira aux consommateurs qui aiment les saveurs de grains.

Ambrée Douce

BOCK

	FAIBLE							FORT
Arrière-goût	1	1,5	2	2,5	3	3,5	4	4,5	5
Caractère	1	1,5	2	2,5	3	3,5	4	4,5	5

	FROIDE							TIÈDE
Température	1	1,5	2	2,5	3	3,5	4	4,5	5

n style de bière allemand rappelant les bières
plus fortes disponibles à la brasserie.

Toute l'année Épicerie

Une mousse fuyante caresse la bière de couleur
ambrée, tirant sur le foncé. Au nez, les notes de
céréales sont bien présentes. En bouche, la bière
est sucrée et douce, typique du style.

SUGGESTION
Un poulet rôti et sa sauce, déglacée à la bière.

APPRÉCIATION
Habituée des tablettes,
cette Valkyrie plaira
à l'amateur de bières
qui veut découvrir de
nouvelles sensations,
sans pour autant tomber
dans l'amertume ou la
thématique du houblon.
Une complice parfaite.

Ambrée

Douce

	FAIBLE							FORT
Arrière-goût	1	1,5	2	2,5	3	3,5	4	4,5	5
Caractère	1	1,5	2	2,5	3	3,5	4	4,5	5
	FROIDE							TIÈDE
Température	1	1,5	2	2,5	3	3,5	4	4,5	5

BOCK

LA BUTEUSE

Le Trou

600 ml	QUÉBEC	10 % ɓ

En l'an de grâce 1652, le père Jacques Buteux a été jeté dans Le Trou du diable, on ne l'a plus jamais revu. Cette bière lui rend hommage en offrant un style propre aux bières trappistes, brassées par des moines.

Épicerie	Toute l'année

De couleur ambrée, cette Triple offre une mousse crémeuse et persistante très invitante. Des arômes fruités se démarquent. En bouche, elle est ronde et fruitée. Sa finale est principalement dictée par son taux d'alcool généreux. La deuxième gorgée mélange des notes fruitées et chaleureuses. Un pur bonheur.

SUGGESTION

Un fromage cheddar de quelques mois, plus très jeune, mais pas trop vieux, qui développe des notes de noisettes et de crème.

APPRÉCIATION

Une Triple sans complexe qui invite à découvrir ses notes chaleureuses soutenues par des arômes fruités. À servir à une température légèrement plus élevée que la moyenne, pour profiter de son caractère.

Ambrée

Ronde

TRIPLE

	FAIBLE							FORT
Arrière-goût	1	1,5	2	2,5	3	3,5	4	4,5	5
Caractère	1	1,5	2	2,5	3	3,5	4	4,5	5
	FROIDE							TIÈDE
Température	1	1,5	2	2,5	3	3,5	4	4,5	5

PE ISID'OR

Brasserie Koningshoeven

| PAYS-BAS | 7,5 % alc./vol. |

...assée sous contrôle des moines trappistes, ...ette Isid'or est depuis peu disponible au Québec en épicerie.

Toute l'année — Épicerie

À la limite de la bière ambrée, cette Isid'or offre un nez de sucre caramélisé. En bouche, la bière est ronde, et une signature particulière de sucre candi se manifeste.

SUGGESTION

Une salade aux agrumes et pacanes, par exemple.

APPRÉCIATION

Les amateurs du style blonde belge appré-cieront sans équivoque cette bière. Le sucre et l'alcool y sont mis à l'honneur.

NOUVEAUTÉ DE CETTE ÉDITION

La Trappe
TRAPPIST
Isid'or

Ambrée
Ronde

AMBER ALE

	FAIBLE							FORT
Arrière-goût	1	1,5	2	2,5	3	3,5	4	4,5	5
Caractère	1	1,5	2	2,5	3	3,5	4	4,5	5
	FROIDE							TIÈDE
Température	1	1,5	2	2,5	3	3,5	4	4,5	5

RÉSERVE DE NOËL   Les Trois Mou~

| 750 ml | QUÉBEC | 11,3 % ~ |

Les bières de Noël sont offertes par la brasser~ aux meilleurs clients et aux employés. Brassées ~ la fin des récoltes pour être distribuées pendant la période de Noël, elles étaient très souvent plus maltées et on y ajoutait des épices.

| Épicerie | Automne |

La brasserie nous offre une Lager rouge, selon ses mots, de couleur brun orangé intrigante. Au nez, c'est un festival d'épices. On y retrouve également quelques arômes de vanille et une légère note de sapin. En bouche, la bière est chaleureuse et son bouquet d'épices offre une finale originale. Un peu de chaleur à chaque gorgée.

SUGGESTION
Un gâteau aux carottes partageant quelques épices communes.

APPRÉCIATION
Disponible une fois par année, cette bière de Noël doit faire partie de vos cadeaux offerts à vos proches. Quoi de mieux que d'offrir une bière chaleureuse et réconfortante pour souligner votre amitié!

Ambrée

Ronde

BIÈRE AUX AROMATES

	FAIBLE							FORT
Arrière-goût	1	1,5	2	2,5	3	3,5	4	4,5	5
Caractère	1	1,5	2	2,5	3	3,5	4	4,5	5

	FROIDE							TIÈDE
Température	1	1,5	2	2,5	3	3,5	4	4,5	5

,1 ml QUÉBEC 11 % alc./vol.

Son nom vient d'un rocher en perdition au large des îles. Brassé avec du malt fumé dans des fumoirs à hareng, cette Corps Mort est une véritable ambassadrice des Îles-de-la-Madeleine.

Toute l'année | Épicerie

Dès les premières lampées, un effluve fumé vous monte au nez. La bière est calme, surmontée par une mousse riche et abondante. Sa couleur est superbe et invitante, des reflets ambrés dans un corps limpide. Au nez, on se croirait dans une poissonnerie artisanale qui fume du poisson fraîchement pêché. Fermez les yeux : on entend la mer. En bouche, la bière est corpulente et envoûtante. Ses notes d'alcool vous réchauffent, laissant paraître une finale légèrement fumée.

SUGGESTION
Un T-Bone sur le BBQ en plein automne. Laissez reposer la viande quelques minutes après la cuisson et profitez-en pour ouvrir cette bière.

APPRÉCIATION
Les premières versions offraient des saveurs de fumée beaucoup plus prononcées, la voici mieux équilibrée. Un Barley Wine original qui sort des sentiers battus.

Ambrée
Liquoreuse

	FAIBLE							FORT
Arrière-goût	1	1,5	2	2,5	3	3,5	4	4,5	5
Caractère	1	1,5	2	2,5	3	3,5	4	4,5	5

	FROIDE							TIÈDE
Température	1	1,5	2	2,5	3	3,5	4	4,5	5

BARLEY WINE

750 ml	QUÉBEC	11,9 % alc./\

Servie comme un whisky, cette liqueur de malt est très originale. Se voulant une des très rares bières tranquilles, comprendre sans carbonatation, elle ne se trouve que chez certains détaillants spécialisés.

Épicerie	Toute l'année

À la manière d'un whisky, cette liqueur de malt vient se poser dans le ballon. C'est une force tranquille ; au nez, elle dégage des notes de caramélisation, de madérisation et de miel. En bouche, la bière est liquoreuse, le sucre résiduel fait son travail et la finale est veloutée, soyeuse, reposante.

SUGGESTION
Du temps pour l'apprécier.

APPRÉCIATION
Un produit que peu de gens connaissent mais qui mérite amplement qu'on s'y attarde. Cette Maltus offre une panoplie de saveurs et de sensations et repousse encore plus loin les limites de la bière gastronomique.

Ambrée
Liquoreuse

LIQUEUR DE MALT

	FAIBLE								FORT
Arrière-goût	1	1,5	2	2,5	3	3,5	4	4,5	5
Caractère	1	1,5	2	2,5	3	3,5	4	4,5	5
	FROIDE								TIÈDE
Température	1	1,5	2	2,5	3	3,5	4	4,5	5

J ml   BELGIQUE   11,8 % alc./vol.

La Scaldis Ambrée est la même bière que la
Bush 12 disponible en Belgique. Son pourcentage d'alcool est très légèrement inférieur
à la Bush pour respecter la réglementation en
vigueur au Québec.

Toute l'année   SAQ

Une belle couleur ambrée accompagne une
mousse un peu trop fuyante à mon goût. Au
nez, les arômes d'alcool et de sucre sont dominants. En bouche, la bière est ronde, voire
liquoreuse, avec une très légère amertume, mais
largement compensée par l'alcool et le sucre
résiduel. L'exemple parfait d'une bière digestive.

SUGGESTION
Une fin de repas copieux
et gargantuesque.

APPRÉCIATION
C'est le genre de bière
que l'on boit après un
repas entre amis. Une
bière digestive qui offre
de l'amitié à chaque gor-
gée, c'est chaleureux.

Ambrée
Liquoreuse

	FAIBLE							FORT
Arrière-goût	1	1,5	2	2,5	3	3,5	4	4,5	5
Caractère	1	1,5	2	2,5	3	3,5	4	4,5	5

	FROIDE							TIÈDE
Température	1	1,5	2	2,5	3	3,5	4	4,5	5

BELGE FORTE

SIMPLE MALT VIN D'ORGE — Brasseurs Il

341 ml   QUÉBEC   8,6 % alc.,

La gamme de produits Simple Malt se décline en plusieurs variétés de bières qui s'inspirent librement des styles historiques, tout en offrant une expérience proche des saveurs et arômes d'origine.

Épicerie   Toute l'année

Voilà un Barley Wine qui s'installe confortablement dans le verre. Il me semble rond dès les premières secondes. Sa mousse est vive et surmonte une bière aux couleurs du sucre d'orge. Au nez, une grande bouffée de sucre candi s'invite sans prévenir. En bouche, la bière est chaleureuse et ronde. L'alcool domine par sa présence. La finale n'est pas trop amère, contrairement à beaucoup de bières du même style.

SUGGESTION
Un cheddar 5 ans de style anglais. Le mariage est explosif.

APPRÉCIATION
Sucre d'orge pour adultes. Voilà le style proposé par la brasserie, une collation pour grandes personnes qui aiment les bières sucrées. Et c'est réussi. La Simple Malt Vin d'orge est l'une des interprétations du style Barley Wine la plus douce disponible sur le marché. À prendre à une température cave, elle en sera meilleure.

Ambrée
Liquoreuse

	FAIBLE							FORT
Arrière-goût	1	1,5	2	2,5	3	3,5	4	4,5	5
Caractère	1	1,5	2	2,5	3	3,5	4	4,5	5

	FROIDE							TIÈDE
Température	1	1,5	2	2,5	3	3,5	4	4,5	5

BARLEY WINE

ST-AMBROISE VINTAGE ALE MILLÉSIMÉE   McAuslan

341 ml	QUÉBEC	10 % alc./vol.

Brassée une seule fois par année, cette Ale millésimée est un hommage aux bières qui mûrissaient quelques années dans des barriques de bois. La brasserie vous conseille de la laisser reposer avant de la consommer.

Hiver   Épicerie

Servie dans un ballon à température de la cave, la bière se dépose délicatement et laisse peu de place à une mousse riche et crémeuse. Au nez, des notes de caramel et d'alcool sont très présentes. En bouche, la bière est chaleureuse sur une bouffée d'alcool suivie d'une amertume puissante. La finale est un mélange d'amertume et de sucre résiduel.

SUGGESTION
Un cigare, mais un Churchill!

APPRÉCIATION
Ronde, généreuse, puissante et chaleureuse sont les principaux qualificatifs de ce Barley Wine brassé sans complexe par McAuslan. La version dégustée a été brassée en 2011. Deux années en cave ne lui ont pas fait de mal.

Ambrée
Liquoreuse

	FAIBLE							FORT
Arrière-goût	1	1,5	2	2,5	3	3,5	4	4,5	5
Caractère	1	1,5	2	2,5	3	3,5	4	4,5	5

	FROIDE							TIÈDE
Température	1	1,5	2	2,5	3	3,5	4	4,5	5

BARLEY WINE

AMBRÉE AMÈRE

La Chouap

500 ml	QUÉBEC	5 % alc./vol.

Inspirée des American Pale Ales, cette «ambrée amère» est la première bière à utiliser un vocabulaire simple et intuitif accessible au commun des mortels.

Épicerie	Toute l'année

Une belle mousse en dentelle surplombe une bière d'une belle robe ambrée. Au nez, la bière est poussée par des notes d'épices et de céréales. On ne ressent pas trop l'aromatique du houblon. En bouche, son faible taux d'alcool et son sucre résiduel laissent place à une amertume longue et persistante.

SUGGESTION
Un fromage cheddar encore jeune.

APPRÉCIATION
Nous sommes loin des American Pale Ales habituellement disponibles sur le marché. Le brasseur a quand même voulu offrir une bière aromatique et moins amère. Mission accomplie.

Ambrée
Amère

	FAIBLE							FORT
Arrière-goût	1	1,5	2	2,5	3	3,5	4	4,5	5
Caractère	1	1,5	2	2,5	3	3,5	4	4,5	5
	FROIDE							TIÈDE
Température	1	1,5	2	2,5	3	3,5	4	4,5	5

AMERICAN PALE ALE

LE GUEULE HOUBLON

Les Brasseurs RJ

/3 ml	QUÉBEC	6,2 % alc./vol.

Une des rares Lagers du Québec à offrir un nez très aromatique de houblon et une amertume loin d'être timide en finale. Houblonnage à cru.

Toute l'année	Épicerie

Une mousse fugace qui se plaît à disparaître aussi vite qu'elle est apparue. Au nez, le houblon est aromatique mais loin des agrumes habituellement inspirés de la côte ouest américaine. En bouche, la bière est amère mais sans excès. Sa levure de type Lager laisse place à une finale sèche et très désaltérante.

SUGGESTION
Un fromage frais, un morceau de pain et du temps.

APPRÉCIATION
J'aime l'idée d'utiliser les subtilités d'une fermentation basse avec le houblonnage à cru. La bière est sèche et céréalière, en plus d'avoir quelques notes houblonnées bien placées.

Ambrée

Amère

LAGER AMBRÉE

	FAIBLE							FORT
Arrière-goût	1	1,5	2	2,5	3	3,5	4	4,5	5
Caractère	1	1,5	2	2,5	3	3,5	4	4,5	5

	FROIDE							TIÈDE
Température	1	1,5	2	2,5	3	3,5	4	4,5	5

189

BORÉALE IPA

Les Brasseurs du ~~\~~

341 ml   QUÉBEC   6,2 % alc./v

Très tendance dans le marché de la bière, les India Pale Ales (IPA) se divisent en deux grands courants d'inspiration : britannique, plus maltée, ou américaine, plus houblonnée. Cette Boréale IPA est proche cousine d'une version britannique.

| Épicerie | Toute l'année |

Cela fait cinq minutes que je regarde le verre et la mousse est toujours aussi belle, signe d'une belle vitalité et d'un généreux houblonnage. Au nez, des notes légères d'agrumes et de biscuit précèdent une douceur en bouche suivie d'une amertume délicate. Quel équilibre !

SUGGESTION
Filet de porc caramélisé sur le BBQ. Le sucre caramélisé et les houblons sont un parfait mariage.

APPRÉCIATION
Servie légèrement plus tiède que le propose la brasserie, la Boréale IPA développe des notes d'agrumes et une légère amertume enlacée par la rondeur du malt. Un produit qui plaît à beaucoup d'amateurs et je les comprends.

Ambrée
Amère

	FAIBLE							FORT
Arrière-goût	1	1,5	2	2,5	3	3,5	4	4,5	5
Caractère	1	1,5	2	2,5	3	3,5	4	4,5	5

	FROIDE							TIÈDE
Température	1	1,5	2	2,5	3	3,5	4	4,5	5

INDIA PALE ALE

CHAMAN

Dieu du Ciel !

341 ml	QUÉBEC	9 % alc./vol.

De style Imperial Pale Ale selon la brasserie, cette Pale Ale offre une base beaucoup plus maltée et un houblonnage plus prononcé. Son taux d'alcool est deux fois plus élevé qu'une Pale Ale d'où l'utilisation du mot Imperial.

Toute l'année	Épicerie

La mousse est tenace et surplombe une bière à la robe ambrée. Au fil du temps, de la dentelle se forme sur le verre, la bière est prête à boire. Un nez puissant de houblon et de biscuit se fait sentir, laissant présager une bière au fort caractère. En bouche, la chaleur de l'alcool domine la première gorgée suivie d'une finale sur l'amertume, sans qu'elle soit pour autant débalancée.

SUGGESTION
Un fromage à pâte semi-ferme et à croûte lavée.

APPRÉCIATION
Forte, puissante et aromatique, cette bière plaira aux amateurs de houblon et d'alcool. Son service se doit d'être légèrement plus élevé que la moyenne laissant place à beaucoup d'arômes et de saveurs.

Ambrée
Amère

	FAIBLE							FORT
Arrière-goût	1	1,5	2	2,5	3	3,5	4	4,5	5
Caractère	1	1,5	2	2,5	3	3,5	4	4,5	5

	FROIDE							TIÈDE
Température	1	1,5	2	2,5	3	3,5	4	4,5	5

IMPERIAL PALE ALE

500 ml	QUÉBEC	6,2 % alc./vol.

Charles-Henri aimait beaucoup de choses dans la vie : sa famille, sa décapotable rouge, Maurice Richard et jouer aux cartes, nous informe la brasserie. Charles-Henri était le grand-papa des deux frères. Cette bière est un hommage aux valeurs de la famille.

Épicerie	Toute l'année

Cette IPA à la mousse généreuse offre un nez de houblons et de malts caramélisés. C'est un mélange d'inspiration anglaise et de tendances américaines. En bouche, la bière attaque sur une amertume bien présente mais pas trop prononcée. La finale est sèche et amère.

SUGGESTION
La complice idéale d'un buffet indien.

APPRÉCIATION
Entre une IPA d'inspiration anglaise et une interprétation américaine, cette Charles-Henri arrive à se placer sans trop dominer. Un produit intéressant, mais qui se noie dans la masse des autres produits disponibles sur le marché, sauf si elle est seule sur sa tablette.

Ambrée

Amère

	FAIBLE							FORT
Arrière-goût	1	1,5	2	2,5	3	3,5	4	4,5	5
Caractère	1	1,5	2	2,5	3	3,5	4	4,5	5

	FROIDE							TIÈDE
Température	1	1,5	2	2,5	3	3,5	4	4,5	5

INDIA PALE ALE

Du nom d'un explorateur portugais qui sillonna la baie des Chaleurs en 1501 et qui se mesura aux aptitudes guerrières des Micmacs.

Toute l'année — Épicerie

De couleur ambrée, cette Pale Ale offre une mousse ample qui s'efface rapidement. Au nez, des notes de céréales et florales se font discrètes. En bouche, la bière est douce, rapidement accompagnée d'une légère amertume provenant des céréales et du houblon.

SUGGESTION
Un fromage à pâte ferme et à croûte brossée, pas trop fort et tout en finesse.

APPRÉCIATION
Cette Pale Ale plaira à l'amateur du style. Pas trop prononcées, les saveurs se distinguent et offrent un équilibre intéressant. À boire en fût à la brasserie comme projet de vacances.

Ambrée
Amère

	FAIBLE								FORT
Arrière-goût	1	1,5	2	2,5	3	3,5	4	4,5	5
Caractère	1	1,5	2	2,5	3	3,5	4	4,5	5

	FROIDE								TIÈDE
Température	1	1,5	2	2,5	3	3,5	4	4,5	5

PALE ALE

CREEMORE SPRINGS — Creemore Springs Brewery

341 ml	ONTARIO	5 % alc./vol.

Provenant de Creemore, un petit village ontarien, au nord de Toronto, cette Pislner a fait la réputation de la brasserie.

Épicerie	Toute l'année

Une belle couleur ambrée, une mousse en dentelle. Des saveurs typiques de céréales et de houblons d'Europe. En bouche, la bière est amère sans tomber dans l'excès. C'est une bière de soif avec toute la noblesse que peut avoir une bière désaltérante.

NOUVEAUTÉ DE CETTE ÉDITION

1987

CREEMORE SPRINGS
PREMIUM LAGER

SUGGESTION
Quelques fromages de l'Ontario, une région riche en terroir.

APPRÉCIATION
Son arrivée au Québec fut très remarquée et elle continue, aujourd'hui, à conquérir les palais de plusieurs amateurs de bières.

Ambrée
Amère

PILSNER

	FAIBLE								FORT
Arrière-goût	1	1,5	2	2,5	3	3,5	4	4,5	5
Caractère	1	1,5	2	2,5	3	3,5	4	4,5	5

	FROIDE								TIÈDE
Température	1	1,5	2	2,5	3	3,5	4	4,5	5

HICKSON

Brasserie Les 2 Frères

500 ml	QUÉBEC	6,2 % alc./vol.

La Hickson est une India Pale Ale nouvellement arrivée sur le marché en même temps que la brasserie Les 2 Frères. Elle suit la tendance des bières houblonnées aromatiques.

Toute l'année   Épicerie

Une superbe mousse. Une belle robe. Un nez franc de résines de houblon et de fleurs. En bouche, la bière est extrêmement bien équilibrée, entre le sucre des malts et l'amertume du houblon. La finale n'est pas trop amère et encore une fois très bien équilibrée.

SUGGESTION
Un fromage à pâte semi-ferme et à croûte lavée.

APPRÉCIATION
Un petit bijou ignoré par plusieurs mais qui mérite d'être découvert. Un excellent rapport qualité-prix.

NOUVEAUTÉ DE CETTE ÉDITION

Ambrée

Amère

	FAIBLE							FORT
Arrière-goût	1	1,5	2	2,5	3	3,5	4	4,5	5
Caractère	1	1,5	2	2,5	3	3,5	4	4,5	5

	FROIDE							TIÈDE
Température	1	1,5	2	2,5	3	3,5	4	4,5	5

INDIA PALE ALE

HOPS & BOLTS

Creemore Springs Brewery

| 625 ml | ONTARIO | 5,3 % alc./vol. |

Sous la marque Mad & Noisy, les brasseurs de Creemore Springs proposent des bières plus houblonnées que leurs produits originaux. Cette India Pale Lager est la première d'une série.

Épicerie Toute l'année

Une mousse persistante, un nez typique des houblons américains et de quelques arômes bien caramélisés. En bouche, la bière a un goût sucré, suivi d'une amertume longue mais pas trop puissante.

SUGGESTION
De la cuisine de pub anglo-saxon, une sauce forte sur la table.

APPRÉCIATION
Très tendance, cette Hops & Bolts remplit bien sa mission première qui consiste à offrir un produit bien houblonné.

INDIA PALE LAGER

Ambrée
Amère

	FAIBLE								FORT
Arrière-goût	1	1,5	2	2,5	3	3,5	4	4,5	5
Caractère	1	1,5	2	2,5	3	3,5	4	4,5	5

	FROIDE								TIÈDE
Température	1	1,5	2	2,5	3	3,5	4	4,5	5

INDIA PALE ALE

Alchimiste

341 ml	QUÉBEC	5,5 % alc./vol.

Une des premières India Pale Ales produite en bouteille sur le marché québécois. Elle fait partie de la gamme des produits de la microbrasserie de Joliette depuis plusieurs années.

Toute l'année   Épicerie

Une mousse bien présente, un beau corps ambré. Au nez, les céréales et les houblons dominent, mais on est loin des arômes de houblon de la côte ouest américaine. En bouche, la bière offre une belle amertume, très vite rattrapée par quelques notes poivrées des houblons.

SUGGESTION

Une bière parfaite pour accompagner une volaille cuite sur le BBQ avec une sauce légèrement assaisonnée à l'ail.

APPRÉCIATION

Une des rares IPA anglaises encore sur le marché au Québec, la tendance allant plutôt du côté des bières américaines. À découvrir, pour les amateurs de bières québécoises qui sont inspirés par le passé brassicole canadien.

NOUVEAUTÉ
DE CETTE ÉDITION

Ambrée
Amère

	FAIBLE							FORT
Arrière-goût	1	1,5	2	2,5	3	3,5	4	4,5	5
Caractère	1	1,5	2	2,5	3	3,5	4	4,5	5

	FROIDE							TIÈDE
Température	1	1,5	2	2,5	3	3,5	4	4,5	5

INDIA PALE ALE

La Barberie

500 ml	QUÉBEC	5 % alc./vol.

Cette India Pale Ale est l'une des premières bières embouteillées par la brasserie. Se voulant plus proche du style anglais qu'américain, son amertume est moins florale que celle de ses cousines de la côte ouest américaine.

Épicerie	Toute l'année

De couleur ambrée, surmontée d'une mousse tout en dentelle, cette India Pale Ale nous invite au voyage. Le nez vous offre des notes poivrées et caramélisées. En bouche, l'amertume n'est pas trop tranchante, elle accompagne les saveurs des céréales jusqu'à vous offrir une finale légèrement sèche.

SUGGESTION

Une pâte semi-ferme douce, aux notes fruitées.

APPRÉCIATION

Si vous voulez découvrir le style India Pale Ale et vous familiariser avec le houblon, cette bière sera une excellente complice. Sans verser dans l'extrême, ses flaveurs et sensations en font une excellente occasion pour découvrir les India Pale Ales de style anglais.

Ambrée
Amère

	FAIBLE							FORT
Arrière-goût	1	1,5	2	2,5	3	3,5	4	4,5	5
Caractère	1	1,5	2	2,5	3	3,5	4	4,5	5

	FROIDE							TIÈDE
Température	1	1,5	2	2,5	3	3,5	4	4,5	5

INDIA PALE ALE

La Chouape

500 ml	QUÉBEC	6,2 % alc./vol.

Refermentée en bouteille, cette India Pale Ale est un hommage aux brasseurs anglais du siècle dernier et un clin d'œil aux brasseurs américains de ce siècle.

Toute l'année	Épicerie

Une belle mousse soutenue surplombe la bière d'une couleur ambrée. Au nez, des notes fruitées s'échappent, rapidement rattrapées par quelques saveurs de résine et de houblon. En bouche, la bière est amère et légèrement acidulée, laissant place à une finale sur l'amertume.

SUGGESTION

Un Dubliner de quelques mois et un morceau de pain frais.

APPRÉCIATION

Voilà une India Pale Ale qui jongle entre l'amertume d'une cousine anglaise et la force de caractère d'une Pale Ale américaine. Les amateurs de bières aux notes de fruits et résineuses apprécieront.

Ambrée
Amère

	FAIBLE							FORT
Arrière-goût	1	1,5	2	2,5	3	3,5	4	4,5	5
Caractère	1	1,5	2	2,5	3	3,5	4	4,5	5

	FROIDE							TIÈDE
Température	1	1,5	2	2,5	3	3,5	4	4,5	5

IPA DU LIÈVRE — Microbrasserie du Lièvre

750 ml	QUÉBEC	6 % alc./vol.

Se voulant une bière à partager, elle invite à la fraternité qui a d'ailleurs eu encore l'occasion de prouver son existence, puisque la microbrasserie Les Brasseurs du Temps a brassé cette version, la microbrasserie du Lièvre ayant été la proie des flammes au début de l'année 2013.

Épicerie · Toute l'année

Une superbe mousse invitante se pointe avec vigueur. Des arômes d'agrumes, de poivre et de céréales rôties sont présents. La bière est amère dès l'entrée de bouche et son amertume augmente jusqu'à ce qu'elle soit rattrapée par la timide douceur des sucres résiduels qui l'accompagnent dans un très long étalement.

SUGGESTION

Des plats épicés et piquants. L'amertume tranchante de la bière sera une excellente complice et vous aidera à diminuer la puissance du plat.

APPRÉCIATION

La version brassée par Les Brasseurs du Temps me semble plus tranchante que la version originale. Il est donc probable que la bouteille que vous aurez en main sera un peu différente. Mais, avouons-le, cette version est très bien réussie.

Ambrée / Amère

INDIA PALE ALE

	FAIBLE							FORT
Arrière-goût	1	1,5	2	2,5	3	3,5	4	4,5	5
Caractère	1	1,5	2	2,5	3	3,5	4	4,5	5

	FROIDE							TIÈDE
Température	1	1,5	2	2,5	3	3,5	4	4,5	5

IPA IMPÉRIALE

Microbrasserie du Lièvre

750 ml	QUÉBEC	8,5 % alc./vol.

Cette Imperial IPA, brassée par la microbrasserie du Lièvre, a été l'une des premières brassées ces dernières années. Elle est cependant plus proche des interprétations anglaises que des américaines.

Toute l'année   Épicerie

Belle mousse généreuse, ambré foncé. Au nez, des notes de caramel provenant de la céréale dominent celles du houblon de type anglais. En bouche, l'amertume est agréablement prononcée et se profile tout au long de la dégustation. L'arôme des houblons n'est pas très présent et laisse plutôt place à celui de la céréale.

SUGGESTION
Un cheddar de deux ans.

APPRÉCIATION
Pour ceux qui aiment les bières anglaises et qui ne veulent pas trop d'arômes du houblon. Un produit fidèle à certaines Imperial IPA du royaume d'Angleterre, Sa Majesté sera ravie.

NOUVEAUTÉ DE CETTE ÉDITION

Ambrée
Amère

	FAIBLE							FORT
Arrière-goût	1	1,5	2	2,5	3	3,5	4	4,5	5
Caractère	1	1,5	2	2,5	3	3,5	4	4,5	5

	FROIDE							TIÈDE
Température	1	1,5	2	2,5	3	3,5	4	4,5	5

JAZZ

Jukebox

341 ml   QUÉBEC   5 % alc./vol.

Brassée en collaboration avec Brasseur de Montréal, la gamme Jukebox est le fruit d'un brasseur voulant offrir des produits d'inspiration de la côte ouest américaine.

| Épicerie | Toute l'année |

Une mousse généreuse, signe d'un houblonnage puissant. Au nez, des notes de thé et de houblon, mais on est loin des arômes d'agrumes habituels. En bouche, la bière est sur le caramel et la résine de houblon, et la finale pointe vers une amertume pas trop tranchante.

SUGGESTION
Un fromage à pâte semi-ferme, encore assez jeune.

APPRÉCIATION
La collection Jukebox plaira à l'amateur de bières houblonnées, et cette Jazz n'échappera pas à la règle. Disponible en petites quantités, elle peut être difficile à trouver.

Ambrée

Amère

AMERICAN AMBER ALE

	FAIBLE								FORT
Arrière-goût	1	1,5	2	2,5	3	3,5	4	4,5	5
Caractère	1	1,5	2	2,5	3	3,5	4	4,5	5
	FROIDE								TIÈDE
Température	1	1,5	2	2,5	3	3,5	4	4,5	5

KIRKE

Corsaire

473 ml	QUÉBEC	3,8 % alc./vol.

Cette Session Ale d'inspiration anglaise se compare à une bière « light » selon son taux d'alcool, mais offre une généreuse portion de houblon, selon la brasserie. Une « light » houblonnée ?

Toute l'année · Épicerie

Sa mousse est légèrement savonneuse.
Au nez, des notes de fruits tropicaux et caramel. En bouche, la bière offre une amertume très désaltérante et bien équilibrée. Un produit désaltérant que les amateurs de « light » devraient essayer.

SUGGESTION
Devant le BBQ, lors d'une chaude journée ensoleillée.

APPRÉCIATION
La première fois qu'on m'a présenté cette bière, j'étais devant un feu de foyer large de 2 mètres et quelques volailles accrochées à la crémaillère. J'avais chaud et soif ! Elle arrivait à point et son faible taux d'alcool m'a permis d'en boire quelques-unes de plus.

Ambrée
Amère

	FAIBLE							FORT
Arrière-goût	1	1,5	2	2,5	3	3,5	4	4,5	5
Caractère	1	1,5	2	2,5	3	3,5	4	4,5	5
	FROIDE							TIÈDE
Température	1	1,5	2	2,5	3	3,5	4	4,5	5

PALE ALE

LA CHIPIE

Microbrasserie Archibald

473 ml   QUÉBEC   5 % alc./vol.

La microbrasserie Archibald a été l'une des premières microbrasseries à diffuser ses produits en canette. La Chipie est l'une des premières bières distribuée par la brasserie.

Épicerie   Toute l'année

Une mousse fugace, une couleur ambrée rappelant celle des malts utilisés et un nez de caramel typique d'une Pale Ale anglaise. En bouche, la bière offre une légère amertume qui plaira aux amateurs du style.

SUGGESTION
La bière idéale pour la saison de la pêche : dans le canot et autour du BBQ.

APPRÉCIATION
Disponible partout, cette Pale Ale est à considérer lorsque vous cherchez quelques bières pour le plein air. Un produit de qualité.

Ambrée

Amère

PALE ALE

	FAIBLE								FORT
Arrière-goût	1	1,5	2	2,5	3	3,5	4	4,5	5
Caractère	1	1,5	2	2,5	3	3,5	4	4,5	5

	FROIDE								TIÈDE
Température	1	1,5	2	2,5	3	3,5	4	4,5	5

LA CIBOIRE

Microbrasserie Archibald

473 ml	QUÉBEC	6 % alc./vol.

La Ciboire est l'India Pale Ale de la micro-brasserie. Elle est disponible en canette, très populaire depuis quelques années.

Toute l'année   Épicerie

À la limite d'une blonde, cette ambrée propose une mousse persistante. Au nez, la bière est florale et quelques arômes de malt vous montent au nez. En bouche, la bière est bien plus amère que ne l'auraient laissé croire les arômes perçus. La finale est sur l'amertume sèche et mince de la bière.

SUGGESTION
Les plats épicés et piquants. L'amertume aime tous les plats très épicés.

APPRÉCIATION
Une India Pale Ale un peu moins ronde que ses cousines et un petit peu plus amère, car elle a moins de sucre résiduel. L'amateur d'amertume sèche sera ravi.

NOUVEAUTÉ
DE CETTE ÉDITION

Ambrée
Amère

	FAIBLE							FORT
Arrière-goût	1	1,5	2	2,5	▼ 3	3,5	4	4,5	5

Caractère	1	1,5	2	▼ 2,5	3	3,5	4	4,5	5

	FROIDE							TIÈDE
Température	1	1,5	2	▼ 2,5	3	3,5	4	4,5	5

INDIA PALE ALE

205

MATILDA

Goose Island

| 750 ml | ÉTATS-UNIS | 7 % alc./vol. |

En hommage à la comtesse Matilde mais surtout à la bière Orval. Cette Pale Ale belge reçoit également des *Brettanomyces* à l'embouteillage.

Épicerie Toute l'année

Superbe mousse en dentelle qui tient sur le verre. Des notes de cuir typiques des Bretts s'en échappent. En bouche, la bière est légèrement acidulée, mais l'amertume est dominante et laisse une finale sèche et amère.

SUGGESTION
Une tartine de fromage frais, du poivre du moulin et quelques légumes croquants.

APPRÉCIATION
Un produit à découvrir ! Goose Island, brasserie de Chicago distribuée par Labatt, nous offre des produits d'exception, cette Matilda en étant la preuve.

NOUVEAUTÉ DE CETTE ÉDITION

Ambrée
Amère

	FAIBLE							FORT
Arrière-goût	1	1,5	2	2,5	3	3,5	4	4,5	5
Caractère	1	1,5	2	2,5	3	3,5	4	4,5	5

	FROIDE							TIÈDE
Température	1	1,5	2	2,5	3	3,5	4	4,5	5

ORVAL

Brasserie d'Orval SA

330 ml   BELGIQUE   6,2 % alc./vol.

Brassée de manière originale, l'Orval est d'abord fermentée naturellement comme toute Ale, puis subit une fermentation supplémentaire avec ajout de *brettanomyces* et de houblon suranné. En Belgique, on commande un Orval.

Toute l'année   Épicerie

Sa mousse est légère et vole au-dessus de cette bière emblématique de la culture brassicole. Au nez, les notes de cuir et de pommes sont franches. En bouche, la bière est amère. Une amertume plus prononcée que la légère acidité qui s'y dégage. Plusieurs consommateurs s'y trompent. La finale est longue et complexe et a grandement contribué aux palmes qu'elle mérite. La bière bue est fraîche, elle a moins de six mois.

SUGGESTION

Un plateau de charcuteries bien épicées et du temps… beaucoup de temps.

APPRÉCIATION

Une grande bière! L'Orval offre une complexité rarement atteinte par d'autres bières et doit faire partie d'une dégustation si un consommateur désire découvrir les plaisirs de la bière artisanale. Une des rares bières qui offre un potentiel aromatique et gustatif différent et intéressant en fonction de son âge.

Ambrée
Amère

	FAIBLE							FORT
Arrière-goût	1	1,5	2	2,5	3	3,5	4	4,5	5
Caractère	1	1,5	2	2,5	3	3,5	4	4,5	5

	FROIDE							TIÈDE
Température	1	1,5	2	2,5	3	3,5	4	4,5	5

PALE ALE

PALE ALE AMÉRICAINE — Les Trois Mousquetaires

750 ml	QUÉBEC	5 % alc./vol.

Rare Ale brassée dans les locaux des Trois Mousquetaires, elle a été très vite acceptée par les amateurs qui ont vu en elle le talent du maître brasseur Alex Ganivet Boileau. Dans cette Ale, inspirée par ses cousines américaines, le houblon est à l'honneur.

Épicerie   Toute l'année

Une mousse fugace apparaît pour laisser place à une bière de couleur ambrée à l'effervescence tranquille. Au nez, des arômes prononcés d'agrumes et de résine de houblon annoncent la couleur. En bouche, l'amateur ne se trompe pas, la bière est assise sur une belle base de malt et ses notes caramélisées,

pour découvrir une finale sur l'amertume en crescendo. L'étalement est long et offre une variété de saveurs sous la thématique de la lupuline.

SUGGESTION
Une bière qui accompagne les plats épicés et puissants de l'ouest de l'Asie.

APPRÉCIATION
Légèrement plus maltée que ses cousines américaines, elle fait honneur au Cascade, cet illustre houblon de la côte ouest américaine. Le brasseur lui a offert un « houblonnage à cru ». La finale est complexe et plaît aux amateurs de lupuline.

Ambrée
Amère

<table>
<tr><td></td><td>FAIBLE</td><td></td><td></td><td></td><td></td><td></td><td></td><td>FORT</td></tr>
<tr><td>Arrière-goût</td><td>1</td><td>1,5</td><td>2</td><td>2,5</td><td>3</td><td>3,5</td><td>4</td><td>4,5</td><td>5</td></tr>
<tr><td>Caractère</td><td>1</td><td>1,5</td><td>2</td><td>2,5</td><td>3</td><td>3,5</td><td>4</td><td>4,5</td><td>5</td></tr>
<tr><td></td><td>FROIDE</td><td></td><td></td><td></td><td></td><td></td><td></td><td>TIÈDE</td></tr>
<tr><td>Température</td><td>1</td><td>1,5</td><td>2</td><td>2,5</td><td>3</td><td>3,5</td><td>4</td><td>4,5</td><td>5</td></tr>
</table>

PALE ALE

REBEL IPA

Samuel Adams

341 ml	ÉTATS-UNIS	6,5 % alc./vol.

Distribuée au Québec depuis quelques mois, cette IPA de la côte est américaine est à découvrir.

Toute l'année   Épicerie

Une mousse en dentelle fuyante. Une belle couleur ambrée. Des notes résineuses et d'agrumes confits qui se pointent au nez et un corps légèrement sucré, très vite rattrapé par une amertume qui se dissipe dans l'étalement. Un bel équilibre.

SUGGESTION

Un poulet tandoori, un riz frit asiatique et un pain libanais. Vive le multiculturalisme.

APPRÉCIATION

Samuel Adams, l'une des plus anciennes brasseries artisanales aux États-Unis mais surtout la plus grande, prouve qu'il est tout à fait possible de faire des produits en accord avec son temps, peu importe la taille des cuves.

NOUVEAUTÉ DE CETTE ÉDITION

Ambrée / Amère

	FAIBLE							FORT
Arrière-goût	1	1,5	2	2,5	3	3,5	4	4,5	5
Caractère	1	1,5	2	2,5	3	3,5	4	4,5	5

	FROIDE							TIÈDE
Température	1	1,5	2	2,5	3	3,5	4	4,5	5

SAISON STATION 55

Hopfenstark

750 ml	QUÉBEC	7 % alc./vol.

Saison Station 55 est un hommage aux bières de type Saison et aux India Pale Ale. C'est une Saison ambrée belge à l'arôme de houblon citronné.

Épicerie	Toute l'année

Une belle mousse se forme sur le verre et attend patiemment que j'y trempe les lèvres. Au nez, des notes d'épices et de céréales se mêlent à un arôme légèrement citronné. En bouche, la bière est sèche et amère avec une finale longue et sèche. On est loin des Saisons typiques, mais on apprécie l'audace de ceux qui ont créé cette bière.

SUGGESTION
Un fromage crémeux aux accents forts qui rivalisera avec l'amertume de la bière.

APPRÉCIATION
Encore une superbe création de Hopfenstark. Cette Saison ambrée aux accents de houblon devrait être classée hors style. Un hors style qui ferait référence à lui tout seul. Chapeau.

Ambrée
Amère

SAISON

	FAIBLE							FORT
Arrière-goût	1	1,5	2	2,5	3	3,5	4	4,5	5
Caractère	1	1,5	2	2,5	3	3,5	4	4,5	5

	FROIDE							TIÈDE
Température	1	1,5	2	2,5	3	3,5	4	4,5	5

SHAWINIGAN HANDSHAKE

Le Trou du diable

600 ml	QUÉBEC	6,5 % alc./vol.

La Shawinigan Handshake est un hommage à l'humour du p'tit gars de Shawinigan, l'ancien premier ministre du Canada, Jean Chrétien.

Toute l'année　　　Épicerie

De couleur ambrée, cette Weizen offre une mousse dense et crémeuse. Ses arômes sont ceux de la banane et des céréales. En bouche, la bière offre des notes très biscuitées suivies d'une amertume légère qui se poursuit jusqu'à la fin de l'étalement. Son profil est proche d'une Weizen, mais l'ajout de houblons permet d'offrir plus de longueur.

SUGGESTION

Un poisson cuit le plus naturellement possible, accompagné d'une purée de légumes racines et d'une pointe de beurre.

APPRÉCIATION

Les amateurs de Weizen et amateurs de bières houblonnées seront ravis. Le caractère particulier des Weizens est bien présent grâce à la levure et sa signature si particulière et aux houblons utilisés qui ne sont pas trop présents et dominants, mais jouent un rôle particulier et apprécié.

Ambrée

Amère

	FAIBLE							FORT
Arrière-goût	1	1,5	2	2,5	3	3,5	4	4,5	5
Caractère	1	1,5	2	2,5	3	3,5	4	4,5	5

	FROIDE							TIÈDE
Température	1	1,5	2	2,5	3	3,5	4	4,5	5

WEIZEN

SIMPLE MALT VIN D'ORGE RÉSERVE — Brasseurs Illimités

750 ml	QUÉBEC	9,99 % alc./vol.

Vendu comme un sucre d'orge pour adultes, ce vin d'orge est la version mûrie en fût de whisky du vin d'orge traditionnel de la brasserie.

Épicerie — Toute l'année

Une mousse discrète laisse place à une bière aux reflets ambré-acajou. Au nez, le sucre et l'alcool se font remarquer, suivis d'une petite pointe de biscuit à la mélasse. En bouche, la bière est ronde et riche. L'amertume prend sa place et termine la gorgée tranquillement.

SUGGESTION
Un vieux cheddar au lait cru.

APPRÉCIATION
Un produit à conserver dans son cellier et à sortir pour les grandes occasions. Un produit exceptionnel. À souligner.

NOUVEAUTÉ DE CETTE ÉDITION

Ambrée
Amère

BARLEY WINE

	FAIBLE							FORT
Arrière-goût	1	1,5	2	2,5	3	3,5	4	4,5	5
Caractère	1	1,5	2	2,5	3	3,5	4	4,5	5

	FROIDE							TIÈDE
Température	1	1,5	2	2,5	3	3,5	4	4,5	5

ST-AMBROISE INDIA PALE ALE

McAuslan

341 ml	QUÉBEC	6,2 % alc./vol.

Faite de houblon Golding et Willamette, cette India Pale Ale est de tradition britannique, comme beaucoup de bières brassées par cette brasserie.

Toute l'année | Épicerie

Une belle couleur ambrée claire se démarque, surplombée par une mousse abondante, mais fuyante. Au nez, des notes franches de résine et de sapin se manifestent. En bouche, la bière est avant tout sucrée, suivie par une amertume de plus en plus présente. La seconde gorgée confirme cette amertume.

SUGGESTION
Quelques pâtés et terrines bien poivrés et épicés.

APPRÉCIATION
Interprétation plus britannique que contemporaine, cette India Pale Ale offre cependant un nez franc de résine et de sapin provenant des houblons sélectionnés, ce qu'on ne trouve pas forcément dans les India Pale Ales anglaises.

Ambrée
Amère

	FAIBLE							FORT
Arrière-goût	1	1,5	2	2,5	3	3,5	4	4,5	5
Caractère	1	1,5	2	2,5	3	3,5	4	4,5	5
	FROIDE							TIÈDE
Température	1	1,5	2	2,5	3	3,5	4	4,5	5

INDIA PALE ALE

ST-AMBROISE OAK AGED McAuslan

341 ml   QUÉBEC   6 % alc./vol.

Brassée pour le 25ᵉ anniversaire de la brasserie, cette Pale Ale anglaise a mûri quelques semaines avec des copeaux de bois.

Épicerie   Toute l'année

Une belle couleur ambrée, une mousse en dentelle. Un nez de vanille et de caramel. En bouche, la bière est douce et laisse place à une amertume modérée mais assez longue. Les houblons utilisés ne sont pas très aromatiques, mais cèdent la place aux céréales.

SUGGESTION
Un mijoté de veau aux abricots, par exemple.

APPRÉCIATION
De style bière anglaise, cette Pale Ale s'éloigne de ses cousines américaines, très populaires. Les amateurs de bières plus vanillées et boisées l'apprécieront.

Ambrée

Amère

PALE ALE

	FAIBLE							FORT
Arrière-goût	1	1,5	2	2,5	3	3,5	4	4,5	5
Caractère	1	1,5	2	2,5	3	3,5	4	4,5	5

	FROIDE							TIÈDE
Température	1	1,5	2	2,5	3	3,5	4	4,5	5

ST-AMBROISE PALE ALE

McAuslan

473 ml   QUÉBEC   5 % alc./vol.

Nouvellement distribuée en canette, la St-Ambroise Pale Ale offre un contenant adéquat pour les sorties de pêche, de chasse ou le camping entre amis.

Toute l'année   Épicerie

De couleur ambrée, la bière est surmontée d'une mousse fugace qui laisse une dentelle sur le bord du verre. Au nez, des notes de caramel et de céréales caramélisées se démarquent. En bouche, la bière est légèrement amère et son étalement est moyen. Une belle amertume rafraî-chissante prend le dessus, jusqu'à la gorgée suivante.

SUGGESTION
En apéritif dans le bois, avec quelques prises du jour.

APPRÉCIATION
Si vous cherchez un produit offrant un excel-lent rapport qualité-prix dans un format facile à transporter, procurez-vous cette Pale Ale qui n'a rien à envier à ses cousines d'Angleterre.

Ambrée

Amère

	FAIBLE							FORT
Arrière-goût	1	1,5	2	2,5	3	3,5	4	4,5	5
Caractère	1	1,5	2	2,5	3	3,5	4	4,5	5

	FROIDE							TIÈDE
Température	1	1,5	2	2,5	3	3,5	4	4,5	5

PALE ALE

DEATH VALLEY

Les Brasseurs RJ

| 750 ml | QUÉBEC | 8 % alc./vol. |

Classée dans les India Pale Ales, la Death Valley est en fait une Double India Pale Ale ou Imperial India Pale Ale, une version plus alcoolisée et plus maltée que les India Pale Ales.

| Épicerie | Toute l'année |

Sa couleur est légèrement plus pâle que ses cousines québécoises, signe d'un choix de malt plus pâle également. Son nez est fruité et quelques notes de marmelade d'oranges se distinguent. En bouche, son corps est malté et la bière est

sucrée. Sa finale est très longue, laissant apparaître une amertume équilibrée.

SUGGESTION
Moules marinières légèrement crémeuses.

APPRÉCIATION
Un des meilleurs rapports qualité-prix disponible au Québec. Cette Death Valley va plaire aux amateurs de houblon qui apprécient les bières aux notes florales et fruitées.

Ambrée
Tranchante

INDIA PALE ALE

	FAIBLE							FORT
Arrière-goût	1	1,5	2	2,5	3	3,5	4	4,5	5
Caractère	1	1,5	2	2,5	3	3,5	4	4,5	5
	FROIDE							TIÈDE
Température	1	1,5	2	2,5	3	3,5	4	4,5	5

DIABLE AU CORPS — Les Brasseurs du Temps

341 ml   QUÉBEC   10 % alc./vol.

Avec 100 IBU (voir p. 19) et 10 % alc./vol., cette Diable au Corps est une India Pale Ale impériale. Le terme impérial est très souvent utilisé dans les styles contemporains pour définir des bières plus maltées, plus alcoolisées… plus typées.

Toute l'année   Épicerie

Une mousse formant une belle dentelle, un corps offrant une effervescence douce et une couleur sublime : ambrée aux reflets orangés. Au nez, des notes d'orange confite se démarquent suivies de quelques arômes épicés. En bouche, la bière est puissante et valse sur des notes d'alcool et de sucre. La finale est longue et sous le signe de l'amertume.

SUGGESTION
Un poulet tandoori épicé.

APPRÉCIATION
Puissante, exaltante et sans complexe, cette IPA Impériale saura ravir les papilles les plus exigeantes.

Ambrée
Tranchante

	FAIBLE								FORT
Arrière-goût	1	1,5	2	2,5	3	3,5	4	4,5	5
Caractère	1	1,5	2	2,5	3	3,5	4	4,5	5

	FROIDE								TIÈDE
Température	1	1,5	2	2,5	3	3,5	4	4,5	5

IPA IMPÉRIALE

END OF THE TRAIL

Hopfenstark

| 750 ml | QUÉBEC | 5,5 % alc./vol. |

Cette American Pale Ale est houblonnée avec du houblon Falconer's Flight très peu connu. Ses caractéristiques sont très proches de ses cousines américaines : un nez d'agrumes sur une base houblonnée.

| Épicerie | Toute l'année |

La mousse est crémeuse et abondante et contraste avec la couleur ambrée de la bière. Au nez, des notes de sapin, de citron et d'agrumes sont très présentes. En bouche, la douceur des céréales se manifeste, suivie de très près par une amertume longue et tranchante.

SUGGESTION
Un fromage à pâte molle et à croûte lavée aux accents puissants.

APPRÉCIATION
Avec ce superbe produit de la brasserie Hopfenstark, les amateurs de bières houblonnées seront ravis. Elle offre des notes légèrement maltées très bien équilibrées avec une amertume puissante. Une American Pale Ale légèrement plus maltée que ses cousines des États-Unis, mais qui mérite sa place dans votre frigo.

Ambrée
Tranchante

AMERICAN PALE ALE

	FAIBLE								FORT
Arrière-goût	1	1,5	2	2,5	3	3,5	4	4,5	5
Caractère	1	1,5	2	2,5	3	3,5	4	4,5	5

	FROIDE								TIÈDE
Température	1	1,5	2	2,5	3	3,5	4	4,5	5

FARNHAM 64

Farnham Ale & Lager

473 ml	QUÉBEC	6 % alc./vol.

Depuis sa création en 2013, Farnham Ale & Lager propose des bières dont le nom est tiré du taux d'IBU de chacune. Vous l'aurez compris, la 64 propose donc 64 IBU.

Toute l'année   Épicerie

Une belle mousse en dentelle, une robe de couleur ambrée légèrement foncée. Au nez, des notes de houblon et de caramel du malt. En bouche, la bière repose sur un sucre résiduel avec une amertume qui vient secouer un peu les papilles mais pas à l'excès. La finale est sur l'amertume sèche du houblon.

SUGGESTION
Un sandwich cubain fait avec amour. Les saveurs du sandwich se marieront très bien avec l'amertume de la bière.

APPRÉCIATION
Intéressante que cette India Pale Ale fabriquée par une petite brasserie en plein essor. Son format canette en fait une excellente complice de vos soirées de camping.

NOUVEAUTÉ DE CETTE ÉDITION

Ambrée
Tranchante

	FAIBLE							FORT
Arrière-goût	1	1,5	2	2,5	3	3,5	4	4,5	5
Caractère	1	1,5	2	2,5	3	3,5	4	4,5	5

	FROIDE							TIÈDE
Température	1	1,5	2	2,5	3	3,5	4	4,5	5

FARNHAM 128

Farnham Ale & Lager

473 ml	QUÉBEC	7 % alc./vol.

Cette Double India Pale Ale américaine suit la tendance des bières très houblonnées et sucrées disponibles en Amérique du Nord.

Épicerie   Toute l'année

Une mousse gourmande, qui a tendance à disparaître doucement et à laisser de grosses bulles dans le verre, signe d'une belle présence de houblon. Au nez, la bière offre des arômes d'agrumes, de fruits et de résine. Le houblon est à l'honneur. En bouche, le sucre résiduel est bien présent et l'amertume s'installe tranquillement pour ne plus disparaître.

SUGGESTION
La bière idéale pour les sorties en plein air des amoureux de houblon.

APPRÉCIATION
Elle mériterait un petit peu plus d'aromatique, mais elle a déjà une belle base sucrée et alcoolisée pour ressembler à ce que nos voisins du Sud proposent très souvent. Son format canette est idéal.

Ambrée
Tranchante

DOUBLE IPA

	FAIBLE							FORT
Arrière-goût	1	1,5	2	2,5	3	3,5	4	4,5	5
Caractère	1	1,5	2	2,5	3	3,5	4	4,5	5

	FROIDE							TIÈDE
Température	1	1,5	2	2,5	3	3,5	4	4,5	5

FRAPPABORD

Microbrasserie du Lac Saint-Jean

500 ml	QUÉBEC	11 % alc./vol.

Frappabord était un boxeur de la région du Lac-Saint-Jean. Cette Barley Wine lui rend hommage car elle frappe tout aussi fort.

Toute l'année	Épicerie

Une mousse dense et généreuse se pose sur la bière. Elle ne bougera pas de là avant plusieurs minutes. Au nez, les notes de sucre et de céréales sont bien présentes. En bouche, la bière est sucrée et ronde et l'amertume se présente à grands coups de crochet gauche.

SUGGESTION

Un mijoté de votre choix bien relevé et bien épicé.

APPRÉCIATION

Un Barley Wine américain dans sa plus pure interprétation. Le sucre, l'alcool et l'amertume à profusion.

NOUVEAUTÉ DE CETTE ÉDITION

Ambrée
Tranchante

	FAIBLE							FORT
Arrière-goût	1	1,5	2	2,5	3	3,5	4	4,5	5
Caractère	1	1,5	2	2,5	3	3,5	4	4,5	5

	FROIDE							TIÈDE
Température	1	1,5	2	2,5	3	3,5	4	4,5	5

BARLEY WINE

GLUTENBERG AMERICAN PALE ALE Brasseurs sans Gluten

341 ml	QUÉBEC	5,5 % alc./vol.

Brasseurs sans Gluten offre, depuis peu, une gamme de bières brassées dans un environnement 100 % sans gluten. Rapidement, la brasserie a su démontrer, dans plusieurs concours internationaux, la grande qualité de ses produits en remportant plusieurs médailles.

Épicerie	Toute l'année

Une belle mousse, laissant place à une jolie dentelle, surplombe la bière de couleur ambrée. Au nez, des notes d'agrumes, provenant des houblons sélectionnés, sont présentes et s'accordent au style. En bouche, la bière est mince, offrant un profil très amer et finissant sur quelques notes plus sucrées en rétro-olfaction.

SUGGESTION
Un fromage à pâte molle et à croûte lavée accompagné d'une galette de millet ou d'un pain sans gluten.

APPRÉCIATION
Cette bière offre une superbe interprétation du style American Pale Ale sans aucune trace de malt d'orge. Elle est d'ailleurs plus débalancée et penche plus vers l'amertume que ses collègues québécoises, ce qui est fort apprécié des amateurs avertis et une caractéristique si spéciale pour le style. Un produit à boire, même sans intolérance au gluten.

Ambrée
Tranchante

	FAIBLE							FORT	
Arrière-goût	1	1,5	2	2,5	3	3,5	4	4,5	5
Caractère	1	1,5	2	2,5	3	3,5	4	4,5	5

	FROIDE							TIÈDE	
Température	1	1,5	2	2,5	3	3,5	4	4,5	5

GOOSE IPA

Goose Island

341 ml	ÉTATS-UNIS	5,9 % alc./vol.

Originaire de Chicago, la Goose IPA était brassée par la brasserie Goose Island, dont la réputation n'est plus à faire du côté des Américains. Aujourd'hui disponible dans plusieurs régions du monde, elle est brassée sous licence avec le même souci de qualité.

Toute l'année — Épicerie

Une mousse discrète qui laisse place à la bière. Au nez, le houblon s'exprime bien mais cède la place à quelques notes de miel provenant de la céréale. En bouche, le sucre résiduel est le premier à se manifester, suivi d'une amertume longue et persistante qui rend la bière presque tranchante. Les amateurs apprécieront.

SUGGESTION
Une parfaite alliée pour vos soirées entre gars, devant votre sport préféré.

APPRÉCIATION
Goose Island est une des « craft » pionnières aux États-Unis qui a été achetée par le groupe AB InBev en 2010. Depuis, elle véhicule une image qui plaît à de plus en plus de consommateurs et propose des bières artisanales qui sont brassées avec la même philosophie. Cette Goose IPA est une excellente ambassadrice.

NOUVEAUTÉ DE CETTE ÉDITION

Ambrée
Tranchante

	FAIBLE							FORT
Arrière-goût	1	1,5	2	2,5	3	3,5	4	4,5	5
Caractère	1	1,5	2	2,5	3	3,5	4	4,5	5

	FROIDE							TIÈDE
Température	1	1,5	2	2,5	3	3,5	4	4,5	5

MAC TAVISH

Le Trou du diable

600 ml	QUÉBEC	5 % alc./vol.

Les membres de l'équipe Le Trou du diable
étant de grands amateurs de l'univers Bicolline,
ils rendent hommage à Mac Tavish, seigneur
du royaume de Bicolline qui repose en paix.
Un hommage à sa sagesse et à sa vaillance.

Épicerie	Toute l'année

D'une belle couleur ambrée, cette Pale Ale offre
un nez franc d'agrumes provenant du houblon
sélectionné. En bouche, la bière est accrocheuse
et son amertume est tout aussi franche. Elle
laisse une agréable sensation de fraîcheur qui
invite à une seconde gorgée.

SUGGESTION

Un gravlax de saumon
au houblon, de la main
de Frank Chaumanet,
chef du Trou du diable.

APPRÉCIATION

Proche des American
Pale Ales de nos voisins
du Sud, la bière conserve
très peu de notes maltées
pour laisser toute la
place au houblon. Si
vous n'aimez pas les
bières tranchantes,
oubliez-la, sinon,
courez en acheter.

Ambrée — **Tranchante**

PALE ALE

	FAIBLE							FORT
Arrière-goût	1	1,5	2	2,5	3	3,5	4	4,5	5
Caractère	1	1,5	2	2,5	3	3,5	4	4,5	5

	FROIDE							TIÈDE
Température	1	1,5	2	2,5	3	3,5	4	4,5	5

MONARK IPA

Les Brasseurs du Nord

341 ml   QUÉBEC   7 % alc./vol.

Cette Imperial IPA fait partie de la nouvelle gamme Boréale Collection disponible depuis un an. Elle est la plus alcoolisée et la plus houblonnée de la gamme.

Toute l'année   Épicerie

Une mousse bien compacte et crémeuse s'installe. Des notes de céréales et de fruits se mélangent pour offrir un nez très intéressant. En bouche, la bière est sucrée et alcoolisée mais très vite rattrapée par l'amertume du houblon, qui est loin d'être discrète.
On apprécie cette bière pour ce qu'elle offre : une amertume bien présente sur une assise sucrée et alcoolisée.

SUGGESTION
Un plat sucré, rond, crémeux et légèrement relevé.

APPRÉCIATION
Cette Imperial IPA plaira à l'amateur de bières houblonnées mais également bien alcoolisées. Elle possède une amertume longue et tranchante. Un produit bien réussi, disponible partout.

NOUVEAUTÉ DE CETTE ÉDITION

Ambrée · Tranchante

	FAIBLE							FORT
Arrière-goût	1	1,5	2	2,5	3	3,5	4	4,5	5
Caractère	1	1,5	2	2,5	3	3,5	4	4,5	5

	FROIDE							TIÈDE
Température	1	1,5	2	2,5	3	3,5	4	4,5	5

IMPERIAL IPA

SIMPLE MALT CASCADE

Brasseurs Illimités

341 ml   QUÉBEC   6,4 % alc./vol.

La gamme de produits Simple Malt se décline en plusieurs variétés de bières qui s'inspirent librement des styles historiques, tout en offrant une expérience proche des saveurs et arômes.

Épicerie   Toute l'année

Dès les premières gouttes, des notes d'agrumes typiques du houblon Cascade se font sentir, suivies de quelques notes de caramel et d'alcool. En bouche, la bière offre une belle base de malt suivie d'une amertume franche provenant des houblons.

SUGGESTION
Un cari d'agneau légèrement relevé.

APPRÉCIATION
S'inspirant de ses cousines de la côte ouest américaine, cette India Pale Ale ne laisse pas indifférent. Elle offre des arômes typiques du houblon Cascade. À essayer pour se convaincre que les houblons peuvent offrir des arômes d'agrumes confits ou de marmelade.

Ambrée
Tranchante

IPA AMÉRICAINE

	FAIBLE							FORT
Arrière-goût	1	1,5	2	2,5	3	3,5	4	4,5	5
Caractère	1	1,5	2	2,5	3	3,5	4	4,5	5

	FROIDE							TIÈDE
Température	1	1,5	2	2,5	3	3,5	4	4,5	5

Disponible depuis peu en canette, cette Double IPA propose un houblonnage de Cascade et de Chinook pour un IBU de 75.

Toute l'année | Épicerie

Sa mousse en dentelle est fort agréable. Au nez, elle présente des notes légèrement résineuses de houblon. En bouche, la bière est marquée par une rondeur, très vite dominée par une amertume franche et puissante.

SUGGESTION
Un fromage à pâte semi-ferme et à croûte lavée.

APPRÉCIATION
Pour les amateurs de Double IPA plus inspirés par des méthodes de brassage à l'anglaise qu'à la nord-américaine. Un retour aux sources après avoir passé par la côte ouest.

Ambrée

Tranchante

	FAIBLE								FORT
Arrière-goût	1	1,5	2	2,5	3	3,5	4	4,5	5
Caractère	1	1,5	2	2,5	3	3,5	4	4,5	5
	FROIDE								TIÈDE
Température	1	1,5	2	2,5	3	3,5	4	4,5	5

DOUBLE IPA

TRANSYLVANIAN PALE ALE

Kruhnen

660 ml   QUÉBEC   7 % alc./vol.

Une India Pale Ale sur lie brassée avec un ingrédient secret. Cette Transylvanian Pale Ale, un clin d'œil au pays d'origine du brasseur, s'inspire des grands courants brassicoles historiques et contemporains.

Épicerie   Toute l'année

Une belle mousse se forme dans le verre et laisse place à une dentelle tenace. Des arômes francs d'agrumes et de résine de houblon se manifestent. En bouche, la bière vous propose une attaque florale très rapidement compensée par une amertume franche et tranchante. La seconde gorgée vient en renfort... jusqu'à ce que votre verre soit vide.

SUGGESTION

Soyons dans le thème, une tartine de zacuscă sur un pain de blé.

APPRÉCIATION

Agréable équilibre entre l'amertume de la bière, son nez floral et sa base maltée. Une bière qui plaira à l'amateur de Pale Ale américaine, à la sauce transylvanienne du Québec. Vive le partage culturel !

Ambrée
Tranchante

INDIA PALE ALE

	FAIBLE							FORT
Arrière-goût	1	1,5	2	2,5	3	3,5	4	4,5	5
Caractère	1	1,5	2	2,5	3	3,5	4	4,5	5

	FROIDE							TIÈDE
Température	1	1,5	2	2,5	3	3,5	4	4,5	5

LA BUTEUSE – BRASSIN SPÉCIAL

Le Trou du diable

750 ml	QUÉBEC	10 % alc./vol.

Vieillie quatre mois dans des fûts de chêne américain ayant hébergé le brandy de pommes de la cidrerie Michel Jodoin, cette cuvée spéciale de La Buteuse est fermentée avec trois levures différentes, selon la brasserie.

Printemps   Épicerie

Belle couleur mielleuse. Au nez, des notes complexes de vanille, de bois, se mélangent avec des saveurs légèrement vineuses. En bouche, la bière est corpulente et ses quelques semaines en barrique de bois se manifestent longuement avec des notes boisées sur une finale vanillée et caramélisée. On ressent une légère acidité en finale.

SUGGESTION

Rien ! Ne gâchons pas le talent du maître brasseur.

APPRÉCIATION

Une des meilleures bières disponibles au Québec. Non pas parce qu'elle a vieilli quelques mois en barrique de chêne, mais parce que le talentueux maître brasseur, André Trudel, réalise un assemblage complexe de ses nombreuses cuvées pour offrir une bière tout aussi complexe et chaleureuse.

Ambrée
Acidulée

	FAIBLE							FORT
Arrière-goût	1	1,5	2	2,5	3	3,5	4	4,5	5
Caractère	1	1,5	2	2,5	3	3,5	4	4,5	5
	FROIDE							TIÈDE
Température	1	1,5	2	2,5	3	3,5	4	4,5	5

TRIPLE

SAISON STATION 16

Hopfenstark

750 ml	QUÉBEC	6,5 % alc./vol.

Saison Station 16 est une Saison de type belge à laquelle le brasseur a ajouté du seigle.

Épicerie | Toute l'année

D'une belle couleur ambrée, la mousse forme une dentelle sur le verre. Au nez, des notes discrètes fruitées et épicées se manifestent. En bouche, la bière est douce et ronde. Sa finale est légèrement amère laissant paraître une toute petite acidité.

SUGGESTION
Une salade composée de divers légumes avec une vinaigrette légèrement acidulée.

APPRÉCIATION
Cette Saison plaira aux amateurs du style. Légèrement plus ronde que ses cousines, elle a cependant une petite pointe d'acidité qui en fait une bière très rafraîchissante. Servez-la un tout petit peu plus froide que conseillé et laissez-la vivre dans votre verre.

Ambrée
Acidulée

SAISON

	FAIBLE							FORT
Arrière-goût	1	1,5	2	2,5	3	3,5	4	4,5	5
Caractère	1	1,5	2	2,5	3	3,5	4	4,5	5

	FROIDE							TIÈDE
Température	1	1,5	2	2,5	3	3,5	4	4,5	5

RAFTMAN

Unibroue

750 ml	QUÉBEC	5,5 % alc./vol.

Brassée avec une légère quantité de malt fumé utilisé dans les distilleries à whisky, cette Raftman est un hommage aux draveurs qui parcouraient de longs kilomètres au péril de leurs vies sur les billots de bois flottants.

Toute l'année	Épicerie

De couleur ambrée, surmontée par un fin collet de mousse sur une effervescence vive et dynamique, la Raftman offre des arômes de levure et de céréales. En bouche, les saveurs de la bière s'expriment pleinement et offrent des notes de fumée en rétro-olfaction. La finale est douce et principalement axée sur les saveurs de malts fumés.

SUGGESTION

Un magnifique morceau de pastrami, un pain de seigle bien frais, une moutarde préparée…

APPRÉCIATION

Si, au premier contact, les malts fumés se font discrets, c'est en rétro-olfaction qu'il s'expriment le mieux et qu'ils proposent une finale légèrement fumée. Sans tomber dans l'excès, cette bière plaira à vos convives, accompagnée d'un magnifique sandwich de viande fumée.

Ambrée
Fumée

	FAIBLE							FORT
Arrière-goût	1	1,5	2	2,5	3	3,5	4	4,5	5
Caractère	1	1,5	2	2,5	3	3,5	4	4,5	5

	FROIDE							TIÈDE
Température	1	1,5	2	2,5	3	3,5	4	4,5	5

ROUSSES

Des bières qui sont caramélisées si elles sont brassées avec des ingrédients nobles et qui développent des arômes différents allant du caramel aux céréales grillées. Elles peuvent être très faiblement houblonnées ou très fortement amères.

DOUCES

RONDES

AMÈRES

TRANCHANTES

ÉPICÉE

FUMÉE

341 ml	QUÉBEC	5 % alc./vol.

À l'époque, le pari était très audacieux de proposer une bière de couleur rousse à des consommateurs peu habitués. La Boréale Rousse est la première Rousse «microbrassée» au Québec, elle est souvent considérée comme la référence.

Épicerie	Toute l'année

Une mousse bien blanche vient se poser sur une bière de couleur rousse, aux reflets orangés. Au nez, ce sont des notes de céréales et de caramel qui s'offrent à vous. En bouche, la bière est douce, laissant paraître quelques notes de caramel et de céréales. La finale est courte et très légèrement amère.

SUGGESTION
Un fromage à pâte semi-ferme et à croûte lavée légèrement fruité.

APPRÉCIATION
Une Rousse douce dans la plus pure tradition du style fort apprécié des consommateurs québécois. Si vous aimez les bières aux accents de céréales et de caramel, n'hésitez pas à la laisser dans le frigo jusqu'à la prochaine gorgée.

Rousse
Douce

RED ALE

	FAIBLE							FORT
Arrière-goût	1	1,5	2	2,5	3	3,5	4	4,5	5
Caractère	1	1,5	2	2,5	3	3,5	4	4,5	5
	FROIDE							TIÈDE
Température	1	1,5	2	2,5	3	3,5	4	4,5	5

SE-CAMARADE

La Barberie

ml	QUÉBEC	6,5 % alc./vol.

_a Barberie soutenant l'entrepreneuriat, une partie des profits de la Brasse-Camarade est versée au Fonds d'emprunt du Québec, entreprise d'économie sociale qui aide au développement des petites entreprises.

Toute l'année	Épicerie

Au Québec, on l'appellerait Rousse, elle porte d'ailleurs si joliment son nom. Au nez, des notes de caramel sont bien présentes. En bouche, la bière se laisse apprivoiser sous des notes céréalières et légèrement amères. La finale est courte.

SUGGESTION

Quelques arachides grillées au miel et des amis, le début d'une belle soirée.

APPRÉCIATION

Ni trop forte ni trop douce, cette Brasse-Camarade offre un caractère équilibré qui plaira à l'amateur de Rousse. Peut-on uniquement parler de couleur ? Bien sûr que non, mais lorsqu'on parle de Rousse, on parle de ce genre de bière, douce et peu amère avec quelques saveurs caramélisées.

Rousse

Douce

	FAIBLE							FORT
Arrière-goût	1	1,5	2	2,5	3	3,5	4	4,5	5
Caractère	1	1,5	2	2,5	3	3,5	4	4,5	5
	FROIDE							TIÈDE
Température	1	1,5	2	2,5	3	3,5	4	4,5	5

RED ALE

ENGLISH BAY PALE ALE   Granville Island ι

473 ml	COLOMBIE-BRITANNIQUE	5 % alc.

Fondée en 1984, la Granville Island Brewing Company est aujourd'hui propriété du groupe Molson qui distribue sa bière partout au Canada.

Épicerie	Toute l'année

Une belle mousse généreuse prend forme. Au nez, des notes de malts caramélisés sont typiques du style. En bouche, la bière est douce et principalement axée sur le sucre du malt. Très peu d'amertume en finale.

SUGGESTION
La bière qui accompagne vos repas sur le pouce du milieu de la semaine.

APPRÉCIATION
Cette Pale Ale douce ne sera fort probablement pas la bière la plus incroyable que vous aurez bue, mais fort probablement celle que vous reprendrez. Mission accomplie.

Rousse
Douce

PALE ALE

	FAIBLE							FORT
Arrière-goût	1	1,5	2	2,5	3	3,5	4	4,5	5
Caractère	1	1,5	2	2,5	3	3,5	4	4,5	5

	FROIDE							TIÈDE
Température	1	1,5	2	2,5	3	3,5	4	4,5	5

JTENBERG ROUSSE — Brasseurs sans Gluten

41 ml	QUÉBEC	5 % alc./vol.

Rapidement, la brasserie a su démontrer, dans de nombreux concours internationaux, la grande qualité de ses produits sans gluten en remportant plusieurs médailles.

Toute l'année **Épicerie**

Une couleur rousse sans complexe, une mousse crème qui surmonte le tout et une effervescence très visuelle, cette Red Ale possède toutes les caractéristiques du style. Au nez, des notes caramélisées se démarquent et pourtant, aucun malt caramel ne se trouve dans cette bière. Impression étrange, mais très bien réussie. En bouche, la bière est plus mince que ses cousines et sa finale est moins maltée. L'amertume est légère sur l'étalement.

SUGGESTION
Un plat en sauce, sans crème.

APPRÉCIATION
Légèrement différente de ses collègues québé-coises 100 % pur malt, cette Glutenberg Rousse remplit sa mission d'offrir une option agréable aux amateurs de bières aux notes subtiles de caramel et de malts caramélisés, sans avoir un gramme de malt.

Rousse
Douce

	FAIBLE							FORT
Arrière-goût	1	1,5	2	2,5	3	3,5	4	4,5	5
Caractère	1	1,5	2	2,5	3	3,5	4	4,5	5
	FROIDE							TIÈDE
Température	1	1,5	2	2,5	3	3,5	4	4,5	5

RED ALE

237

LA BONNE AVENTURE

Pit Car

500 ml	QUÉBEC	5 % alc./vt

Baptisée en l'honneur de l'île Bonaventure,
que l'on peut apercevoir depuis la brasserie,
cette Red Ale puise sa source d'inspiration
dans les styles britanniques Bitter et Alt,
selon la brasserie.

Épicerie	Toute l'année

Une belle couleur ambrée et une mousse laissant une dentelle soulignent cette bière. Au
nez, des notes de caramel et céréales rôties sont
présentes. En bouche, la bière est douce et sa
finale offre une très légère amertume. Une bière
tout en douceur.

SUGGESTION
Un plateau de char-
cuteries avec quelques
moutardes artisanales,
la bière y apportera de
la douceur.

APPRÉCIATION
La brasserie ayant puisé
son inspiration dans les
Bitters et les Alts tout
en indiquant Rousse
sur l'étiquette, il faut
trancher. Vous voici en
face d'une excellente Alt
servie à la mode britan-
nique, dans une pinte.

Rousse

Douce

ALT

	FAIBLE							FORT
Arrière-goût	1	1,5	2	2,5	3	3,5	4	4,5	5
Caractère	1	1,5	2	2,5	3	3,5	4	4,5	5

	FROIDE							TIÈDE
Température	1	1,5	2	2,5	3	3,5	4	4,5	5

JUSSE BIOLOGIQUE La Chouape

500 ml	QUÉBEC	5,3 % alc./vol.

Cette Red Ale, brassée au Lac-Saint-Jean, utilise des céréales issues d'une agriculture biologique certifiée.

Toute l'année	Épicerie

Une belle Rousse et sa mousse blanche se profilent dans la pinte. Au nez, des arômes de caramel et de céréales caramélisées sont très présents. En bouche, la bière surfe sur des notes de noix provenant des céréales. Elle est douce et accompagnée d'une très légère amertume.

SUGGESTION

Accompagne un repas de cabane à sucre sans tomber dans l'excès d'une boisson trop sucrée.

APPRÉCIATION

Une Rousse québécoise comme on les aime. Ses arômes sont l'exemple typique d'une Red Ale 100 % pur malt. Elle est très bien réussie pour le style, tout simplement.

Rousse
Douce

	FAIBLE							FORT
Arrière-goût	1	1,5	2	2,5	3	3,5	4	4,5	5
Caractère	1	1,5	2	2,5	3	3,5	4	4,5	5
	FROIDE							TIÈDE
Température	1	1,5	2	2,5	3	3,5	4	4,5	5

RED ALE

SEIN D'ESPRIT

Broadway \

500 ml	QUÉBEC	5 % alc./vo

La brasserie vient à peine de changer ses formats de bouteilles et ses étiquettes pour nous offrir une gamme de produits qui ont déjà fait la réputation du bistrot-brasserie de Shawinigan. Cette Sein d'esprit a un nouveau look qui lui va bien.

Épicerie	Toute l'année

Une mousse fuyante laisse place à un voile sur le verre. Au nez, la levure s'exprime mais laisse place également à quelques notes épicées. En bouche, la bière est douce, surélevée par une effervescence un petit peu plus haute que la normale pour ce style. La finale sur la céréale offre quelques notes maltées en bouche.

NOUVEAUTÉ DE CETTE ÉDITION

SUGGESTION
Une choucroute bien garnie, c'est-à-dire avec beaucoup de viandes.

APPRÉCIATION
Agréable Dunkel Weizen, ou Dark Wheat Beer selon la brasserie, qui nous propulse à quelques pas de certaines brasseries de Bavière, leur levure n'étant pas exploitée jusqu'à la caricature du style, bien au contraire.

Rousse

Douce

	FAIBLE							FORT
Arrière-goût	1	1,5	2	2,5	3	3,5	4	4,5	5
Caractère	1	1,5	2	2,5	3	3,5	4	4,5	5

	FROIDE							TIÈDE
Température	1	1,5	2	2,5	3	3,5	4	4,5	5

BIÈRE DE BLÉ ROUSSE

STRONG PATRICK

Beau's

600 ml	ONTARIO	6,7 % alc./vol.

Ale Rousse de style Irlandaise, selon la brasserie. Elle est brassée à l'eau de source, aux malts d'orge et houblons biologiques.

Toute l'année	Épicerie

Une mousse discrète. Un nez de céréales et de biscuits à la mélasse. En bouche, la bière est douce. Sa force de caractère est principalement dictée par les céréales. La finale est discrète.

SUGGESTION
Tous les plats en sauce, la bière ne prendra pas trop le dessus.

APPRÉCIATION
La bière utile pour présenter les saveurs de céréales à un néophyte. Elle est parfaite pour mieux comprendre le rôle des malts d'orge caramélisés dans une bière.

NOUVEAUTÉ DE CETTE ÉDITION

Rousse
Douce

	FAIBLE							FORT
Arrière-goût	1	1,5	2	2,5	3	3,5	4	4,5	5
Caractère	1	1,5	2	2,5	3	3,5	4	4,5	5
	FROIDE							TIÈDE
Température	1	1,5	2	2,5	3	3,5	4	4,5	5

RED ALE

DUMDUMINATOR — Les Brasseurs du Temps

341 ml   QUÉBEC   8 % alc./vol.

La bière préférée du maître brasseur Dominique Gosselin, tellement qu'il a décidé d'imprimer son meilleur profil dessus, tel un dictateur de vieille série télévisée des années 1980. Brassée par les Brasseurs du Nord sous la supervision des Brasseurs du Temps, vous la retrouvez dorénavant en 341 ml partout dans la province.

Épicerie   **Toute l'année**

Une mousse un peu fuyante laisse place à une bière rousse foncée, à la limite de la couleur brune. Au nez, des arômes de malt, de levure et d'épices se partagent la vedette. En bouche, la bière est ronde, alcoolisée et sa finale est courte. On y perçoit quand même une très légère amertume provenant du grain.

NOUVEAUTÉ DE CETTE ÉDITION

SUGGESTION

Un mijoté avec une viande de votre choix, ce qui compte, c'est la sauce, résultat d'une cuisson lente pendant quelques heures.

APPRÉCIATION

J'ai dégusté cette bière à toutes les étapes de sa vie. En tant que projet pilote avant l'ouverture de la brasserie, au premier brassin, aux brassins suivants, en bouteille de 750 ml et, aujourd'hui, en bouteille de 341 ml. Elle me semble dans son meilleur élément.

Rousse

Ronde

	FAIBLE							FORT
Arrière-goût	1	1,5	2	2,5	3	3,5	4	4,5	5
Caractère	1	1,5	2	2,5	3	3,5	4	4,5	5

	FROIDE							TIÈDE
Température	1	1,5	2	2,5	3	3,5	4	4,5	5

DOPPELWEIZENBOCK

L'AFFRIOLANTE

Le Bilboquet

500 ml	QUÉBEC	7 % alc./vol.

Bière forte au miel et aux épices, elle se classe dans la catégorie des Red Ales même si ses matières premières contiennent du miel et des épices.

Toute l'année   Épicerie

Sa couleur se rapproche d'une Rousse. Son effervescence est calme, la mousse est fugace. Au nez, des arômes de sucre, provenant fort probablement du miel et des céréales, se démarquent. À la première gorgée, la bière s'installe, laissant place à une finale courte et sucrée. Vous sentez quand même quelques notes d'épices dans un très long étalement, mais ce sont des notes discrètes.

SUGGESTION
Le plus vieux cheddar possible, les deux compères vont vous offrir une explosion de saveurs rondes et riches.

APPRÉCIATION
Douce et mielleuse, cette Affriolante porte bien son nom. On pense à une bière au caractère marqué et on découvre une douce et chaleureuse bière sans aucune amertume.

Rousse

Ronde

	FAIBLE							FORT
Arrière-goût	1	1,5	2	2,5	3	3,5	4	4,5	5
Caractère	1	1,5	2	2,5	3	3,5	4	4,5	5

	FROIDE							TIÈDE
Température	1	1,5	2	2,5	3	3,5	4	4,5	5

RED ALE

COLBORNE

Microbrasserie Le Naufrageur

| 500 ml | QUÉBEC | 5 % alc./vol. |

En hommage au *Colborne*, voilier de 350 tonnes qui s'échoua avec 40 caisses d'or destiné aux soldats anglais. Seuls six survivants eurent une vie très heureuse, sans que personne ne sache où est passé l'or.

Épicerie — Toute l'année

Dans une pinte, la bière s'exprime pleinement et son effervescence est des plus vives. La mousse se disperse lentement. Au nez, des notes de céréales caramélisées et de caramel appuient quelques saveurs de pain. En bouche, la bière est douce, laissant place à une finale légèrement amère.

SUGGESTION
Une chaudrée du pêcheur dans la Baie-des-Chaleurs.

APPRÉCIATION
Si vous cherchez une bière aux accents de caramel avec une amertume toute en finesse, la voici. Sympathique interprétation du style Red Ale, elle a tout pour plaire.

Rousse
Amère

RED ALE

	FAIBLE							FORT
Arrière-goût	1	1,5	2	2,5	3	3,5	4	4,5	5
Caractère	1	1,5	2	2,5	3	3,5	4	4,5	5

	FROIDE							TIÈDE
Température	1	1,5	2	2,5	3	3,5	4	4,5	5

ÉLÉONORE DE GRANDMAISON   Microbrasserie de l'Île d'Orléans

500 ml	QUÉBEC	5 % alc./vol.

Toutes les bières de cette brasserie portent le nom de personnalités de l'île. Je vous présente Éléonore de GrandMaison, une femme d'affaires qui eut quatre maris, dix enfants et un peuple de Hurons à protéger, foi de la brasserie.

Toute l'année   Épicerie

Une belle mousse légèrement crème se dresse au-dessus d'une bière aux profonds reflets rubis. Des arômes légers de caramel s'expriment, accompagnés de notes épicées. En bouche, la bière est mince et son étalement offre une amertume aux notes terreuses, typique d'un houblonnage anglais. La finale est longue, jusqu'à la prochaine gorgée.

SUGGESTION
Un ragoût d'agneau
bien assaisonné
et légèrement poivré.

APPRÉCIATION
Une Rousse au caractère
très britannique, aux
notes de caramel et à
l'houblonnage modéré,
qui plaira aux amateurs
de bières. À découvrir à
différentes températures
pour accentuer les notes
céréalières de la bière.

Rousse
Amère

RED ALE

	FAIBLE							FORT
Arrière-goût	1	1,5	▼2	2,5	3	3,5	4	4,5	5
Caractère	1	1,5	2	▼2,5	3	3,5	4	4,5	5

	FROIDE							TIÈDE
Température	1	1,5	2	2,5	▼3	3,5	4	4,5	5

FOUBLONNE

Le Trèfle Noir

500 ml	QUÉBEC	6,5 % alc./vol.

Située à Rouyn-Noranda, la brasserie Le Trèfle Noir vous offre une India Pale Ale aux inspirations américaines, soit légèrement plus houblonnée que ses cousines anglaises.

Épicerie   Toute l'année

Des arômes francs d'agrumes et de résine de houblon se démarquent au nez. En bouche, la bière est maltée et ronde, laissant place à une finale très résineuse sur une amertume compensée par le sucre résiduel de la bière. Quelques saveurs de caramel se pointent discrètement pendant la dégustation.

SUGGESTION
Un poulet au cari pas trop relevé et bien crémeux.

APPRÉCIATION
Même si elle ne ressemble pas à ses cousines américaines, son houblonnage intensif en fait une bière amère, épaulé par un sucre résiduel plus important que celui de la plupart des bières du même style.

Rousse

Amère

INDIA PALE ALE

	FAIBLE							FORT
Arrière-goût	1	1,5	2	2,5	3	3,5	4	4,5	5
Caractère	1	1,5	2	2,5	3	3,5	4	4,5	5

	FROIDE							TIÈDE
Température	1	1,5	2	2,5	3	3,5	4	4,5	5

GRIFFON ALE ROUSSE

McAuslan

341 ml	QUÉBEC	4,5 % alc./vol.

Contenant une faible quantité de blé grillé, cette Red Ale, plus connue sous le nom de Rousse, s'inspire des recettes des pays anglo-saxons.

Toute l'année   Épicerie

Une mousse riche et crémeuse s'installe rapidement au-dessus du verre pour laisser, tout aussi rapidement, de la place à une sublime dentelle surmontant cette bière aux couleurs rouge orangé. Au nez, des notes légères de caramel et de noix se font discrètes. En bouche, la bière est douce. Ses saveurs sont principalement dictées par les malts et céréales utilisés. L'amertume est légère, mais bien perceptible.

SUGGESTION

Un fish and chips maison, ce n'est pas si long à faire.

APPRÉCIATION

Voilà ce qu'on attend d'une Rousse. Une légère pointe de céréales et de caramel au nez, suivie d'une douceur rapidement épaulée par une amertume pas trop soutenue. Mission accomplie pour cette Griffon Rousse.

Rousse
Amère

	FAIBLE							FORT
Arrière-goût	1	1,5	2	2,5	3	3,5	4	4,5	5
Caractère	1	1,5	2	2,5	3	3,5	4	4,5	5
	FROIDE							TIÈDE
Température	1	1,5	2	2,5	3	3,5	4	4,5	5

RED ALE

247

SCIE TROUILLARDE DOUBLE   Les Brasseurs du Temps

750 ml	QUÉBEC	7 % alc./vol.

C'est l'histoire d'un brasseur qui avait envie
de rendre hommage à la tarte à la citrouille
de sa maman. Il brassa cette bière aux accents
de muscade, de cannelle, d'épices et de
vraie citrouille.

Épicerie   Automne

Une belle mousse invitante s'efface très lentement sur les parois du verre. La couleur se
rapproche de celle d'une Rousse. Au nez, la
bière rappelle les desserts d'automne, on y sent
la cannelle et la muscade. En bouche, le sucre
des céréales se réveille
très vite distancé par
une petite amertume
fort agréable.

SUGGESTION
Une tarte à la citrouille,
une boule de crème
glacée vanille et un
grand verre de Scie
Trouillarde Double.

APPRÉCIATION
Une des rares bières
d'automne qui ne tombe
pas dans la caricature des
bières sucrées. On aime
sa légère amertume qui
vient équilibrer les épices
et le sucre résiduel.

Rousse

Amère

BIÈRE AUX AROMATES

	FAIBLE							FORT
Arrière-goût	1	1,5	2	2,5	3	3,5	4	4,5	5
Caractère	1	1,5	2	2,5	3	3,5	4	4,5	5

	FROIDE							TIÈDE
Température	1	1,5	2	2,5	3	3,5	4	4,5	5

SIMPLE MALT ALTBIER

Brasseurs Illimités

341 ml	QUÉBEC	6,6 % alc./vol.

La gamme de produits Simple Malt se décline en plusieurs variétés de bières qui s'inspirent librement des styles historiques.

Toute l'année   Épicerie

Le superbe col de mousse disparaît rapidement, laissant place à une bière limpide d'une belle couleur bourgogne. Au nez, des notes de fruits secs et de pain toasté s'invitent sans prévenir. En bouche, la bière est sèche, laissant peu de place au sucre résiduel. Son amertume provient du malt et du houblon sélectionné.

SUGGESTION
Viandes blanches sur le BBQ, marinées dans une préparation à base de vinaigre de malt.

APPRÉCIATION
Si vous n'aimez pas les bières sucrées et caramélisées avec une amertume de houblon légèrement florale, cette bière est pour vous. Elle est tout le contraire et plaira aux amateurs qui veulent changer les sensations sur leurs papilles.

Rousse

Amère

	FAIBLE							FORT	
Arrière-goût	1	1,5	2	2,5	3	3,5	4	4,5	5
Caractère	1	1,5	2	2,5	3	3,5	4	4,5	5

	FROIDE							TIÈDE	
Température	1	1,5	2	2,5	3	3,5	4	4,5	5

ALT

CORNE DU DIABLE

Dieu du Ciel !

341 ml	QUÉBEC	6,5 % alc./vol.

Inspirée par ses consœurs de la côte ouest américaine, cette India Pale Ale est plus houblonnée et plus forte que ses cousines anglaises. Produit vedette au Brouepub de Montréal, il a fait la notoriété de la brasserie avant que celle-ci n'embouteille ses produits.

Épicerie	Toute l'année

Une mousse abondante prend d'assaut le verre, laissant place à une dentelle. La bière est rousse aux reflets acajou. Au nez, des notes résineuses et d'agrumes sont typiques des houblons utilisés. En bouche, la bière offre des saveurs de caramel très vite accompagnées d'une amertume loin d'être discrète.

SUGGESTION
Un plat épicé aux différents caris.

APPRÉCIATION
Valeur sûre dans votre frigo, cette Corne du Diable saura réveiller vos papilles à la première gorgée. Devenue la référence des American Pale Ales au Québec, elle a défini un nouveau style : les Quebec Pale Ales, à l'amertume franche mais au corps légèrement plus malté.

Rousse
Tranchante

INDIA PALE ALE

	FAIBLE							FORT
Arrière-goût	1	1,5	2	2,5	3	3,5	4	4,5 5
Caractère	1	1,5	2	2,5	3	3,5	4	4,5 5
	FROIDE							TIÈDE
Température	1	1,5	2	2,5	3	3,5	4	4,5 5

341 ml	QUÉBEC	6,3 % alc./vol.

India Pale Ale d'inspiration américaine, cette Ruine Papilles est l'une des premières bières embouteillées par la brasserie.

Toute l'année	Épicerie

Voilà une effervescence vive et pétillante, elle entretient une mousse riche et persistante. Sa couleur est acajou, assez rare pour ce style. Au nez, des effluves de houblon de la côte ouest américaine se démarquent. En bouche, l'amertume est présente et tranchante, laissant place à une longue finale amère.

SUGGESTION

Accompagnera parfaitement un plat indien aux chaudes saveurs épicées ou un fromage à pâte molle et à croûte lavée aux saveurs marquées.

APPRÉCIATION

Les amateurs d'India Pale Ale aromatique et amère apprécieront cette bière. Elle n'hésite pas dès la première gorgée et vous offre un tapis d'amertume du début à la fin.

Rousse

Tranchante

	FAIBLE							FORT
Arrière-goût	1	1,5	2	2,5	3	3,5	4	4,5	5
Caractère	1	1,5	2	2,5	3	3,5	4	4,5	5

	FROIDE							TIÈDE
Température	1	1,5	2	2,5	3	3,5	4	4,5	5

INDIA PALE ALE

251

ROUTE DES ÉPICES

Dieu du Ciel !

341 ml	QUÉBEC	5,3 % alc./vol.

Basée sur une Rye Pale Ale (bière de seigle), cette Route des épices est brassée avec du poivre lui donnant un caractère tout à fait particulier.

Épicerie	Toute l'année

Un nez de poivre se fait largement sentir. Il provient du poivre ajouté mais également du seigle utilisé pendant le brassage. En bouche, la bière est douce et développe des notes de caramel. La finale est poivrée sans pour autant être désagréable.

SUGGESTION

Utilisez cette bière pour réaliser un mijoté de bœuf. Succès garanti.

APPRÉCIATION

Même si la première version de cette bière était beaucoup plus poivrée et marquée, ce qui plaisait à beaucoup d'amateurs du genre, l'équilibre aujourd'hui atteint en fait une bière agréable et plus grand public. À essayer pour le plaisir de découvrir une création originale d'un de nos brasseurs québécois.

Rousse
Épicée

BIÈRE AUX AROMATES

	FAIBLE							FORT
Arrière-goût	1	1,5	2	2,5	3	3,5	4,5	5
Caractère	1	1,5	2	2,5	3	3,5	4,5	5

	FROIDE							TIÈDE
Température	1	1,5	2	2,5	3	3,5	4	4,5	5

VIN D'ORGE - ÉTOILE DU BRASSEUR

Pit Caribou

660 ml	QUÉBEC	9,8 % alc./vol.

Vin d'orge brassé avec une grande concentration d'orge fumée au bois de cerisier. Vieillie trois mois et houblonnée à froid avec du houblon Nelson Sauvin.

Toute l'année	Épicerie

Quand on m'offre une aussi belle mousse, je suis heureux. La bière est superbe. Au nez, des notes de fumée et de caramel sont présentes. En bouche, la bière est particulière, car ses notes fumées en font un produit assez atypique. Les amateurs apprécieront.

SUGGESTION
Tout ce qui sort du fumoir!

APPRÉCIATION
Une idée intéressante que de mélanger du malt fumé et des houblons très aromatiques, même si le houblon se fait un peu discret, submergé par les notes fumées de la bière.

NOUVEAUTÉ DE CETTE ÉDITION

Rousse · Fumée

	FAIBLE							FORT
Arrière-goût	1	1,5	2	2,5	3	3,5	4	4,5	5
Caractère	1	1,5	2	2,5	3	3,5	4	4,5	5
	FROIDE							TIÈDE
Température	1	1,5	2	2,5	3	3,5	4	4,5	5

BARLEY WINE

On les associe souvent aux bières les plus sucrées, mais ce n'est pas forcément vrai. Les bières brunes peuvent être brassées avec des céréales de couleur brune leur donnant des arômes de mélasse, de céréales cuites ou de chocolat. Elles peuvent également être brassées avec l'ajout de sucre candi ou de mélasse leur donnant des notes de sucre candi et de mélasse, tout simplement.

DOUCES

RONDES

BELLE GUEULE DUNKEL WEIZEN   Les Brasseurs h

| 341 ml | QUÉBEC | 5,8 % alc./vol. |

Dans la même famille que la fameuse Belle Gueule HefeWeizen, cette Dunkel Weizen vient compléter le trio disponible en carton de 6 partout au Québec. Pour amateurs de bières de blé allemandes.

| Épicerie | Toute l'année |

Une mousse crémeuse et légèrement de couleur crème se pose sur une bière d'une belle couleur brune. Au nez, la banane typique de la levure est présente mais loin d'être dominante. On y trouve également quelques notes de caramel. En bouche, la bière est légèrement fumée et sa finale est sur le sucre résiduel mais sans être trop ronde.

SUGGESTION
Un jambon à la bière cuit dans la même bière.

APPRÉCIATION
L'utilisation des malts cara-mels et malts bruns avec la levure typique employée par le brasseur donne un résultat très sympathique. J'apprécie la sensation en bouche et les notes de caramel qui s'offrent à la première gorgée.

Brune
Douce

DUNKEL WEIZEN

	FAIBLE							FORT
Arrière-goût	1	1,5	2	2,5	3	3,5	4	4,5	5
Caractère	1	1,5	2	2,5	3	3,5	4	4,5	5

	FROIDE							TIÈDE
Température	1	1,5	2	2,5	3	3,5	4	4,5	5

0 ml   QUÉBEC   6,5 % alc./vol.

Cette version de la Brune au Miel a été brassée à La Barberie de Québec dans un mouvement de solidarité à la suite de l'incendie qui a ravagé la brasserie. Un bel élan de générosité.

Toute l'année	Épicerie

Une mousse pleine de vitalité s'invite très rapidement dans le col du verre pour disparaître aussi vite. À la lumière, la bière offre des reflets acajou et une belle vitalité. Au nez, des arômes de mélasse et d'effluves sucrés se présentent sans excès. En bouche, la bière est douce et seule son effervescence, plus élevée qu'à l'habitude, vient troubler cette douceur et rondeur.

SUGGESTION

Un plat de gibier en sauce et une soirée d'automne entre amis.

APPRÉCIATION

Douce et ronde en entrée de bouche, elle se révèle un peu plus caractérielle à la seconde gorgée. Cette Brune douce au miel plaira aux convives qui veulent découvrir les saveurs habituelles des bières brunes, accompagnées d'une légère amertume provenant des houblons et des céréales choisis.

Brune

Douce

	FAIBLE							FORT
Arrière-goût	1	1,5	2	2,5	3	3,5	4	4,5	5
Caractère	1	1,5	2	2,5	3	3,5	4	4,5	5

	FROIDE							TIÈDE
Température	1	1,5	2	2,5	3	3,5	4	4,5	5

BROWN ALE

7

NECTAREÜS

Brasseurs du N

500 ml	QUÉBEC	6,5 % alc./

Inspirée des bières égyptiennes auxquelles on ajoutait du miel, cette brune au miel contient du miel de fleurs sauvages et des céréales grillées.

Épicerie	Toute l'année

Une mousse fuyante sur une bière d'un beau brun foncé. Au nez, des notes de biscuit à la mélasse et de miel en émanent. En bouche, la bière est douce et l'amertume de la céréale vient aviver le sucre résiduel. Une finale intéressante.

NOUVEAUTÉ
DE CETTE ÉDITION

SUGGESTION
Une bière parfaite pour un petit goûter composé de quelques biscuits maison.

APPRÉCIATION
Voilà une bière au miel qui ne tombe pas trop sur le cœur mais qui offre une riche finale entre l'amertume de la céréale et le sucre résiduel. Un produit très réussi.

Brune
Douce

BRUNE AU MIEL

	FAIBLE							FORT
Arrière-goût	1	1,5	2	2,5	3	3,5	4	4,5	5
Caractère	1	1,5	2	2,5	3	3,5	4	4,5	5

	FROIDE							TIÈDE
Température	1	1,5	2	2,5	3	3,5	4	4,5	5

ANTOINE PÉPIN DIT LACHANCE   Microbrasserie de l'Île d'Orléans

500 ml	QUÉBEC	8,5 % alc./vol.

Toutes les bières de cette brasserie portent le nom de personnalités de l'île. Je vous présente Antoine Pépin dit Lachance, qui fut poursuivi par la Cour du Canada pour avoir volé un orignal. Par chance, tout se régla à l'amiable.

Automne	Épicerie

Une belle mousse blanc cassé surplombe une bière aux couleurs brunes à reflet bourgogne. Des arômes de raisin sec se mêlent à ceux des céréales et du sucre. En bouche, la bière est ronde, appuyée par une effervescence soutenue. Sa finale est douce, offrant un étalement sur une amertume discrète et une légère âcreté.

SUGGESTION

Une bière qui accompagnera quelques cuisses de poulet, sauce BBQ, paprika et miel. À cuire sur le BBQ pour plus de saveurs.

APPRÉCIATION

Elle aime les palais sucrés, mais sa personnalité offre une légère acidité qui lui donne un équilibre fort apprécié. Son alcool chaleureux accompagne adéquatement les notes de céréales qui prédominent l'expérience de dégustation.

Brune
Ronde

WEIZEN BOCK

	FAIBLE							FORT
Arrière-goût	1	1,5	2	2,5	3	3,5	4	4,5	5
Caractère	1	1,5	2	2,5	3	3,5	4	4,5	5

	FROIDE							TIÈDE
Température	1	1,5	2	2,5	3	3,5	4	4,5	5

AVENTINUS

Schneider Weisse Gmb,

| 500 ml | ALLEMAGNE | 8,2 % alc./vol. |

Cette Doppelbock brassée selon la loi de la pureté est connue dans le monde entier pour sa rondeur et sa chaleur d'alcool.

| SAQ | Toute l'année |

De couleur brune, la bière est surplombée par une mousse de couleur beige qui a tendance à fuir rapidement. Au nez, des notes de fruits confits, de sucre et d'alcool se laissent découvrir. En bouche, la bière est douce et ronde, sans aucune amertume en finale.

SUGGESTION

Une viande rôtie tendrement, sans aucune sauce, et quelques légumes pour la bonne conscience.

APPRÉCIATION

Disponible dans de nombreuses SAQ, cette bière peut être consommée pendant un repas ou en digestif. Sa rondeur en fait une excellente alliée pour des fins de repas des plus conviviaux.

Brune

Ronde

	FAIBLE							FORT
Arrière-goût	1	1,5	2	2,5	3	3,5	4	4,5	5
Caractère	1	1,5	2	2,5	3	3,5	4	4,5	5

	FROIDE							TIÈDE
Température	1	1,5	2	2,5	3	3,5	4	4,5	5

ÉLLE GUEULE WEIZEN BOCK — Les Brasseurs RJ

341 ml	QUÉBEC	7,2 % alc./vol.

La plus alcoolisée de la gamme des Weizen de Belle Gueule. À la limite de la couleur noire, les malts foncés utilisés en grande quantité en font une bière haute en saveurs et riche en goût.

Toute l'année	Épicerie

Une mousse crémeuse et persistante attend que vous y posiez les lèvres. La bière est plus proche du noir que du brun. Au nez, des notes de caramel cuit et de biscuits aux bananes sont très intéressantes. En bouche, la bière est ronde, chaleureuse et une petite note d'alcool vient titiller vos papilles. La finale est pleine d'épices, de sucre et de banane.

SUGGESTION
Une pièce de viande cuite sur le BBQ, servie avec du gros sel et un excellent poivre blanc.

APPRÉCIATION
Voilà une bière qui ne laisse pas indifférent. Moins ronde que ses cousines Weizen Bock québécoises, elle ne cache cependant pas son sucre résiduel et son taux d'alcool. Un produit à essayer.

NOUVEAUTÉ DE CETTE ÉDITION

Brune / Ronde

	FAIBLE							FORT
Arrière-goût	1	1,5	2	2,5	3	3,5	4	4,5	5
Caractère	1	1,5	2	2,5	3	3,5	4	4,5	5

	FROIDE							TIÈDE
Température	1	1,5	2	2,5	3	3,5	4	4,5	5

WEIZENBOCK

CHIMAY BLEUE PÈRES TRAPPISTES

Chim

330 ml	BELGIQUE	9 % alc./vol

Cette Chimay bleue reste une des trois bières emblématiques de la célèbre brasserie trappiste : La Blanche, la Rouge et la Bleue.

SAQ	Toute l'année

Sa célèbre robe brune aux reflets acajou est connue. Son nez de sucre candi est signe d'une bière ronde. En bouche, elle ne déçoit pas, ses légères notes épicées se marient avec la rondeur des sucres résiduels et son effervescence marquée permet de lui offrir un équilibre et une finale chaleureuse.

SUGGESTION

Un fromage Chimay, fabriqué également sous contrôle de l'abbaye. Vous le trouverez dans certaines fromageries spécialisées.

APPRÉCIATION

Je ne vous cache pas que je fais preuve d'une grande subjectivité lorsque je parle de cette bière, car elle m'a vu grandir, elle fait donc presque partie de la famille. Vous aussi, placez-en quelques-unes à température de la cave et faites-vous plaisir de temps en temps.

Brune

Ronde

DOUBLE

	FAIBLE							FORT
Arrière-goût	1	1,5	2	2,5	3	3,5	4	4,5	5
Caractère	1	1,5	2	2,5	3	3,5	4	4,5	5

	FROIDE							TIÈDE
Température	1	1,5	2	2,5	3	3,5	4	4,5	5

La série Dominus Vobiscum, signifiant «Que le Seigneur soit avec vous» en latin, est un clin d'œil aux nombreuses bières d'abbaye en Belgique. Toute la gamme Dominus Vobiscum offre des bières d'inspiration belge.

Toute l'année | Épicerie

Une superbe mousse crémeuse se profile dès les premières gouttes. Sa couleur brune est magnifique. Au nez, c'est un mélange d'épices et de fruits confits qui se présente. En bouche, la bière offre des saveurs épicées et une rondeur d'alcool loin d'être désagréables et fort probablement accentuées par un sucre résiduel loin d'être timide. Sa finale est courte, laissant place à la chaleur de l'alcool et aux notes épicées en rétro-olfaction.

SUGGESTION

Un fromage bleu affiné quelques mois et au caractère prononcé.

APPRÉCIATION

Légèrement plus épicée que ses cousines belges, cette Double partage cependant une rondeur et une densité marquées dès la première gorgée. Les amateurs de bières de caractère seront comblés.

Brune

Ronde

	FAIBLE							FORT
Arrière-goût	1	1,5	2	2,5	3	3,5	4	4,5	5
Caractère	1	1,5	2	2,5	3	3,5	4	4,5	5
	FROIDE							TIÈDE
Température	1	1,5	2	2,5	3	3,5	4	4,5	5

DOUBLE

DOMINUS VOBISCUM HIBERNUS   Microbrasserie Chan.

750 ml	QUÉBEC	10 % alc./v

La série Dominus Vobiscum, signifiant « Que le Seigneur soit avec vous » en latin, est un clin d'œil aux nombreuses bières d'abbaye en Belgique. Toute la gamme Dominus Vobiscum offre des bières d'inspiration belge.

Épicerie   Toute l'année

Ses reflets acajou accompagnés d'une superbe dentelle sont très invitants. Au nez, des notes de sucre candi et d'épices sont très fidèles au style. En bouche, la bière est ronde et chaleureuse. On y perçoit quelques subtiles notes de fruits confits.

L'alcool domine du haut de ses 10 % et vous offre une finale douce et ronde. Un pur bonheur.

SUGGESTION
Une tarte au sirop d'érable.

APPRÉCIATION
Une superbe interprétation du style Quadruple. Ronde et chaleureuse, cette Hibernus offre une expérience qui plaira aux amateurs de bières avec du caractère, mais sans amertume. À garder dans son cellier à bière et à boire sans laisser vieillir, la bière est bien trop subtile.

Brune
Ronde

	FAIBLE								FORT
Arrière-goût	1	1,5	2	2,5	3	3,5	4	4,5	5
Caractère	1	1,5	2	2,5	3	3,5	4	4,5	5

	FROIDE								TIÈDE
Température	1	1,5	2	2,5	3	3,5	4	4,5	5

QUADRUPLE

ÉQUINOXE DU PRINTEMPS

Dieu du Ciel !

| 341 ml | QUÉBEC | 9,1 % alc./vol. |

Équinoxe du printemps est une Scotch Ale brassée avec du sirop d'érable et soulignant le temps des sucres au Québec.

Printemps   Épicerie

Une mousse riche et crémeuse vous accompagne jusqu'à ce que vous y trempiez les lèvres. La couleur acajou est superbe et représente très bien le style. Au nez, des notes de caramel et de tire d'érable se manifestent. En bouche, la légère amertume du caramel se manifeste, suivie de notes de sucre d'érable et d'alcool. Une Scotch Ale puissante.

SUGGESTION
Quitte à faire exploser les papilles, une tarte au sirop d'érable pendant le temps des sucres. Au diable les résolutions.

APPRÉCIATION
Cette Scotch Ale étonne par la puissance des saveurs et arômes de sucre caramélisé qu'elle propose. Légèrement plus forte de caractère que ses cousines belges, elle plaira aux consommateurs qui apprécient la tire d'érable.

Brune

Ronde

	FAIBLE						FORT	
Arrière-goût	1	1,5	2	2,5	3	3,5	4	4,5	5
Caractère	1	1,5	2	2,5	3	3,5	4	4,5	5

	FROIDE						TIÈDE	
Température	1	1,5	2	2,5	3	3,5	4	4,5	5

SCOTCH ALE

GRANDE RÉSERVE 17

Unibro.

750 ml	QUÉBEC	10 % alc./vol.

Même si en 2010, dans le cadre du *World Beer Awards* à Londres, la Unibroue 17 a été consacrée une des meilleures bières du monde, elle n'était plus disponible. La brasserie propose aujourd'hui la Grande Réserve 17, disponible partout en Amérique du Nord.

Épicerie	Toute l'année

Belle couleur brun acajou sous une mousse persistante. Au nez, des arômes légèrement boisés et vanillés sont présents provenant des copeaux de chêne français que la brasserie ajoute pendant la garde. En bouche, la bière est ronde et chaleureuse sur une finale très légèrement amère, mais très vite rattrapée par l'alcool. Ses notes vanillées et boisées vous accompagnent tout au long de la dégustation.

SUGGESTION
Une dégustation verticale de Grande Réserve 17, une des très rares bières au potentiel intéressant de vieillissement.

APPRÉCIATION
Un grand cru d'Unibroue, reconnu mondialement par l'ensemble de la communauté brassicole. Une bière à garder dans son cellier et à ouvrir chaque année. Achetez-en trois pour chaque millésime.

Brune

Ronde

QUADRUPLE

	FAIBLE							FORT
Arrière-goût	1	1,5	2	2,5	3	3,5	4	4,5	5
Caractère	1	1,5	2	2,5	3	3,5	4	4,5	5

	FROIDE							TIÈDE
Température	1	1,5	2	2,5	3	3,5	4	4,5	5

Microbrasserie du Lac Saint-Jean

| JO ml | QUÉBEC | 7,8 % alc./vol. |

S'inspirant des légendes et histoires de la région du Lac-Saint-Jean, la brasserie rend hommage à Gros Mollet, un illustre personnage de la région. Cette Double est également disponible en plusieurs versions millésimées à la brasserie.

| Toute l'année | Épicerie |

Une belle mousse laissant une dentelle sur le verre surplombe une bière aux reflets caramel. Au nez, les arômes de caramel sont dominants. En bouche, la bière est ronde et l'alcool domine les saveurs. La finale est principalement dictée par les sucres résiduels et le taux d'alcool.

SUGGESTION

Une fondue au fromage au vin blanc. La légère acidité du vin blanc équilibrera parfaitement ce mariage aux accents réconfortants.

APPRÉCIATION

Une Double à l'esprit belge. Des notes très sucrées sur une base alcoolisée assez imposante pour offrir de la rondeur, mais pas trop lourdes pour masquer les saveurs des céréales. Idéale pour une dégustation à l'aveugle avec quelques cousines belges.

Brune

Ronde

	FAIBLE							FORT
Arrière-goût	1	1,5	2	2,5	3	3,5	4	4,5	5
Caractère	1	1,5	2	2,5	3	3,5	4	4,5	5
	FROIDE							TIÈDE
Température	1	1,5	2	2,5	3	3,5	4	4,5	5

DOUBLE

LA CORNE ET LA MUSE Les Brasseurs du T...

750 ml	QUÉBEC	9 % alc./v

Les Brasseurs du Temps est réputé pour brasser des bières pleines d'envergure, comprendre bien maltées et alcoolisées. Cette Scotch Ale n'échappe pas à la règle.

Épicerie	Toute l'année

Lorsque les rayons de soleil traversent sa robe, elle vous offre de belles couleurs acajou surmontées par une mousse riche et crémeuse. Au nez, des notes de sucre candi et de tourbe. On soupçonne un peu d'ajout de malt fumé dans la recette.

En bouche, la bière est ample et sa finale est complexe. Noisettes, tourbe, caramel, sucre candi s'étalent jusqu'à la prochaine gorgée.

SUGGESTION
Trouvez-vous un superbe gâteau aux carottes et faites-vous plaisir.

APPRÉCIATION
Scotch Ale légèrement plus alcoolisée que ses cousines du même style ; le maître brasseur a réussi l'exploit d'offrir un produit très complexe avec un taux d'alcool et une base maltée aussi puissante. À boire tranquillement…

Brune

Ronde

SCOTCH ALE

Arrière-goût	FAIBLE								FORT
	1	1,5	2	2,5	3	3,5	4	4,5	5

Caractère									
	1	1,5	2	2,5	3	3,5	4	4,5	5

Température	FROIDE								TIÈDE
	1	1,5	2	2,5	3	3,5	4	4,5	5

LA GRIVOISE DE NOËL

Le Trou du diable

500 ml	QUÉBEC	7,5 % alc./vol.

Les bières de Noël sont, en règle générale, des bières fortes que l'on offrait aux meilleurs clients et au personnel de la brasserie. Dans ce cas-ci, il s'agit de l'adaptation de la Grivoise Double, disponible en fût à la brasserie.

Automne	Épicerie

Quelques reflets acajou viennent agacer cette Brune au col discret. Au nez, des saveurs chaudes d'épices et d'alcool se manifestent. En bouche, la bière est douce et chaleureuse. La finale est sous le signe des épices, sans pour autant être amère ou acidulée.

SUGGESTION

Un feu et un père Noël qui passera dans la nuit.

APPRÉCIATION

Une bière de Noël aussi sympathique mérite de partager la veillée de Noël avec vous. Servie à la température de la cave, elle vous aidera à attendre patiemment l'arrivée du père Noël. Chaque automne, j'en ai toujours quelques-unes dans ma cave.

Brune
Ronde

	FAIBLE							FORT
Arrière-goût	1	1,5	2	2,5	3	3,5	4	4,5	5
Caractère	1	1,5	2	2,5	3	3,5	4	4,5	5

	FROIDE							TIÈDE
Température	1	1,5	2	2,5	3	3,5	4	4,5	5

LA MESSE DE MINUIT

Les Brasseurs du Temps

750 ml	QUÉBEC	9 % alc./vol.

La brasserie la qualifie de « Bière de Noël », je préfère la qualifier de Double et indiquer qu'elle est brassée avec des épices que l'on retrouve dans les bières dites « de Noël » Brunes (anis, clou de girofle, etc.).

Épicerie   **Hiver**

Sentez-vous ces arômes d'anis, de sucre et de fruits confits ? On ne peut les manquer. En bouche, la bière offre de la douceur et de la rondeur. Ses épices se manifestent à nouveau en rétro-olfaction pour vous laisser sur une note très chaleureuse d'alcool.

SUGGESTION
À boire en digestif pendant la période de Noël accompagnée d'un gâteau au fromage.

APPRÉCIATION
Une bière de Noël comme je les aime, ses épices sont chaudes et chaleureuses, et son taux d'alcool est loin d'être timide. Sa finale est ronde et sur les notes épicées. Un produit à découvrir et à conserver jusqu'à Noël prochain.

Brune

Ronde

DOUBLE

	FAIBLE							FORT
Arrière-goût	1	1,5	2	2,5	3	3,5	4	4,5	5
Caractère	1	1,5	2	2,5	3	3,5	4	4,5	5

	FROIDE							TIÈDE
Température	1	1,5	2	2,5	3	3,5	4	4,5	5

LA RUÉE VERS GOULD

Multi-Brasses

| 341 ml | QUÉBEC | 6,5 % alc./vol. |

Brassée pour le restaurant La Ruée vers Gould situé à Gould, village d'origine écossaise, cette Scotch Ale contient du miel et du malt fumé.

| Toute l'année | Épicerie |

Une mousse fuyante laisse place à une bière d'un beau brun acajou. Au nez, des notes de levure, de malt caramel et d'épices se démarquent. En bouche, la bière est ronde et plus effervescente que ce à quoi je m'attendais. L'ajout de miel et de malt fumé est discret. La finale est sur l'alcool et le sucre candi.

SUGGESTION
Un soufflé au fromage.

APPRÉCIATION
Une bière Scotch Ale moins lourde et ronde que ses cousines québécoises, et qui laisse place à des notes de malt caramel fort sympathiques.

NOUVEAUTÉ
DE CETTE ÉDITION

Brune

Ronde

	FAIBLE							FORT
Arrière-goût	1	1,5	2	2,5	3	3,5	4	4,5	5
Caractère	1	1,5	2	2,5	3	3,5	4	4,5	5

	FROIDE							TIÈDE
Température	1	1,5	2	2,5	3	3,5	4	4,5	5

SCOTCH ALE

L'ASSOIFFÉE 8

Brasseurs du Monde

341 ml	QUÉBEC	6,5 % alc./vol.

Un hommage aux moines trappistes qui brassent de la bière depuis des siècles. L'Assoiffée 8 fait partie de la gamme Assoiffée. Vous pouvez aussi retrouver la 6, 10 et 12.

Épicerie	Toute l'année

La couleur rouge acajou est superbe. Les bulles s'amusent à entretenir la mousse riche et crémeuse. Elle surmonte la bière et ne bouge pas, signe d'une belle vitalité. Au nez, des notes de sucre candi, de noix et de pruneaux confits sont invitantes. En bouche, elle est ronde et maltée. Son amertume est douce, laissant place à beaucoup de rondeur.

SUGGESTION
Le Louis d'Or de la Fromagerie du Presbytère. Cette magnifique tomme de type jurassien offre des notes fruitées et de noisettes que la bière appréciera particulièrement pour le plus grand plaisir de vos papilles.

APPRÉCIATION
Moins complexe que ses cousines belges, cette Assoiffée 8 n'a cependant rien à envier aux Doubles brassées en Belgique. Son corps rond et moelleux accompagne vos fins de soirée et ses saveurs discrètes plairont aux amateurs qui découvrent le style.

Brune

Ronde

DOUBLE

	FAIBLE								FORT
Arrière-goût	1	1,5	2	2,5	3	3,5	4	4,5	5
Caractère	1	1,5	2	2,5	3	3,5	4	4,5	5

	FROIDE								TIÈDE
Température	1	1,5	2	2,5	3	3,5	4	4,5	5

L'ASSOIFFÉE 12

Brasseurs du Monde

341 ml	QUÉBEC	11 % alc./vol.

Cette Assoiffée 12 est la plus forte de la gamme des Assoiffées. Le chiffre 12 fait référence à une ancienne échelle de mesure de la densité de la bière en Belgique.

Toute l'année   Épicerie

Une mousse abondante remplit votre verre. La bière est très dynamique. Au nez, ce sont les épices qui se manifestent en premier, suivies d'arômes de levure. En bouche, la bière est ronde, avec une bonne dose de sucre résiduel. L'alcool offre une petite pointe d'amertume, mais la rondeur domine.

SUGGESTION

Un de vos cigares préférés.

APPRÉCIATION

On n'est pas tout à fait dans le style Quadruple, car son nez d'épices est un petit peu trop marqué pour le genre, mais le produit final est intéressant et original. À découvrir à la température de la cave, elle n'en sera que meilleure.

NOUVEAUTÉ DE CETTE ÉDITION

Brune
Ronde

	FAIBLE							FORT
Arrière-goût	1	1,5	2	2,5	3	3,5	4	4,5	5
Caractère	1	1,5	2	2,5	3	3,5	4	4,5	5
	FROIDE							TIÈDE
Température	1	1,5	2	2,5	3	3,5	4	4,5	5

QUADRUPLE

LEFFE BRUNE

Ab Inbev

330 ml	BELGIQUE	6,5 % alc./vol.

La gamme de produits Leffe comprend les bières d'abbaye les plus connues dans le monde. Une bière d'abbaye est une bière associée à une congrégation religieuse soit par son nom, sa recette ou la représentation d'un élément spirituel sur l'étiquette.

Épicerie	Toute l'année

De couleur brune aux reflets acajou, cette Leffe Brune présente une mousse riche prenant ses aises dans le verre. Des notes de sucre candi brun vous sautent au nez. En bouche, elle est douce et sucrée laissant très peu de place à l'amertume. Sa finale courte est sous le signe du sucre candi.

SUGGESTION

Le poulet du général Tao, sur fond de saveurs aigres-douces, appréciera les notes douces de la Leffe.

APPRÉCIATION

Disponible pratiquement partout sur la planète, la Leffe brune est une excellente complice à faible coût pour passer quelques soirées automnales. Son caractère doux et sucré plaira aux personnes qui n'aiment pas les bières amères.

Brune

Ronde

DOUBLE

	FAIBLE							FORT
Arrière-goût	1	1,5	2	2,5	3	3,5	4	4,5	5
Caractère	1	1,5	2	2,5	3	3,5	4	4,5	5

	FROIDE							TIÈDE
Température	1	1,5	2	2,5	3	3,5	4	4,5	5

LOUIS GABORIT   Microbrasserie de l'Île d'Orléans

500 ml	QUÉBEC	9 % alc./vol.

Toutes les bières de cette brasserie portent le nom de personnalités de l'île. Je vous présente Louis Gaborit, un bon vivant qui était tellement gourmand qu'il mangea de la viande pendant le carême et fut dénoncé devant l'église par son voisin. Une autre époque…

Printemps   Épicerie

De couleur brun acajou, cette Double au sirop d'érable offre des arômes de cassonade et de sirop d'érable. En bouche, la bière est ronde et sa finale est principalement axée sur sa densité résiduelle et son alcool. Une bière au caractère sucré.

SUGGESTION
Un gâteau au fromage et un coulis au sirop d'érable.

APPRÉCIATION
Une fois n'est pas coutume, cette bière réussira à merveille à accompagner vos soirées du printemps. Son corps chaleureux et son sucre résiduel en font une excellente complice pour les soirées à la cabane à sucre. Une bière de printemps.

Brune

Ronde

	FAIBLE							FORT
Arrière-goût	1	1,5	2	2,5	3	3,5	4	4,5	5
Caractère	1	1,5	2	2,5	3	3,5	4	4,5	5

	FROIDE							TIÈDE
Température	1	1,5	2	2,5	3	3,5	4	4,5	5

DOUBLE

NUIT D'AUTOMNE

Frampton Brasse

341 ml	QUÉBEC	10 % alc./vol.

Frampton Brasse utilise un système de décoction, assez rare en Amérique du Nord. Cette Quadruple est un hommage à ses cousines belges.

Épicerie · Toute l'année

D'une belle couleur brun acajou, la bière est surmontée par une mousse discrète. Au nez, des notes de mélasse et de banane cuite sont intéressantes. En bouche, la bière est chaleureuse et corpulente. Son taux d'alcool se fait bien sentir. Une bière offrant une finale légèrement amère mais principalement sucrée.

SUGGESTION
Un muffin au chocolat et à la banane juste sorti du four avec un peu de beurre mi-salé.

APPRÉCIATION
J'ai déjà senti ce nez, il me rappelle la Rochefort 10 lorsqu'elle est fraîche. Le corps, quant à lui, est légèrement plus malté. À consommer après un BBQ, juste avant d'allumer le feu de camp.

Brune

Ronde

QUADRUPLE

	FAIBLE							FORT
Arrière-goût	1	1,5	2	2,5	3	3,5	4	4,5	5
Caractère	1	1,5	2	2,5	3	3,5	4	4,5	5

	FROIDE							TIÈDE
Température	1	1,5	2	2,5	3	3,5	4	4,5	5

RIGOR MORTIS ABT

Dieu du Ciel !

341 ml	QUÉBEC	10,5 % alc./vol.

Elle s'inspire des bières trappistes belges et de leurs bières rondes, sucrées et très peu amères. La brasserie vous conseille de la garder pendant quelques mois avant de la boire.

Toute l'année   Épicerie

Une belle dentelle se forme sur le verre. La couleur est sublime et correspond tout à fait au style, brune aux reflets acajou. Les arômes sont ceux du sucre candi et d'épices provenant fort probablement des esters de la levure. En bouche, la bière est ronde et sa finale est courte, laissant place à une petite pointe acidulée qui équilibre son taux d'alcool puissant.

SUGGESTION

Une carbonnade fla- mande, le fameux mijoté de bœuf belge que vous aurez cuisiné avec la même bière.

APPRÉCIATION

Moins liquoreuses que certaines Quadruples disponibles sur le mar- ché, cette Rigor Mortis offre une finale légère- ment plus acidulée que ses cousines belges. Son

corps est cependant très malté et sucré. Une bière légèrement plus complexe qu'à l'habitude.

Brune

Ronde

	FAIBLE							FORT
Arrière-goût	1	1,5	2	2,5	3	3,5	4	4,5	5
Caractère	1	1,5	2	2,5	3	3,5	4	4,5	5

	FROIDE							TIÈDE
Température	1	1,5	2	2,5	3	3,5	4	4,5	5

QUADRUPLE

ROCHEFORT 8 — Abbaye Notre-Dame de Saint-Rémy

330 ml	BELGIQUE	9,2 % alc./vol.

Volontairement limitée, la production des bières Rochefort est une des plus petites des abbayes trappistes qui ont fait la renommée des bières belges.

SAQ	Toute l'année

Une belle couleur brune que cette Double mondialement reconnue. Au nez, des arômes de sucre candi se démarquent. En bouche, la bière est effervescente et sa finale est douce, laissant un peu de place à une amertume légère et sèche provenant des houblons sélectionnés.

SUGGESTION

Un fromage trappiste, disponible dans les fromageries spécialisées.

APPRÉCIATION

Ma préférée de la gamme Rochefort, cette 8 a le mérite d'offrir un équilibre entre la rondeur des sucres résiduels, l'amertume et la chaleur de l'alcool. À déguster absolument.

Brune

Ronde

DOUBLE

	FAIBLE							FORT
Arrière-goût	1	1,5	2	2,5	3	3,5	4	4,5	5
Caractère	1	1,5	2	2,5	3	3,5	4	4,5	5

	FROIDE							TIÈDE
Température	1	1,5	2	2,5	3	3,5	4	4,5	5

ROCHEFORT 10 — Abbaye Notre-Dame de Saint-Rémy

330 ml	BELGIQUE	11,3 % alc./vol.

Volontairement limitée, la production des bières Rochefort est une des plus petites des abbayes trappistes qui ont fait la renommée des bières belges.

Toute l'année   SAQ

Une superbe couleur brun acajou se dévoile. Au nez, des arômes de fruits confits, de banane mûre et d'alcool se manifestent. En bouche, la bière est ronde et chaleureuse. L'amertume est très légère, signe particulier des bières belges.

SUGGESTION
À boire fraîche
près de l'abbaye.

APPRÉCIATION
Il y a peu de bières qui ont forgé mon caractère d'expert en bière et la Rochefort 10 en est une. Je le conçois, je suis donc subjectif face à cette bière, mais, qu'à cela ne tienne, elle est très bonne de toute façon…

Brune

Ronde

QUADRUPLE

	FAIBLE							FORT
Arrière-goût	1	1,5	2	2,5	3	3,5	4	4,5	5
Caractère	1	1,5	2	2,5	3	3,5	4	4,5	5

	FROIDE							TIÈDE
Température	1	1,5	2	2,5	3	3,5	4	4,5	5

SIMPLE MALT SCOTCH ALE · Brasseurs Illimités

341 ml · QUÉBEC · 8,2 % alc./vol.

La gamme de produits Simple Malt se décline en plusieurs variétés de bières qui s'inspirent librement des styles historiques, tout en offrant une expérience proche des saveurs et arômes.

Épicerie · Toute l'année

Plus sombre que ses cousines belges, cette Scotch Ale développe des arômes de sucre candi et de caramel brun. En bouche, la caramélisation des sucres est flagrante et domine les saveurs. La finale est courte mais principalement influencée par la force de caractères des différentes saveurs sucrées et maltées.

SUGGESTION
Un fromage à pâte molle et à croûte lavée aux saveurs de beurre et de crème. Un mariage sucré-salé.

APPRÉCIATION
Forte de caractère, cette Scotch Ale est en fait une Wee Heavy, elle est plus caramélisée que ses cousines belges et légèrement plus épicée, fort probablement à cause de la levure utilisée. Attention, Scotch Ale de caractère.

Brune
Ronde

SCOTCH ALE

	FAIBLE								FORT
Arrière-goût	1	1,5	2	2,5	3	3,5	4	4,5	5
Caractère	1	1,5	2	2,5	3	3,5	4	4,5	5

	FROIDE								TIÈDE
Température	1	1,5	2	2,5	3	3,5	4	4,5	5

TERRIBLE

Unibroue

| 750 ml | QUÉBEC | 10,5 % alc./vol. |

Tout d'abord disponible dans le réseau des SAQ, elle a ensuite été disponible uniquement aux États-Unis avant de revenir au Canada, pour le plus grand plaisir des amateurs. Un classique de chez Unibroue.

Toute l'année   Épicerie

Brune aux reflets bourgogne, la Terrible développe des arômes de fruits confits et de sucre candi. La bière est ronde grâce à une chaleureuse dose d'alcool épaulée par un sucre résiduel puissant, mais loin d'être trop présent. Sa finale est sous le charme de l'alcool puissant et généreux.

SUGGESTION
Un bleu d'Auvergne aux notes crémeuses et au caractère bien défini.

APPRÉCIATION
Se voulant ronde et chaleureuse, cette Terrible, libre interprétation du style Quadruple, plaira aux amateurs de bières sans amertume et à l'alcool dominant. Une bière digestive à découvrir si vous ne l'avez pas encore dans votre cellier.

Brune

Ronde

	FAIBLE							FORT
Arrière-goût	1	1,5	2	2,5	3	3,5	4	4,5	5
Caractère	1	1,5	2	2,5	3	3,5	4	4,5	5

	FROIDE							TIÈDE
Température	1	1,5	2	2,5	3	3,5	4	4,5	5

TROIS PISTOLES

Unibroue

750 ml	QUÉBEC	9 % alc./vol.

À Trois-Pistoles, sur un des murs de l'église, il manque une pierre et gare à celui qui finira la construction de l'église, le cheval noir reviendra le hanter.

Épicerie	Toute l'année

Une mousse fugace laisse place à une bière brune aux reflets acajou. Des arômes de sucre candi, d'épices et de caramel se dégagent. Dès la première gorgée, la bière est douce et sa carbonatation, légèrement plus prononcée que chez ses cousines du même style, diminue l'influence des sucres résiduels sur le palais. La finale s'étire sur le sucre et l'alcool, même si celui-ci est moins perceptible que chez certaines bières du même style.

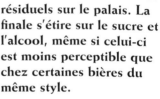

SUGGESTION
Quelques fromages bleus aux profils différents et aux arômes prononcés. N'oubliez pas les noix de pacane caramélisées au sirop d'érable.

APPRÉCIATION
Même si elle propose un taux d'alcool avoisinant le 10 %, elle offre un corps et une finale beaucoup plus douces que ses cousines nord-américaines. Plus proche d'une Quadruple belge, elle accompagne à merveille les fromages bleus puissants.

Brune

Ronde

QUADRUPLE

	FAIBLE							FORT
Arrière-goût	1	1,5	2	2,5	3	3,5	4	4,5	5
Caractère	1	1,5	2	2,5	3	3,5	4	4,5	5

	FROIDE							TIÈDE
Température	1	1,5	2	2,5	3	3,5	4	4,5	5

WEIZENBOCK

Les Trois Mousquetaires

750 ml	QUÉBEC	10,5 % alc./vol.

La gamme Grande Cuvée propose des bières inspirées des grands styles historiques. Traditionnellement brassées en Allemagne, les Weizenbocks sont des bières brunes de blé plus fortes que leurs cousines Dunkel Weizens.

Toute l'année	Épicerie

Une belle couleur brun acajou se dessine dans le verre. La mousse est bien présente mais se fait discrète très rapidement. Au nez, des notes légèrement vineuses sont présentes, laissant place à quelques saveurs de fruits confits. En bouche, la bière est ronde et chaleureuse. Très peu d'amertume couvre la richesse de l'alcool.

SUGGESTION
Un fromage bleu dans toute sa splendeur et ses arômes.

APPRÉCIATION
Voilà une bière digestive qui plaira à l'amateur de bières rondes et chaleureuses. Son alcool, très bien présent, est agréablement balancé avec les notes légèrement plus acidulées du blé. Une bière à avoir dans sa cave et à servir à cette température.

Brune

Ronde

	FAIBLE							FORT
Arrière-goût	1	1,5	2	2,5	3	3,5	4	4,5	5
Caractère	1	1,5	2	2,5	3	3,5	4	4,5	5

	FROIDE							TIÈDE
Température	1	1,5	2	2,5	3	3,5	4	4,5	5

DOPPELBOCK

Les Trois Mousquetaires

750 ml	QUÉBEC	8,6 % alc./vol.

Lager brune forte brassée autrefois pour remplacer les aliments solides pendant la période de carême dans les monastères et abbayes bavarois, cette Doppelbock offre une amertume moyenne.

Épicerie	Toute l'année

À l'œil, la bière offre des beaux reflets bourgogne très communs dans les brunes rondes. Les arômes de mélasse et fruits séchés sont très agréables. En bouche, la bière est liquoreuse et l'alcool y est très chaleureux. Une belle densité résiduelle offre une impression très agréable de boisson liquoreuse si vous la servez à une température proche de 14 °C.

SUGGESTION

Des viandes rôties sur le BBQ, un soir de printemps, avec un petit peu de fleur de sel en fin de cuisson. Le mariage sera parfait.

APPRÉCIATION

Douce, chaleureuse et liquoreuse, cette magnifique Doppelbock accompagnera votre premier BBQ quand les soirées sont encore légèrement fraîches. À défaut de faire le carême, accompagnez-la d'une superbe pièce de viande cuite sur du charbon de bois.

Brune
Liquoreuse

	FAIBLE							FORT
Arrière-goût	1	1,5	2	2,5	3	3,5	4	4,5	5
Caractère	1	1,5	2	2,5	3	3,5	4	4,5	5

	FROIDE							TIÈDE
Température	1	1,5	2	2,5	3	3,5	4	4,5	5

EISBOCK

Alchimiste

341 ml	QUÉBEC	9,5 % alc./vol.

Développée en 2006, cette Eisbock avait surpris les amateurs, car le style était peu commun à l'époque. On gèle la bière pour en retirer les cristaux de glace et augmenter le taux d'alcool.

Toute l'année	Épicerie

À la couleur, on se rapproche des bières brunes aux reflets acajou très communes en Europe. Au nez, des notes puissantes de sucre et d'alcool se dégagent. En bouche, la bière est liquoreuse et puissante. Sa finale est sur l'amertume, très vite rattrapée par une incroyable densité et une douceur du sucre.

SUGGESTION
À faire réduire lentement à feu doux et à verser sur une boule de crème glacée à la vanille.

APPRÉCIATION
Une Eisbock aussi intéressante et à ce prix est une aubaine. Au cours des années, elle a su évoluer et offrir une des très rares bières liquoreuses au Québec qui se permet de vous émoustiller les papilles avec une densité résiduelle aussi imposante.

Brune
Liquoreuse

	FAIBLE							FORT
Arrière-goût	1	1,5	2	2,5	3	3,5	4	4,5	5
Caractère	1	1,5	2	2,5	3	3,5	4	4,5	5

	FROIDE							TIÈDE
Température	1	1,5	2	2,5	3	3,5	4	4,5	5

MAC KROKEN FLOWER

Le Bilboquet

500 ml	QUÉBEC	10,8 % alc./vol.

Brassée avec du miel de fleurs sauvages, cette Scotch Ale est l'idée originale d'un brasseur amateur (Jan Philippe Barbeau) qui remporta un concours il y a quelques années. Aujourd'hui Jan Philippe est copropriétaire brasseur du Loup Rouge à Sorel.

Épicerie	Toute l'année

La couleur brun acajou de cette bière invite à y tremper les lèvres. Des arômes de miel et d'alcool se démarquent franchement. À la première gorgée, la bière est liquoreuse et l'alcool explose en bouche. À servir à température cave, c'est une liqueur de malt.

SUGGESTION
En digestif, juste avant d'aller dormir et faire de beaux rêves.

APPRÉCIATION
Cette Mac Kroken Flower a beaucoup d'histoire pour une si jeune bière. Et sa réputation n'est pas surfaite. J'aime cette liqueur de bière qui vous submerge sans avoir l'intention de vous libérer.

Brune
Liquoreuse

SCOTCH ALE

	FAIBLE							FORT
Arrière-goût	1	1,5	2	2,5	3	3,5	4	4,5	5
Caractère	1	1,5	2	2,5	3	3,5	4	4,5	5

	FROIDE							TIÈDE
Température	1	1,5	2	2,5	3	3,5	4	4,5	5

MAC KROKEN FLOWER GRANDE RÉSERVE   Le Bilboquet

.750 ml	QUÉBEC	10,8 % alc./vol.

Vieillie 4 mois dans des fûts de chêne, cette Mac Kroken Flower Grande Réserve est la version murie de la Mac Kroken Flower disponible en format de 500 ml.

Toute l'année   **Épicerie**

Une belle Brune à reflet bourgogne. Au nez, des notes pâtissières se présentent sans complexe : miel, vanille et sucre candi. En bouche, la bière est liquoreuse et sa chaleureuse empreinte d'alcool vient envelopper les papilles. Le vieillissement en fût de bois lui offre une finale légèrement plus vanillée.

SUGGESTION

Deux boules de crème glacée à la vanille, un sirop de chocolat maison et quelques cuillères à partager entre amis.

APPRÉCIATION

Sans complexe, cette Imperial Scotch Ale rend hommage aux bières au caractère bien plus prononcé que les styles originaux, est à découvrir si vous appréciez les bières liquoreuses.

Brune
Liquoreuse

	FAIBLE							FORT
Arrière-goût	1	1,5	2	2,5	3	3,5	4	4,5	5
Caractère	1	1,5	2	2,5	3	3,5	4	4,5	5

	FROIDE							TIÈDE
Température	1	1,5	2	2,5	3	3,5	4	4,5	5

ST-AMBROISE SCOTCH ALE

McAuslan

341 ml	QUÉBEC	7,5 % alc./vol.

Cette Scotch Ale se rapproche plus facilement d'une Wee Heavy, une bière forte et liquoreuse qui se brassait en Écosse, que d'une Scotch Ale de Belgique, pays où ce style a d'abord été commercialisé au siècle dernier.

Épicerie	Toute l'année

La mousse est fugace, laissant place à un léger et discret collet. La couleur est d'un brun acajou très invitant. Au nez, la bière offre des arômes de mélasse et de sucre candi. En bouche, elle est ronde et douce, laissant venir une finale légèrement tourbée.

SUGGESTION

Un chocolat noir fruité, épicé ou au goût de noisette.

APPRÉCIATION

Une bière réconfortante et chaleureuse qui accompagnera une fin de repas d'automne. Outre ses saveurs liquoreuses et riches, son grand avantage est sa disponibilité à travers le Québec.

SCOTCH ALE

Brune
Liquoreuse

	FAIBLE							FORT
Arrière-goût	1	1,5	2	2,5	3	3,5	4	4,5	5
Caractère	1	1,5	2	2,5	3	3,5	4	4,5	5

	FROIDE							TIÈDE
Température	1	1,5	2	2,5	3	3,5	4	4,5	5

WEE HEAVY BOURBON — Microbrasserie Le Castor

660 ml   QUÉBEC   11 % alc./vol.

La microbrasserie Le Castor présente des bières brassées avec des matières premières biologiques. Fait rare au Québec. Cette Wee Heavy, cousine d'une Scotch Ale, a été vieillie en fûts de bourbon que le maître brasseur a sélectionnés.

Toute l'année   Épicerie

D'une belle couleur acajou, la bière offre une mousse timide qui se dissipe très rapidement. Au nez, des notes de vanille et de bourbon se dégagent. En bouche, la bière est liquoreuse et pâtissière, ça goûte la vanille et le bourbon. C'est splendide.

SUGGESTION
Un gâteau de type Opéra et quelques cuillères. À partager en collégialité.

APPRÉCIATION
Voilà une bière qui utilise avec délicatesse et intelligence le vieillissement en fût de bourbon. Un doux mélange de vanille, d'alcool, de sucre et une finale loin d'être désagréable. Un must.

Brune
Liquoreuse

	FAIBLE							FORT
Arrière-goût	1	1,5	2	2,5	3	3,5	4	4,5	5
Caractère	1	1,5	2	2,5	3	3,5	4	4,5	5

	FROIDE							TIÈDE
Température	1	1,5	2	2,5	3	3,5	4	4,5	5

SCOTCH ALE

WEE HEAVY RHUM · Microbrasserie Le Castor

660 ml	QUÉBEC	11 % alc./vol.

Vieillie en fût de rhum, cette bière est la variante de la Wee Heavy Bourbon qui était déjà dans ce guide. Elle est brassée avec des ingrédients biologiques, comme tous les autres produits de la brasserie.

Épicerie	Toute l'année

Une mousse fuyante disparaît très rapidement. La bière laisse cependant une belle robe de couleur brun acajou. Au nez, les arômes du bois et de la canne à sucre sont présents. En bouche, la bière est liquoreuse, pâtissière et son sucre résiduel, mélangé aux notes de bois, de vanille et de rhum provenant du vieillissement en fût, est très marqué. La finale est courte et sucrée.

NOUVEAUTÉ DE CETTE ÉDITION

SUGGESTION
Une bière qui accompagne très bien les desserts chocolatés, très chocolatés !

APPRÉCIATION
Encore une fois, la brasserie maîtrise l'affinage en fût avec talent. Cette bière a tout pour plaire si vous appréciez les bières digestives de haut calibre.

Brune Liquoreuse

SCOTCH ALE

	FAIBLE							FORT
Arrière-goût	1	1,5	2	2,5	3	3,5	4	4,5	5
Caractère	1	1,5	2	2,5	3	3,5	4	4,5	5

	FROIDE							TIÈDE
Température	1	1,5	2	2,5	3	3,5	4	4,5	5

341 ml	QUÉBEC	4,7 % alc./vol.

Le mélange de différents malts de spécialité lui donne ce goût particulier de noix mais aucune noix n'est ajoutée à la recette.

Toute l'année	Épicerie

Une mousse discrète se pose sur une Brown Ale qui porte bien son nom. Brune aux reflets pourpres, cette bière d'inspiration anglaise offre un nez de noix grillées. En bouche, la légère amertume rappelle celle de la noix. On y perçoit également quelques pointes d'acidité provenant des céréales. L'étalement est assez court, laissant place à un arrière-goût de... noix.

SUGGESTION

Vous proposer des noix de Grenoble serait bien trop facile et, pourtant, c'est un accord complémentaire qui mérite d'être essayé.

APPRÉCIATION

Même si elle est classée dans les Brown Ales, cette bière est du sous-style Nut Brown Ale. Bières assez complexes à brasser, car l'acidité doit être très bien maîtrisée : cette interprétation du style est une réussite.

Brune
Amère

	FAIBLE							FORT
Arrière-goût	1	1,5	2	2,5	3	3,5	4	4,5	5
Caractère	1	1,5	2	2,5	3	3,5	4	4,5	5

	FROIDE							TIÈDE
Température	1	1,5	2	2,5	3	3,5	4	4,5	5

BROWN ALE

SIMPLE MALT DOPPELBOCK Brasseurs Illimités

500 ml	QUÉBEC	7 % alc./vol.

Cette Lager cuivrée allemande offre une fusion de saveurs complexes et sans fin, appuyées par une présence de houblon entièrement dévouée à l'harmonie, nous explique la brasserie. Tout un programme.

Épicerie   Toute l'année

La mousse pointe son nez et disparaît aussitôt. Au nez, la mélasse et le sucre des malts sont bien présents. On y perçoit également quelques notes de fleurs. En bouche, la bière est ronde et sa finale est plus amère que ne laissait croire la première gorgée. On ressent une petite minéralité provenant du malt et l'amertume des grains torréfiés vient se mélanger à celle du houblon, qui se fait très discret sur le plan de l'aromatique.

SUGGESTION
Avec quelques ailes de poulet sauce BBQ, l'accord est parfait.

APPRÉCIATION
Étonnante que cette DoppelBock qui ne manque pas de caractère ! Un cocktail de saveurs et de sensations différentes la rend complexe mais très attirante.

DOPPELBOCK

Brune
Amère

	FAIBLE						FORT
Arrière-goût	1	1,5	2	2,5	3	3,5	4	4,5	5
Caractère	1	1,5	2	2,5	3	3,5	4	4,5	5

	FROIDE						TIÈDE
Température	1	1,5	2	2,5	3	3,5	4	4,5	5

PALABRE VIN DE HOUBLON À l'Abri de la Tempête

| 341 ml | QUÉBEC | 16 % alc./vol. |

Ce Vin de Houblon titre à 16 % d'alcool. Il rappelle les bières très fortement alcoolisées et houblonnées de l'Angleterre du siècle dernier. C'est une des bières les plus fortes sur le marché au Québec.

| Toute l'année | Épicerie |

Très étonnante que cette belle Brune riche et ronde lorsqu'on la verse dans le verre. Au nez, l'alcool est loin d'être discret mais il est très vite rattrapé par des notes fruitées du houblon. La brasserie parle de pêche et de mangue, elle a raison. En bouche, la bière est liquoreuse et son amertume se profile sans complexe au point de chasser cette sensation liquoreuse et ne laisse qu'un trait de houblon.

SUGGESTION
À boire seule, c'est une expérience !

APPRÉCIATION
Le brasseur a osé et a réussi son pari. Une bière riche et sucrée mais qui démontre claire-ment que le houblon, en grande quantité, rend la bière plus légère au goût. Fort probablement un beau potentiel d'affinage en cave, pour deux ans.

Brune
Tranchante

	FAIBLE							FORT
Arrière-goût	1	1,5	2	2,5	3	3,5	4	4,5	5
Caractère	1	1,5	2	2,5	3	3,5	4	4,5	5

	FROIDE							TIÈDE
Température	1	1,5	2	2,5	3	3,5	4	4,5	5

TRIPLE IPA

SOLSTICE D'HIVER

Dieu du Ciel !

341 ml	QUÉBEC	10,2 % alc./vol.

Brassée chaque année et disponible en hiver, ce Barley Wine de Dieu du Ciel ! est attendue de pied ferme par beaucoup d'amateurs. Elle est vieillie quelques mois avant d'être commercialisée.

Épicerie	Hiver

Une belle mousse généreuse surplombe une bière acajou. Des arômes de sucre, d'alcool et de caramel brûlé se démarquent. En bouche, la bière est très ronde et des saveurs légèrement rôties se démarquent en rétro-olfaction. Les houblons offrent une finale complexe, se mêlant à l'alcool puissant.

SUGGESTION

Un plateau de trois cheddars d'âge différent (1 an, 2 ans, 4 ans). Remarquez les différences marquantes de saveurs au contact de la bière.

APPRÉCIATION

Ce Barley Wine offre une amertume tranchante, accompagnée d'un alcool puissant. L'expérience plaira aux amateurs de houblon et de bières au caractère franc.

**Brune
Tranchante**

BARLEY WINE

	FAIBLE						FORT	
Arrière-goût	1	1,5	2	2,5	3	3,5	4	4,5	5
Caractère	1	1,5	2	2,5	3	3,5	4	4,5	5

	FROIDE						TIÈDE	
Température	1	1,5	2	2,5	3	3,5	4	4,5	5

VIN D'ORGE AMÉRICAIN Microbrasserie Le Castor

| 660 ml | QUÉBEC | 8.5 % alc./vol. |

La brasserie vous aura prévenu. Cette bière est plus maltée qu'une Double IPA et plus houblonnée qu'un vin d'orge anglais. Elle est également produite avec des ingrédients biologiques.

Toute l'année   Épicerie

Une belle mousse forme une dentelle pendant que j'écris ces quelques lignes. À l'œil, la bière est d'un beau brun acajou. Au nez, des saveurs d'agrumes confits sont signe d'un houblonnage imposant et d'un sucre résiduel bien présent. J'y perçois même quelques notes de Grand Marnier. Tout se confirme en bouche, l'alcool de la bière, son sucre résiduel et son houblonnage intense se partagent l'attention en laissant place à une finale bien amère.

NOUVEAUTÉ
DE CETTE ÉDITION

SUGGESTION
Un fromage cheddar de cinq ans et plus. L'accord sera percutant et étonnant.

APPRÉCIATION
L'amateur de sensations fortes sera ravi. Un produit qui établit, dès la première gorgée, les règles du jeu. À expérimenter, car il est assez rare d'avoir un American Barley Wine de cette qualité au Québec.

Brune
Tranchante

	FAIBLE							FORT	
Arrière-goût	1	1,5	2	2,5	3	3,5	4	4,5	5
Caractère	1	1,5	2	2,5	3	3,5	4	4,5	5
	FROIDE							TIÈDE	
Température	1	1,5	2	2,5	3	3,5	4	4,5	5

AMERICAN BARLEY WINE

ABEL TURCAULT — Microbrasserie de l'Île d'Orléans

| 500 ml | QUÉBEC | 8 % alc./vol. |

Toutes les bières de cette brasserie portent le nom de personnalités de l'île. Je vous présente Abel Turcault, fermier et meunier en 1668 qui a mérité le rare privilège de porter le titre de maître farinier, selon la brasserie.

| Épicerie | Toute l'année |

Brune aux reflets bourgogne, cette Scotch Ale nous rappelle quelques Doubles belges qui partagent la même palette de couleur. Sa mousse dense et tenace est agréable à l'œil. Des arômes très légers de fumée se mêlent aux notes sucrées de la bière. En bouche, la bière est ronde et ses notes fumées s'expriment encore plus pour ne plus laisser aucun doute. Son corps est rond et ses sucres résiduels bien présents.

SUGGESTION
Un très vieux cheddar qui se fera un plaisir de s'adoucir devant une bière au si fort caractère.

APPRÉCIATION
Ronde grâce à ses sucres résiduels et fumée à cause de son malt, cette Scotch Ale sort un peu de l'ordinaire avec son bouquet fumé. Ce n'est pas inintéressant, bien au contraire.

Brune
Fumée

SCOTCH ALE

	FAIBLE							FORT
Arrière-goût	1	1,5	2	2,5	3	3,5	4	4,5	5
Caractère	1	1,5	2	2,5	3	3,5	4	4,5	5

	FROIDE							TIÈDE
Température	1	1,5	2	2,5	3	3,5	4	4,5	5

AECHT SCHLENKERLA RAUCHBIER MÄRZEN   Brauerei Heller

500 ml	ALLEMAGNE	5,1 % alc./vol.

Disponibles en plusieurs styles, les bières de la brasserie taverne Schlenkerla (Brauerei Heller) ont toutes un bouquet fumé. Les Rauchbiers ne sont pas un style en particulier, mais une méthode de brassage qui consiste à utiliser du malt fumé.

Toute l'année	SAQ

Une mousse riche et dense disparaît tranquillement et laisse une épaisse dentelle s'agripper au verre. La couleur est brun acajou, une couleur peu commune pour une Marzen, la couleur du malt fumé a sans doute changé celle de la bière. Au nez, des effluves puissants de jambon fumé. En bouche, la bière est douce et ronde laissant place à une finale aux notes fumées.

SUGGESTION
Un plat de fèves au lard artisanal qui aura cuit à la crémaillère, proche du feu.

APPRÉCIATION
Si vous deviez boire une seule bière fumée dans votre vie, essayez cette intrigante Marzen. Son nez sensationnel et sa rondeur en font une bière intéressante, surtout pour les amateurs de bières douces qui recherchent de nouvelles sensations.

Brune

Fumée

	FAIBLE							FORT
Arrière-goût	1	1,5	2	2,5	3	3,5	4	4,5	5
Caractère	1	1,5	2	2,5	3	3,5	4	4,5	5
	FROIDE							TIÈDE
Température	1	1,5	2	2,5	3	3,5	4	4,5	5

RAUCHBIER

On dit souvent que les bières noires sont les plus riches, les plus lourdes et les plus alcoolisées. Vous remarquerez que ce n'est pas le cas en dégustant quelques bières présentées dans ce guide.

DOUCES

RONDES

LIQUOREUSES

AMÈRES

TRANCHANTES

APOCALYPSE

Les Brasseurs RJ

| 750 ml | QUÉBEC | 9 % alc./vol. |

Fermenté avec une souche de levure anglaise, ce Stout est ensuite fermenté en bouteille avec une levure belge. Les deux levures apportent des saveurs et des arômes différents.

Épicerie · Toute l'année

Au « pop », la bière s'exprime avec vivacité offrant une mousse généreuse et abondante. Au nez, des notes de chocolat sont perceptibles. En bouche, la bière est complexe offrant d'abord une légère acidité provenant des malts sélectionnés, suivie d'une finale plus douce et fruitée laissant paraître un arrière-goût de gâteau au chocolat.

SUGGESTION

Des pralines belges en chocolat pour faire durer le plaisir.

APPRÉCIATION

Intéressante initiative d'offrir ce Stout belge, en lui conférant des notes fruitées qui ne sont habituellement pas présentes dans ce style. L'ajout d'avoine permet d'adoucir un peu l'acidité de la bière. À ouvrir entre amis, au pousse-café.

Noire · **Douce**

STOUT

	FAIBLE							FORT
Arrière-goût	1	1,5	2	2,5	3	3,5	4	4,5	5
Caractère	1	1,5	2	2,5	3	3,5	4	4,5	5

	FROIDE							TIÈDE
Température	1	1,5	2	2,5	3	3,5	4	4,5	5

BIG BEN PORTER

Brasseurs du Monde

500 ml   QUÉBEC   5,5 % alc./vol.

En l'honneur des Porters et de leur bière si particulière la Porter's beer, Brasseurs du Monde vous invite à redécouvrir la bière qui était si populaire il y a quelques siècles dans les quartiers proches de la Tamise, à Londres.

Toute l'année   Épicerie

Elle n'est pas tout à fait brune, elle n'est pas tout à fait noire... c'est un Porter! Son nez est invitant, des notes de mélasse et de caramel se mélangent à des arômes plus fruités. En bouche, elle est douce et sucrée, rythmée par sa finale légèrement acide. Un superbe équilibre.

SUGGESTION

Un fromage de chèvre, aux notes caprines et lactiques. Les contrastes s'attirent.

APPRÉCIATION

Une des plus belles interprétations du style Porter que j'ai pu goûter. Elle est magnifique à des températures de service proches de celle de la cave (14 °C). Elle se boit fraîche, c'est-à-dire le plus près de sa date de brassage.

Noire

Douce

	FAIBLE							FORT
Arrière-goût	1	1,5	2	2,5	3	3,5	4	4,5	5
Caractère	1	1,5	2	2,5	3	3,5	4	4,5	5

	FROIDE							TIÈDE
Température	1	1,5	2	2,5	3	3,5	4	4,5	5

PORTER

GHOSTTOWN

Brasseur de Montréal

| 341 ml | QUÉBEC | 6,6 % alc./vol. |

Avez-vous remarqué que toutes les bières de la brasserie Brasseur de Montréal vous regardent avec une paire d'yeux différente. Le concept est fort simple : à chaque style ses yeux.

Épicerie   Toute l'année

Basée sur une bière maltée et torréfiée, cette Ghosttown est une création originale. Dans le verre, une superbe mousse crémeuse surplombe la bière d'un noir opaque. Au nez, l'absinthe et les herbes secrètes du brasseur créent un mélange original de saveurs. J'y perçois des notes de réglisse. En bouche, la bière est douce, sans aucune acidité pouvant provenir du malt. La finale est agréable et longue, comme un espresso légèrement sucré et aromatisé.

SUGGESTION
Un chocolat monocru, monoplantation.

APPRÉCIATION
Brasseur de Montréal offre un produit remarquable qui allie la finesse des malts utilisés aux puissantes notes exotiques des herbes et épices ajoutées. À consommer après un repas, juste pour se faire plaisir.

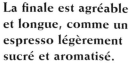

Noire

Douce

BIÈRE AUX AROMATES

	FAIBLE							FORT
Arrière-goût	1	1,5	2	2,5	3	3,5	4	4,5	5
Caractère	1	1,5	2	2,5	3	3,5	4	4,5	5

	FROIDE							TIÈDE
Température	1	1,5	2	2,5	3	3,5	4	4,5	5

LA CORRIVEAU IMPÉRIALE

Le Bilboquet

750 ml	QUÉBEC	9 % alc./vol.

Vieillie 3 mois en fût ayant contenu du bourbon, la Corriveau Impériale est la version impériale (plus forte) de la Corriveau.

Toute l'année — Épicerie

Une mousse d'une belle couleur beige surmonte une bière d'un noir opaque. Au nez, des arômes de chocolat et de torréfaction se démarquent, on y perçoit également quelques notes discrètes de vanille. En bouche, la bière est ronde et son étalement est un agréable mélange d'amertume, de céréales torréfiées, d'alcool et de l'acidité du grain.

SUGGESTION
Quelques chocolats monocrus, monoplantations.

APPRÉCIATION
Quitte à la faire vieillir quelques mois en fût de bourbon, j'aurais voulu qu'elle soit légèrement plus vanillée que la version goûtée, mais elle a tout ce qu'il faut pour vous offrir un accord parfait avec quelques chocolats. L'invitation est lancée…

Noire

Douce

	FAIBLE							FORT
Arrière-goût	1	1,5	2	2,5	3	3,5	4	4,5	5
Caractère	1	1,5	2	2,5	3	3,5	4	4,5	5

	FROIDE							TIÈDE
Température	1	1,5	2	2,5	3	3,5	4	4,5	5

STOUT

341 ml	YUKON	6,1 % alc./vol.

Brassé avec des grains de café rôtis, ce Stout est une des très rares bières canadiennes disponibles à la SAQ.

SAQ	Toute l'année

D'un noir opaque, ce Stout vous invite à rencontrer un espresso fraîchement infusé. En bouche, la bière est complexe et surfe sur des saveurs amères provenant des céréales, du café et des houblons et l'étalement est loin de ressembler à un Stout traditionnel.

SUGGESTION

Un chocolat aux notes amères et aux arômes épicés.

APPRÉCIATION

Bière exceptionnellement servie dans un ballon même si elle ressemble le plus à un Stout, ce sont les grains de café qui invitent à y plonger le nez et à profiter de ces arômes si particuliers. Une bière qui démontre que la révolution brassicole se passe également dans le nord-ouest du Canada.

Noire

Douce

STOUT

	FAIBLE							FORT
Arrière-goût	1	1,5	2	2,5	3	3,5	4	4,5	5
Caractère	1	1,5	2	2,5	3	3,5	4	4,5	5

	FROIDE							TIÈDE
Température	1	1,5	2	2,5	3	3,5	4	4,5	5

ST-BARNABÉ

Microbrasserie Le Nautrageur

500 ml	QUÉBEC	5,2 % alc./vol.

Construit durant la Seconde Guerre mondiale, le *St-Barnabé* est un démineur qui sillonnait les eaux du golfe du Saint-Laurent. Il a ensuite servi de bateau-école jusqu'à ce qu'il profite d'un repos bien mérité sur une plage de la Baie-des-Chaleurs.

Toute l'année   Épicerie

Une mousse invitante laisse présager un agréable moment. Au nez, des notes de café et de chocolat se présentent fièrement. En bouche, la bière est douce, laissant paraître des notes de café latte. Sa finale est légèrement amère mais entraînée par la douceur de l'avoine, une céréale utilisée dans certains Stouts.

SUGGESTION

Un fromage de type Brie. Ses saveurs lactées et de champignons s'amusent avec le café de la bière.

APPRÉCIATION

Très doux pour le style, ce Stout à l'avoine va plaire à tous les amateurs qui n'apprécient pas la bière noire. On est loin des stéréotypes et on se rapproche d'un produit doux mais tout aussi complexe. À avoir dans sa cave.

Noire

Douce

	FAIBLE							FORT
Arrière-goût	1	1,5	2	2,5	3	3,5	4	4,5	5
Caractère	1	1,5	2	2,5	3	3,5	4	4,5	5
	FROIDE							TIÈDE
Température	1	1,5	2	2,5	3	3,5	4	4,5	5

STOUT

APHRODISIAQUE

Dieu du Ciel !

| 341 ml | QUÉBEC | 6,5 % alc./vol. |

Ce Stout est brassé avec des gousses de vanille et des fèves de cacao. Il a une très faible amertume selon la brasserie.

| Épicerie | Toute l'année |

Noir opaque surmonté d'une mousse abondante, ce Stout développe des notes de chocolat suivies d'arômes de malt grillé. Le chocolat domine cependant les saveurs. En bouche, les saveurs de vanille et de chocolat se complètent bien, laissant une finale légèrement amère provenant des fèves de cacao. Le résultat fait penser à la dégustation d'une tablette de chocolat 80 % cacao.

SUGGESTION
Un sundae à la vanille légèrement fondant.

APPRÉCIATION
Une vraie bière dessert qui accompagne avec talent les desserts à la vanille. Ne se voulant pas trop sucrée, elle offre une palette de saveurs qui plairont aux amateurs de chocolat.

Noire

Ronde

STOUT

	FAIBLE							FORT
Arrière-goût	1	1,5	2	2,5	3	3,5	4	4,5	5

Caractère	1	1,5	2	2,5	3	3,5	4	4,5	5

	FROIDE							TIÈDE
Température	1	1,5	2	2,5	3	3,5	4	4,5	5

JEAN DIT LAFORGE — Microbrasserie de l'Île d'Orléans

500 ml	QUÉBEC	10 % alc./vol.

Toutes les bières de cette brasserie portent le nom de personnalités de l'île. Je vous présente Jean dit Laforge, fort et robuste, il fabriquait les outils des cultivateurs de l'île.

Hiver   Épicerie

Une belle mousse moka et une robe d'un noir opaque sont la signature des Imperial Stouts. Au nez, des notes puissantes de vanille et d'alcool précèdent quelques arômes chocolatés et torréfiés. En bouche, la bière est vanillée et sa finale est plus douce que ses cousines du même style. On perçoit quelques notes d'alcool sur un long étalement.

SUGGESTION
Du chocolat puissant de la région de l'Équateur sera un excellent complice.

APPRÉCIATION
Cet Imperial Stout ne manque pas de caractère même si son houblonnage se fait plus discret que certains de ses confrères. À servir à température cave dans un ballon avec quelques morceaux de chocolat. Expérience garantie!

Noire

Ronde

	FAIBLE							FORT
Arrière-goût	1	1,5	2	2,5	3	3,5	4	4,5	5
Caractère	1	1,5	2	2,5	3	3,5	4	4,5	5

	FROIDE							TIÈDE
Température	1	1,5	2	2,5	3	3,5	4	4,5	5

IMPERIAL STOUT

LA VACHE FOLLE IMPERIAL MILK STOUT   Microbrasserie Charlevoix

500 ml	QUÉBEC	9 % alc./vol.

La brasserie ajoute du lactose et accentue la rondeur de la bière. Tous les Stouts qui ont du lactose sont appelés *Milk Stout*. La gamme Vache Folle présente des bières d'inspiration britannique.

Épicerie	Toute l'année

Belle mousse beige surplombant une bière d'une couleur noire opaque. Au nez, des arômes de café sucré laissent présager une bière douce. En bouche, l'alcool et l'ajout de lactose offrent un produit très en rondeur. L'amertume est faible et est principalement due aux céréales torréfiées.

SUGGESTION

Une boîte de pralines belges, les fameux chocolats fourrés à la crème au beurre, praliné ou ganache.

APPRÉCIATION

Doux et rond, cet Imperial Milk Stout plaira aux amateurs de bières noires au corps doux. L'alcool se présente bien sans être trop dominant. Un excellent Imperial Stout qui ne tombe pas dans la caricature des bières trop houblonnées et déséquilibrées.

Noire

Ronde

	FAIBLE							FORT
Arrière-goût	1	1,5	2	2,5	3	3,5	4	4,5	5
Caractère	1	1,5	2	2,5	3	3,5	4	4,5	5

	FROIDE							TIÈDE
Température	1	1,5	2	2,5	3	3,5	4	4,5	5

IMPERIAL STOUT

500 ml	QUÉBEC	11,75 % alc./vol.

Cet Imperial Stout est mûri en fût de bourbon pendant quelques mois. « À cette monumentale proposition de saveurs de chocolat et de café, le chêne ajoute sa touche vanillée alors que la chaleur du whiskey rehausse la note finale », nous précise la brasserie.

Toute l'année   Épicerie

La mousse s'efface aussi vite qu'elle est servie. Au nez, les effluves de chocolat, de café et de vanille sont loin d'être discrets. C'est gourmand. En bouche, la bière est ronde et l'alcool nous monte au nez. Une bière puissante, très puissante.

SUGGESTION
Un bourbon pour comparer.

APPRÉCIATION
Pour les moments intenses et surtout pas suivis d'obligations. De toute façon, après avoir bu la bouteille, vous n'aurez qu'une envie : ne rien faire !

NOUVEAUTÉ DE CETTE ÉDITION

Noire
Ronde

	FAIBLE							FORT
Arrière-goût	1	1,5	2	2,5	3	3,5	4	4,5	5
Caractère	1	1,5	2	2,5	3	3,5	4	4,5	5

	FROIDE							TIÈDE
Température	1	1,5	2	2,5	3	3,5	4	4,5	5

IMPERIAL STOUT

STOUT À L'AVOINE

Microbrasserie Le Castor

660 ml	QUÉBEC	5 % alc./vol.

Un des très rares Stout brassés avec des matières premières biologiques. Ce Stout est brassé avec de l'avoine, une céréale qui apporte un peu de douceur et coupe l'acidité des malts torréfiés.

Épicerie	Toute l'année

À la lumière, sa robe noire dévoile des reflets acajou sous une mousse de couleur beige. Au nez, des arômes de café et chocolat praliné sont très invitants. En bouche, la bière est douce et l'avoine offre une rondeur très bien maîtrisée qui définit le caractère de la bière.

SUGGESTION
Un gâteau au fromage frais du jour.

APPRÉCIATION
Superbe Stout légèrement plus doux que ses cousins nord-américains, on se rapproche d'ailleurs d'un Porter. À servir au dessert, sans aucun complexe.

Noire

Ronde

STOUT

	FAIBLE							FORT
Arrière-goût	1	1,5	2	2,5	3	3,5	4	4,5	5
Caractère	1	1,5	2	2,5	3	3,5	4	4,5	5

	FROIDE							TIÈDE
Température	1	1,5	2	2,5	3	3,5	4	4,5	5

TRÈFLE NOIR

Le Trèfle Noir

500 ml	QUÉBEC	5,8 % alc./vol.

Ce Stout est une des premières bières qui fut embouteillée et distribuée partout au Québec. Elle est plus ronde que ses cousines, le brasseur voulait offrir un produit se démarquant par ses arômes de café, de pain rôti et de chocolat noir.

Toute l'année	Épicerie

Voilà un verre noir opaque surmonté par une mousse de couleur beige. Au nez, des notes de chocolat se démarquent, suivies par quelques arômes de café. En bouche, la bière est douce et s'étale sur des notes chocolatées et lattées. Très faible amertume en finale.

SUGGESTION

Une bière qui accompagnera à la perfection un tiramisu.

APPRÉCIATION

Très doux, ce stout offre des arômes gourmands tels que le café, le latte et le chocolat. Son amertume étant presque nulle, une incroyable sensation de douceur vous accompagne tout au long de la dégustation. À découvrir.

Noire

Ronde

	FAIBLE						FORT	
Arrière-goût	1	1,5	2	2,5	3	3,5	4	4,5	5
Caractère	1	1,6	2	2,5	3	3,5	4	4,5	5

	FROIDE						TIÈDE	
Température	1	1,5	2	2,5	3	3,5	4	4,5	5

STOUT

PÉCHÉ MORTEL

Dieu du Ciel !

| 341 ml | QUÉBEC | 9,5 % alc./vol. |

La Péché Mortel est un des produits phares de la brasserie. Sa fabrication demande l'utilisation du GEM (Giant Espresso Machine), une invention du maître brasseur Jean-François Gravel qui permet au moût de traverser des kilos de café équitable moulu.

| Épicerie | Toute l'année |

D'un noir opaque, cette bière apprécie une tenue de mousse imposante. Au nez, des notes de café sont clairement perceptibles. En bouche, la richesse de l'alcool précède des arômes de café et de torréfaction. Sa finale est tout d'abord riche et corpulente, suivie d'une amertume longue et persistante.

SUGGESTION

Un fromage triple crème très crémeux et sans la croûte. Les contraires s'attirent.

APPRÉCIATION

Comment ne pas aimer cette bière ? Elle est corpulente, ronde, riche et douce en même temps. Ses notes de café sont bien équilibrées et son amertume se fait sentir dès qu'on l'appelle, à la fin de la première gorgée. Un produit québécois qui fait le tour du monde et avec raison.

Noire
Liquoreuse

STOUT

Arrière-goût	FAIBLE								FORT
	1	1,5	2	2,5	3	3,5	4	4,5	5

Caractère									
	1	1,5	2	2,5	3	3,5	4	4,5	5

Température	FROIDE								TIÈDE
	1	1,5	2	2,5	3	3,5	4	4,5	5

750 ml	QUÉBEC	10 % alc./vol.

Une bière noire forte inspirée des Porters de la région de la mer Baltique. On raconte que les chevaliers qui en buvaient en retiraient des pouvoirs magiques qui permettaient de retourner au combat…

Toute l'année   Épicerie

Une belle mousse crémeuse de couleur beige vient se poser sur une bière noire opaque. La lumière ne passe pas, signe d'un maltage puissant et généreux. Au nez, des notes de céréales rôties sont clairement perceptibles. En bouche, la bière est liquoreuse et les saveurs chaleureuses de l'alcool et du choco-lat sont très agréables. La finale est douce, prolongeant le plaisir d'une bière liquoreuse à souhait.

SUGGESTION
Un fromage bleu au carac-tère fort qui attend avec impatience cette Noire liquoreuse et chaleureuse.

APPRÉCIATION
Elle a gagné de nom-breuses médailles à travers le monde et elle le mérite amplement. Ce Porter bal-tique a le don de vous offrir de l'amitié et de la chaleur humaine en quelques gorgées. Un produit splendide.

Noire Liquoreuse

	FAIBLE							FORT
Arrière-goût	1	1,5	2	2,5	3	3,5	4	4,5	5
Caractère	1	1,5	2	2,5	3	3,5	4	4,5	5

	FROIDE							TIÈDE
Température	1	1,5	2	2,5	3	3,5	4	4,5	5

PORTER

ST-AMBROISE STOUT IMPÉRIALE RUSSE McAuslan

341 ml	QUÉBEC	9,2 % alc./vol.

Rendant hommage aux Stouts puissants exportés à la cour impériale de Russie, cet Imperial Stout est brassé avec des malts chocolats, malts torréfiés et orge rôti. Chaque année, la brasserie l'offre dans un emballage qui lui fait honneur.

Épicerie	Automne

Une couleur noire opaque qui ne laisse passer aucun rayon de lumière. Une mousse beige chocolaté, signe d'un maltage puissant. Au nez, des arômes de chocolat et d'alcool se démarquent. En bouche, la bière est ronde, voire liquoreuse. Sa finale est douce laissant libre cours à l'alcool et à la légère acidité des malts torréfiés, surmontée de quelques arômes de vanille.

SUGGESTION

Une fin de soirée et le crépitement d'un feu de foyer au chalet.

APPRÉCIATION

Chaque année, McAuslan propose cet Imperial Stout puissant et riche qui plaît aux amateurs de bières liquoreuses et chaleureuses. Le millésime dégusté est celui de 2012 ; si vous en trouvez, achetez-en quelques-uns et comparez-les avec le millésime 2013.

Noire
Liquoreuse

IMPERIAL STOUT

	FAIBLE							FORT
Arrière-goût	1	1,5	2	2,5	3	3,5	4	4,5	5
Caractère	1	1,5	2	2,5	3	3,5	4	4,5	5

	FROIDE							TIÈDE
Température	1	1,5	2	2,5	3	3,5	4	4,5	5

30 CENTS — Microbrasserie Le Castor – Pit Caribou

| 660 ml | QUÉBEC | 7 % alc./vol. |

Collaboration entre les microbrasseries Le Castor et Pit Caribou, cette bière doit son nom à l'addition d'une pièce de 25 cents, dont l'emblème est le caribou, et d'une pièce de 5 cents, dont l'emblème est le castor.

Toute l'année — Épicerie

Une mousse en dentelle se prolonge sur les parois du verre. Au nez, la bière propose des arômes de houblon mais également de malt. En bouche, le malt se présente sans timidité et la finale est amère, sans tomber dans l'excès.

SUGGESTION
Un fromage de type gouda, nous propose la brasserie.

APPRÉCIATION
Il existe plusieurs versions de cette bière, mais c'est sans contredit la version normale qui se distingue par son équilibre et son amertume bien contrôlée.

NOUVEAUTÉ DE CETTE ÉDITION

Noire
Amère

	FAIBLE							FORT
Arrière-goût	1	1,5	2	2,5	3	3,5	4	4,5	5
Caractère	1	1,5	2	2,5	3	3,5	4	4,5	5

	FROIDE							TIÈDE
Température	1	1,5	2	2,5	3	3,5	4	4,5	5

BLACK IPA

COUP DE CANON

Le Bilboquet

500 ml	QUÉBEC	5 % alc./vol.

Brassé en ajoutant du café, le Coup de Canon se fait entendre, il réveille et surprend, se plaît à dire la brasserie.

Épicerie   Toute l'année

Une superbe mousse beige attend patiemment que vous y trempiez les lèvres. Sa couleur noire opaque ressemble à celle d'un café. Les arômes du café sont marquants, suivis de quelques subtiles notes d'épices. La bière est sucrée en entrée de bouche et l'amertume du café tient à signaler sa présence, pendant un long étalement.

SUGGESTION
Une pâtisserie française : le moka.

APPRÉCIATION
Les amateurs de bières noires aux notes franches de café seront ravis. Ce Stout expressif offre des saveurs provenant des céréales, mais surtout du café que la brasserie ajoute au brassage. Une bière au petit-déjeuner ? À vous de voir.

Noire

Amère

STOUT

	FAIBLE							FORT
Arrière-goût	1	1,5	2	2,5	3	3,5	4	4,5	5
Caractère	1	1,5	2	2,5	3	3,5	4	4,5	5

	FROIDE							TIÈDE
Température	1	1,5	2	2,5	3	3,5	4	4,5	5

HOUBLON LIBRE Microbrasserie du Lac Saint-Jean

| 500 ml | QUÉBEC | 7,7 % alc./vol. |

Fermentée à l'ancienne, en fût de chêne américain, nous indique la brasserie. Cette Black IPA contient également 11 variétés de houblon.

Toute l'année   Épicerie

Quelle mousse riche et abondante ! Au nez, la torréfaction du grain et le café se font talonner par les notes houblonnées de la bière. En bouche, le grain se manifeste mais laisse place à une finale aux notes d'orange et de chocolat.

SUGGESTION
Un gâteau forêt-noire.

APPRÉCIATION
Quelle bière ! Une superbe finale offrant des notes d'orange et de chocolat comme on en voit rarement dans une bière. Un produit d'exception.

NOUVEAUTÉ DE CETTE ÉDITION

Noire
Amère

BLACK IPA

	FAIBLE							FORT
Arrière-goût	1	1,5	2	2,5	3	3,5	4	4,5	5
Caractère	1	1,5	2	2,5	3	3,5	4	4,5	5

	FROIDE							TIÈDE
Température	1	1,5	2	2,5	3	3,5	4	4,5	5

LA CORRIVEAU

Le Bilboquet

500 ml QUÉBEC 5,5 % alc./vol.

Connaissez-vous la légende de la Corriveau qui vous regarde de sa cage ? On raconte de cette meurtrière légendaire qu'elle avait des idées noires aussi tranchantes que l'amertume de ce Stout.

Épicerie Toute l'année

Noire aux discrets reflets bourgogne, elle est surmontée par une mousse beige peu tenace. Au nez, des notes de pain rôti et de café sont accompagnées de légères notes chocolatées. En bouche, la bière est bien maltée et offre des notes plus prononcées de chocolat en rétro-olfaction. La finale est légèrement amère et très longue, réveillant vos papilles sur un long crescendo.

SUGGESTION

Une fondue au chocolat gourmande.

APPRÉCIATION

Moins tranchante que ne le laisse croire la légende, cette Corriveau a beaucoup de charme et se laisse apprivoiser jusqu'à ce que son amertume se dévoile en finale. À boire à la température cave.

Noire

Amère

STOUT

	FAIBLE								FORT
Arrière-goût	1	1,5	2	2,5	3	3,5	4	4,5	5
Caractère	1	1,5	2	2,5	3	3,5	4	4,5	5

	FROIDE								TIÈDE
Température	1	1,5	2	2,5	3	3,5	4	4,5	5

LAPATT ROBUSTE PORTER

Brasserie Dunham

| 341 ml | QUÉBEC | 6 % alc./vol. |

Clin d'œil au Porter de Labatt d'il y a quelques années, ce Porter est loin de ressembler au produit que buvaient nos grands-parents. Il est houblonné avec du houblon américain, lui donnant une amertume peu commune au style.

Automne   Épicerie

Sa mousse est dense et surplombe une bière d'un noir opaque. Au nez, des notes de torréfaction se mélangent à celles du chocolat et des agrumes, provenant fort probablement des houblons sélectionnés. En bouche, la bière a du caractère, commençant sur des notes de chocolat et se terminant sur une amertume inhabituelle pour le style mais très légère.

SUGGESTION

Un chocolat 70 % cacao, monocru, monoplantation.

APPRÉCIATION

Cette bière voyage entre le Porter et le Stout. Qu'à cela ne tienne, la frontière entre les deux styles était très mince il y a quelques siècles. J'apprécie son amertume accompagnée des notes chocolatées qui en font un dessert. C'est une bière à boire à la fin d'un repas.

Noire

Amère

	FAIBLE							FORT
Arrière-goût	1	1,5	2	2,5	3	3,5	4	4,5	5
Caractère	1	1,5	2	2,5	3	3,5	4	4,5	5

	FROIDE							TIÈDE
Température	1	1,5	2	2,5	3	3,5	4	4,5	5

LE SANG D'ENCRE

Le Trou du diable

600 ml	QUÉBEC	5,5 % alc./vol.

S'inspirant des Stouts irlandais du XIXe siècle, Le Sang d'encre offre un nez de café, de chocolat et de houblon herbacé selon la brasserie.

Épicerie	Toute l'année

De couleur noire aux reflets bourgogne, Le Sang d'encre porte bien son nom. Au nez, des notes de céréales torréfiées se mêlent aux arômes de café. La bière est douce en entrée de bouche suivie d'une amertume bien dosée, accompagnée d'une légère pointe céréalière provenant des malts rôtis.

SUGGESTION
Un muffin au chocolat et au Stout.

APPRÉCIATION
Si vous recherchez un Stout présentant un équilibre entre l'amertume du houblon et celle du malt sélectionné, vous voilà comblé. À découvrir à température de la cave pour apprécier toutes les saveurs.

Noire
Amère

STOUT

	FAIBLE							FORT
Arrière-goût	1	1,5	2	2,5	3	3,5	4	4,5	5
Caractère	1	1,5	2	2,5	3	3,5	4	4,5	5

	FROIDE							TIÈDE
Température	1	1,5	2	2,5	3	3,5	4	4,5	5

NOKTURN IPA

Les Brasseurs du Nord

341 ml	QUÉBEC	6 % alc./vol.

Houblonnée avec des houblons Chinook et Cascade, cette Black IPA fait partie de la nouvelle gamme Boréale Collection disponible depuis un an.

Toute l'année — **Épicerie**

Une belle mousse dense se pose sur une bière d'un noir bien opaque. Au nez, les notes de grains torréfiés se mêlent à celles des houblons aromatiques sélectionnés. En bouche, la bière est avant tout amère, puis laisse place aux saveurs de chocolat, de café et de grains rôtis. La finale est sur l'amertume du houblon et de la céréale.

SUGGESTION

À découvrir seule, car elle offre plusieurs saveurs et arômes qui permettent de bien comprendre le rôle de chaque ingrédient.

APPRÉCIATION

Pourquoi cette bière n'a-t-elle pas la réputation qu'elle mérite ? Elle est tout simplement proche de ce que le style devrait être. À découvrir au plus vite pour ceux qui aiment les bières aux grains torréfiés et à l'amertume bien placée.

NOUVEAUTÉ DE CETTE ÉDITION

Noire
Amère

	FAIBLE							FORT
Arrière-goût	1	1,5	2	2,5	3	3,5	4	4,5	5
Caractère	1	1,5	2	2,5	3	3,5	4	4,5	5

	FROIDE							TIÈDE
Température	1	1,5	2	2,5	3	3,5	4	4,5	5

PÉNOMBRE

Dieu du Ciel !

341 ml	QUÉBEC	6,5 % alc./vol.

Selon la brasserie, c'est au Vermont que la Black IPA a vu le jour en 1997. Greg Noonan, brasseur émérite, voulait un hybride entre une India Pale et un Porter. En quelques années, le style s'est largement repandu.

Épicerie   Toute l'année

Une mousse de couleur moka surplombe une bière aux couleurs noires opaques. Au nez, des notes franches de torréfaction et de café proviennent des malts utilisés. En bouche, la bière offre une amertume franche, signature des India Pale Ales américaines. La finale s'étale sur des notes de pain rôti et de houblon. L'amertume des céréales et du houblon offre un étalement long et persistant.

SUGGESTION
Une magnifique pièce de viande vieillie à souhait et un BBQ au charbon de bois.

APPRÉCIATION
Le style Black IPA est devenu très populaire en peu de temps et c'est grâce aux produits comme la Pénombre qu'il a réussi à se tailler une place enviable auprès des amateurs avertis. Un hommage à Greg Noonan.

Noire
Amère

BLACK IPA

	FAIBLE							FORT
Arrière-goût	1	1,5	2	2,5	3	3,5	4	4,5	5
Caractère	1	1,5	2	2,5	3	3,5	4	4,5	5

	FROIDE							TIÈDE
Température	1	1,5	2	2,5	3	3,5	4	4,5	5

RACCOON

Microbrasserie Le Naufrageur

| 500 ml | QUÉBEC | 10 % alc./vol. |

Cette Imperial Black IPA est un hommage aux marins qui ont perdu la vie durant les nombreux combats dans le golfe du Saint-Laurent. Le HCMS *Raccoon* disparut dans la nuit du 6 au 7 septembre 1942.

Toute l'année · Épicerie

Une mousse crémeuse et une si belle couleur moka qu'on pourrait croire qu'on vous sert un café ! Au nez, des arômes de torréfaction, de chocolat et de café. En bouche, la bière offre une amertume puissante, d'abord sur le houblon, suivie de celle du grain. L'alcool aime jouer les trouble-fête et offrir sa chaleureuse présence tout au long de l'étalement.

SUGGESTION
Un fromage bleu puissant qui offre des saveurs marquées.

APPRÉCIATION
Même si la chaleur de l'alcool est bien présente, la sélection des houblons et l'amertume naturelle des malts torréfiés offrent à cette Racoon une finale qui ne passe pas inaperçue. Une bière à boire légèrement chambrée, pour profiter de toute la finesse de ses arômes.

Noire

Amère

	FAIBLE							FORT
Arrière-goût	1	1,5	2	2,5	3	3,5	4	4,5	5
Caractère	1	1,5	2	2,5	3	3,5	4	4,5	5

	FROIDE							TIÈDE
Température	1	1,5	2	2,5	3	3,5	4	4,5	5

IMPERIAL BLACK IPA

ST-AMBROISE NOIRE

McAuslan

341 ml	QUÉBEC	5 % alc./vol.

Brassé avec des malts torréfiés et foncés ainsi qu'avec une bonne dose d'avoine lui donnant plus de profondeur et de douceur, ce Stout se démarque par une quantité plus élevée de malt torréfié et foncé que la plupart de ses cousines du même style.

Épicerie	Toute l'année

Une mousse de couleur moka et une couleur noire opaque forment un duo intéressant. Au nez, les arômes de café et de latte sont très marquants. En bouche, les saveurs sont celles du café espresso et des malts torréfiés. L'amertume provient principalement des céréales utilisées et la finale offre une amertume légèrement plus sèche, signe d'un houblonnage pertinent.

SUGGESTION
Un fromage bleu très crémeux d'Europe du Nord.

APPRÉCIATION
Les Stouts sont des bières que plusieurs n'apprécient pas à cause de leur amertume liée à la torréfaction des malts et au houblonnage souvent plus puissant pour compenser la légère acidité des céréales utilisées. Dans le cas de la St-Ambroise noire, celle-ci fait fi des réticences.

Noire

Amère

STOUT

	FAIBLE							FORT
Arrière-goût	1	1,5	2	2,5	3	3,5	4	4,5	5
Caractère	1	1,5	2	2,5	3	3,5	4	4,5	5

	FROIDE							TIÈDE
Température	1	1,5	2	2,5	3	3,5	4	4,5	5

THE TOM GREEN BEER !

Beau's

600 ml	ONTARIO	5 % alc./vol.

Beau's All Natural et l'acteur canadien Tom Green ont collaboré pour réaliser cette bière. Elle est aujourd'hui disponible au Québec, car la brasserie a créé un partenariat avec un réseau de distribution.

Toute l'année	Épicerie

La mousse typique d'un Stout, un noir tirant plus vers le brun et des saveurs de malts torréfiés, chocolat et café. Difficile de dire si on boit un Stout ou un Porter. En bouche, la bière est ronde et crémeuse, et laisse place à une amertume typique des grains torréfiés. La finale est plus sèche et encore une fois sur l'amertume du grain.

SUGGESTION

La bière idéale pour la superbe pièce de viande vieillie 48 jours que vous cuirez, comme un pro, sur votre nouveau BBQ après avoir invité vos amis à refaire votre terrasse en bois. C'est un rendez-vous !

NOUVEAUTÉ ET CETTE ÉDITION

APPRÉCIATION

Proche d'un Porter mais ayant les caractéristiques d'un Stout, cette bière désaltérante est capable d'accompagner une pièce de bœuf cuite parfaitement.

Noire

Amère

	FAIBLE							FORT
Arrière-goût	1	1,5	2	2,5	3	3,5	4	4,5	5
Caractère	1	1,5	2	2,5	3	3,5	4	4,5	5

	FROIDE							TIÈDE
Température	1	1,5	2	2,5	3	3,5	4	4,5	5

BLACK IPA — Brasserie Dunham

341 ml	QUÉBEC	5,7 % alc./vol.

Inspirée des Black IPA américaine, la version de la Brasserie Dunham est houblonnée avec du houblon Centennial et Chinook. Le meilleur d'un Stout et d'une IPA selon la brasserie.

Épicerie   Toute l'année

La mousse est dense et loin d'être discrète. La couleur est d'un noir opaque, rien ne transperce. Au nez, des notes franches de houblon résineux sont suivies par les saveurs torréfiées des céréales. En bouche, la bière offre tout d'abord la douceur d'un Stout suivie d'une finale amère et légèrement maltée, signe d'un houblonnage puissant.

SUGGESTION

Un chocolat 99 % cacao. Laissez-le fondre sur la langue et arrosez-le d'une bonne gorgée de bière. Bienvenue au paradis du cacao.

APPRÉCIATION

Appréciant la douceur du malt torréfié et l'amertume d'une India Pale Ale, l'amateur sera conquis par cette bière qui offre un équilibre étonnant. Elle a juste un petit défaut, elle n'est disponible qu'en format de 341 ml.

Noire
Tranchante

BLACK IPA

	FAIBLE								FORT
Arrière-goût	1	1,5	2	2,5	3	3,5	4	4,5	5
Caractère	1	1,5	2	2,5	3	3,5	4	4,5	5
	FROIDE								TIÈDE
Température	1	1,5	2	2,5	3	3,5	4	4,5	5

341 ml	QUÉBEC	8,6 % alc./vol.

La microbrasserie Dunham est reconnue pour brasser des produits originaux et très tendance. Mais elle arrive encore à nous surprendre avec quelques bières d'exception, de celles qui ont fait les grandes années des nouveaux styles contemporains.

Toute l'année — **Épicerie**

Une mousse riche et crémeuse de couleur moka invite à la dégustation. Au nez, la résine des houblons et la torréfaction des malts se partagent l'attention. La bière est riche, alcoolisée, sucrée et très bien houblonnée, et laisse une finale sur l'amertume très longue, vite rattrapée par celle du grain.

SUGGESTION
Un Old Amsterdam de quelques années.

APPRÉCIATION
Une des meilleures Imperial Black IPA sur le marché. Elle offre tout ce qu'on désire de ce genre de bière : puissance, saveurs, amertume et expérience.

NOUVEAUTÉ *EN CETTE ÉDITION*

Noire Tranchante

	FAIBLE							FORT
Arrière-goût	1	1,5	2	2,5	3	3,5	4	4,5	5

	FAIBLE							FORT
Caractère	1	1,5	2	2,5	3	3,5	4	4,5	5

	FROIDE							TIÈDE
Température	1	1,5	2	2,5	3	3,5	4	4,5	5

FRUITÉES

Des bières offrant des saveurs et des arômes liés aux fruits utilisés dans la recette. Contrairement à la croyance, elles ne sont pas forcément sucrées.

DOUCES

RONDE

AMÈRES

ACIDULÉES

LA BLANCHE AUX BLEUETS SAUVAGES   Microbrasserie du Lièvre

341 ml	QUÉBEC	6,7 % alc./vol.

Les bleuets sont cueillis à la main, la quantité est limitée et le produit n'est pas disponible tout le temps. Voilà de quoi vous convaincre de l'essayer.

Épicerie   Été

La couleur tire sur l'ambré, les notes de bleuets sont relativement discrètes mais présentes. En bouche, la bière est douce et le fruit se présente bien. Voilà une bière désaltérante qui offre cependant un beau corps sucré et fruité.

SUGGESTION
Un gâteau des anges, de la crème fraîche et quelques bleuets.

APPRÉCIATION
L'amateur de bières douces et fruitées sera comblé. Mention spéciale au brasseur, qui nous a fait une bière pas trop sucrée, encore plus désaltérante.

Fruitée

Douce

BIÈRE AUX FRUITS

	FAIBLE							FORT
Arrière-goût	1	1,5	2	2,5	3	3,5	4	4,5	5
Caractère	1	1,5	2	2,5	3	3,5	4	4,5	5

	FROIDE							TIÈDE
Température	1	1,5	2	2,5	3	3,5	4	4,5	5

ROSÉE D'HIBISCUS

Dieu du Ciel !

341 ml	QUÉBEC	5,9 % alc./vol.

Même si l'hibiscus est une plante et non un fruit, cette Rosée d'Hibiscus entre dans la catégorie des bières aux fruits et ses arômes vous convaincront.

Toute l'année	Épicerie

Servie dans une flûte, cette bière est élégante et sa couleur est très invitante. Sa mousse se dissipe doucement, laissant le temps à vos convives de vous remercier de les accueillir. C'est une bière apéritive. Des notes fruitées sont agréables au nez. En bouche, elle est douce, même si une légère acidité provenant des céréales utilisées se fait sentir. Sa finale est agréable et plaira aux convives n'appréciant pas les bières houblonnées.

SUGGESTION
Quelques sashimis de thon blanc servis à l'apéritif.

APPRÉCIATION
Une bière fort appréciée pour les apéritifs. Servie dans une flûte, elle est la parfaite compagne pour votre premier verre entre amis. Son excellent rapport qualité-prix lui vaut d'être dégustée à tout moment.

Fruitée

Douce

	FAIBLE							FORT
Arrière-goût	1	1,5	2	2,5	3	3,5	4	4,5	5
Caractère	1	1,5	2	2,5	3	3,5	4	4,5	5

	FROIDE							TIÈDE
Température	1	1,5	2	2,5	3	3,5	4	4,5	5

BIÈRE AUX FRUITS

SAINT-BARNABÉ SUD

Le Bilboquet

500 ml	QUÉBEC	5 % alc./vol.

Brassée avec des fraises cueillies dans la municipalité de Saint-Barnabé Sud, cette bière aux
fraises est disponible chaque année à la fin de
l'été. Les propriétaires brasseurs invitent famille
et amis pour cueillir et nettoyer les fraises.

Épicerie	Été

Une belle effervescence accompagne une
mousse dense et généreuse. L'effet est garanti
dans une flûte. Au nez, des arômes marqués de
beurre de fraise sont merveilleux. En bouche,
la bière est douce et fruitée. Aucune aigreur ne
dérange cette douceur et la très légère acidité
des fruits qui s'exprime timidement en finale
est splendide.

SUGGESTION

Accompagnez cette
Saint-Barnabé Sud de
fraises du Québec et
d'une crème Chantilly
maison. Succès garanti.

APPRÉCIATION

Des arômes et des
saveurs de fraise sans
aucune timidité sont
les points forts de cette
bière aux fruits. Les
copropriétaires voulaient
offrir une bière aux fruits
sans complexe, voilà qui
est bien réussi.

Fruitée

Douce

BIÈRE AUX FRUITS

	FAIBLE							FORT
Arrière-goût	1	1,5	2	2,5	3	3,5	4	4,5	5
Caractère	1	1,5	2 ▼	2,5	3	3,5	4	4,5	5

	FROIDE							TIÈDE
Température	1	1,5	2	2,5	3 ▼	3,5	4	4,5	5

ÉPHÉMÈRE POIRE

Unibroue

341 ml	QUÉBEC	5,5 % alc./vol.

La toute nouvelle de la gamme Éphémère nous propose des notes de poire. Elle est disponible en différents formats.

Toute l'année	Épicerie

Un nez plus levuré que la plupart des Éphémères que j'ai goûtées. On y distingue cependant quelques discrètes notes de poire. En bouche, la bière propose une finale sur le sucre mais pas trop prononcée, elle reste désaltérante. La poire se fait discrète tout au long de la dégustation.

SUGGESTION
Une bière apéritive à partager avec quelques fromages frais et un peu de soleil.

APPRÉCIATION
Avec Unibroue, on ne se trompe pas. Le produit est de qualité et il cadre bien avec la description sur la contre-étiquette. Cette Éphémère ne tombe pas dans la caricature des bières aux fruits exponentiellement trop fruitées.

NOUVEAUTÉ DE CETTE ÉDITION

Fruitée

Ronde

	FAIBLE							FORT
Arrière-goût	1	1,5	2	2,5	3	3,5	4	4,5	5
Caractère	1	1,5	2	2,5	3	3,5	4	4,5	5
	FROIDE							TIÈDE
Température	1	1,5	2	2,5	3	3,5	4	4,5	5

BIÈRE AUX FRUITS

ROUSSE FORTE AUX FRUITS

La Barberie

500 ml	QUÉBEC	7,5 % alc./vol.

Basée sur le style Red Ale, la bière est fermentée avec des petits fruits rouges qui lui donnent un caractère particulier.

Épicerie	Toute l'année

Au nez, des notes de fruits rouges sont très présentes, il n'y a aucun doute. En bouche, la bière est légèrement acidulée et laisse venir une finale pointant une légère amertume. Le fruit revient à la toute fin. On s'attendait à une bière plus sucrée et on est agréablement surpris.

SUGGESTION

Un fromage triple crème, les deux vous feront penser à un yaourt aux fruits.

APPRÉCIATION

Vous cherchez une bière aux fruits ni trop sucrée ni trop acide ? Vous voilà servi. Cette Rousse aux fruits, servie bien fraîche, fera un très agréable apéritif.

Fruitée

Amère

BIÈRE AUX FRUITS

	FAIBLE							FORT
Arrière-goût	1	1,5	2	2,5	3	3,5	4	4,5	5
Caractère	1	1,5	2	2,5	3	3,5	4	4,5	5

	FROIDE							TIÈDE
Température	1	1,5	2	2,5	3	3,5	4	4,5	5

ST-AMBROISE FRAMBOISE

McAuslan

341 ml	QUÉBEC	5 % alc./vol.

Bière fruitée avec un caractère houblonné, elle est une des très rares bières du Québec à offrir une légère amertume pour une bière aux fruits. Disponible une fois par année, elle doit être consommée rapidement pour profiter de la fraîcheur de la framboise.

Printemps   **Épicerie**

Une magnifique dentelle se forme sur les parois du verre. La couleur rouge rubis est des plus invitantes. Au nez, des notes sucrées du jus de framboise se présentent sans aucune gêne. En bouche, la bière est beaucoup moins sucrée que ce que laissent croire ses arômes. Le houblon offre un équilibre intéressant et désaltérant.

SUGGESTION
Un fromage triple crème sans la croûte, car elle risque d'accentuer l'amertume de la bière.

APPRÉCIATION
Une bière aux fruits pour les amateurs de houblon. Elle offre un profil fruité agréable avec un étalement houblonné qui lui va à ravir. Voilà pourquoi je la sers dans une tulipe et non une flûte, elle se boit à table, sans aucun complexe.

Fruitée
Amère

	FAIBLE						FORT	
Arrière-goût	1	1,5	2	2,5	3	3,5	4	4,5	5
Caractère	1	1,5	2	2,5	3	3,5	4	4,5	5

	FROIDE						TIÈDE	
Température	1	1,5	2	2,5	3	3,5	4	4,5	5

BIÈRE AUX FRUITS

LA PERRUCHE

Corsaire

| 473 ml | QUÉBEC | 4,6 % alc./vol. |

Dans certains pays, on consomme un vin de sureau, une baie au goût légèrement acidulé. Dans ce cas-ci, la microbrasserie Corsaire l'utilise pour aromatiser une bière à base de blé et de malt.

| Épicerie | Toute l'année |

Une belle couleur rosée aux reflets orangés se démarque. Au nez, la bière présente des notes légères de fruits. En bouche, l'acidité du sureau est présente sans être excessive, appuyée par la légère acidité du blé et une bonne base maltée pour équilibrer le tout.

SUGGESTION
Un fromage frais de chèvre.

APPRÉCIATION
Légèrement acidulée, cette Blanche au sureau plaira aux convives qui désirent se rafraîchir avec une bière originale.

Fruitée

Acidulée

	FAIBLE							FORT
Arrière-goût	1	1,5	2	2,5	3	3,5	4	4,5	5
Caractère	1	1,5	2	2,5	3	3,5	4	4,5	5

	FROIDE							TIÈDE
Température	1	1,5	2	2,5	3	3,5	4	4,5	5

LIME ET FRAMBOISE

La Barberie

500 ml QUÉBEC 5 % alc./vol.

La Lime et Framboise était très populaire au bar de la brasserie. La Barberie l'a d'abord proposée en bouteille dans le cadre d'une collaboration avec Bières et Plaisirs. Elle est aujourd'hui disponible sous sa propre marque.

Printemps Épicerie

Sa couleur miel trompe son nez de flaveurs fruitées et framboisées. En bouche, l'acidité de la lime se marie à merveille avec la fraîcheur de la framboise. La bière n'est pas trop sucrée, elle est désaltérante.

SUGGESTION

Un guacamole frais maison sur des tortillas maison.

APPRÉCIATION

À servir dans une flûte, cette bière sera la parfaite complice de vos apéritifs et plaira à vos convives. Il n'est pas nécessaire de préciser que c'est une bière, les préjugés tomberont tout seul.

Fruitée / **Acidulée**

	FAIBLE							FORT
Arrière-goût	1	1,5	2	2,5	3	3,5	4	4,5	5
Caractère	1	1,5	2	2,5	3	3,5	4	4,5	5

	FROIDE							TIÈDE
Température	1	1,5	2	2,5	3	3,5	4	4,5	5

BIÈRE AUX FRUITS

BRASSERIES DANS CE LIVRE

AB-INBEV
www.ab-inbev.com

À L'ABRI DE LA TEMPÊTE
286, chemin Coulombe
L'Etang-du-Nord, Îles-de-la-
Madeleine (Qc) G4T 3V5
www.alabridelatempete.com

À LA FUT
670, rue Notre-Dame
Saint-Tite (Qc) G0X 3H0
www.alafut.qc.ca

ALCHIMISTE
681, rue Marion
Joliette (Qc) J6E 8S3
www.lalchimiste.ca

ARCHIBALD
La microbrasserie
1530, avenue des Affaires
Québec (Qc) G3J 1Y8
www.archibaldmicrobrasserie.ca

Les restaurants
1021, boulevard du Lac
Lac-Beauport (Qc) G3B 0X1

1240, autoroute Duplessis
Québec (Qc) G2G 2B5

3965, rue Bellefeuille
Trois-Rivières (Qc) G9A 6K8

975, boulevard Roméo-
Vachon N. (porte 4 ou 5)
Dorval (Qc) H4Y 1H1

BARBERIE, LA
310, rue Saint-Roch
Québec (Qc) G1K 6S2
www.labarberie.com

BEAU'S ALL NATURAL BREWING COMPANY
10, Terry Fox Drive
Vankleek Hill (On) K0B 1R0
beaus.ca/fr

BELGH BRASSE
8, rue de la Brasserie
Amos (Qc) J9T 3A2
www.belghbrasse.com

BIÈRES JUKEBOX
https://www.facebook.
com/pages/Bières-
Jukebox/145333718938314

BILBOQUET, LE
1850, rue des Cascades O.
Saint-Hyacinthe (Qc) J2S 3J3
www.lebilboquet.qc.ca

BRASSERIE DE L'ABBAYE NOTRE-DAME DE SAINT-RÉMY À ROCHEFORT
www.abbaye-rochefort.be

BRASSERIE DE KONINGSHOEVEN
www.koningshoeven.nl/fr/
abbaye/brasserie.php

BRASSERIE DUNHAM
3809, rue Principale
Dunham (Qc) J0E 1M0
www.brasseriedunham.com

BRASSERIE LES 2 FRÈRES
3082, rue Joseph Monier
Terrebonne (QC) J6X 4R1
https://www.facebook.com/
brasserieles2freres

BRASSEUR DE MONTRÉAL
1483, rue Ottawa
Montréal (Qc) H3C 1S9
www.brasseurdemontreal.ca

BRASSEURS DU MONDE
6600, boulevard Choquette
Saint-Hyacinthe (Qc) J2S 8L1
www.brasseursdumonde.com

BRASSEURS DU NORD, LES
875, boulevard Michèle-Bohec
Blainville (Qc) J7C 5J6
www.boreale.qc.ca

BRASSEURS DU TEMPS, LES
170, rue Montcalm
Gatineau (Qc) J8X 2M2
www.brasseursdutemps.com

BRASSEURS ILLIMITÉS
385, rue du Parc, local 102
Saint-Eustache (Qc) J7R 0A3
www.brasseursillimites.com

BRASSEURS RJ, LES
5585, rue de la Roche
Montréal (Qc) H2J 3K3
www.brasseursrj.com

BRASSEURS SANS GLUTEN
2350, rue Dickson, local 950
Montréal (Qc) H1N 3T1
glutenberg.ca

BRAUEREI HELLER
www.schlenkerla.de

BROADWAY MICROBRASSERIE
540, avenue Broadway
Shawinigan (Qc) G9N 1M3
www.bwmicrobrasserie.com

CHIMAY PÈRES TRAPPISTES
chimay.com

CHOUAPE, LA
1164, boulevard Sacré-Cœur
Saint-Félicien (Qc) G8K 2N8
www.lachouape.com

CORSAIRE
La microbrasserie
8780, boulevard
Guillaume-Couture
Lévis (Qc) G6V 9G9
www.corsairemicro.com

Le pub
5955, rue Saint-Laurent,
suite 101, Lévis (Qc) G6V 3P5

CREEMORE SPRINGS BREWERY
139, Mill Street
Creemore (On) L0M 1G0
www.creemoresprings.com

DIEU DU CIEL !
La brasserie artisanale
29, rue Laurier Ouest
Montréal (Qc) H2T 2N2
www.dieuduciel.com

La microbrasserie
259, rue de Villemure
Saint-Jérôme (Qc) J7Z 5J4

FARNHAM ALE & LAGER
401, boulevard Normandie N.
Farnham (Qc) J2N 1W5
www.farnham-alelager.com

FRAMPTON BRASSE
430, 5e rang
Frampton (Qc) G0R 1M0
www.framptonbrasse.com

GRANVILLE ISLAND BREWING
1441, Cartwright Street
Vancouver (BC) V6H 3R7
fr.gib.ca

HELM MICROBRASSERIE
273, rue Bernard O.
Montréal (Qc) H2V 1T5
www.helm-mtl.ca

HOPFENSTARK
La microbrasserie
643, boulevard de L'Ange-Gardien
L'Assomption (Qc) J5W 1T1

Le bar Station HO.ST
1494, rue Ontario Est
Montréal (Qc) H2L 1S3
www.hopfenstark.com

KROMBACHER
www.krombacher.com

MCAUSLAN
5080, rue Saint-Ambroise
bureau 100,
Montréal (Qc) H4C 2G1
www.mcauslan.com

MICROBRASSERIE CHARLEVOIX
6, rue Paul-René Tremblay
Baie-Saint-Paul (Qc) G3Z 3E4

Restaurant Le Saint-Pub
2, rue Racine
Baie-Saint-Paul (Qc) G3Z 2P8
www.microbrasserie.com

MICROBRASSERIE DE L'ÎLE D'ORLÉANS
3887, chemin Royal
Sainte-Famille,
Île d'Orléans (Qc) G0A 3P0
www.microorleans.com

MICROBRASSERIE DU LAC SAINT-JEAN
120, rue de la Plage
Saint-Gédéon (Qc) G0W 2P0
www.microdulac.com

MICROBRASSERIE DU LIÈVRE
131, boulevard Albiny Paquette
Mont-Laurier (Qc) J9L 1J2
www.microdulievre.com

MICROBRASSERIE KRUHNEN
115, rue Gaston-Dumoulin,
local 105
Blainville (Qc) J7C 6B4
kruhnen.com

MICROBRASSERIE LE CASTOR
67, chemin des Vinaigriers
Rigaud (Qc) J0P 1P0
www.microlecastor.ca

MICROBRASSERIE LE NAUFRAGEUR
586, boulevard Perron
Carleton-sur-mer (Qc) G0C 1J0
www.lenaufrageur.com

MICROBRASSERIE ST-ARNOULD
435, rue des Pionniers
Mont-Tremblant (Qc) J8E 2S1
www.saintarnould.com

MOLSON COORS
www.molsoncoors.com

MULTI-BRASSES
1209, rue Saint-Joseph
Tingwick (Qc) J0A 1L0
www.multi-brasses.com

ORVAL
http://www.orval.be/fr/8/
Brasserie

PIT CARIBOU
27, rue de L'anse
Gaspé (Qc) G4X 4E3
www.pitcaribou.com

SAMUEL ADAMS
www.samueladams.com

SCHNEIDER WEISSE
www.schneider-weisse.de

TRÈFLE NOIR, LE
La brasserie artisanale
125 A, Jacques Bibeau
Rouyn-Noranda (Qc) J9Y 0A3
www.letreflenoir.com

Le pub
145, avenue principale
Rouyn-Noranda (Qc) J9X 4P3

TROIS MOUSQUETAIRES, LES
3755-C, boulevard Matte
Brossard (Qc) J4Y 2P4
www.lestroismousquetaires.ca

TROU DU DIABLE, LE
Broue Pub et restaurant
412, avenue Willow
Shawinigan (Qc) G9N 1X2

La microbrasserie
1250, avenue de la Station
suite 300
Shawinigan (Qc) G9N 8K9
www.troududiable.com

UNIBROUE
80, rue des Carrières
Chambly (Qc) J3L 2H6
www.unibroue.com

WEIHENSTEPHAN BRAUEREI
weihenstephaner.de

Note aux lecteurs: les adresses de sites Web listées dans ce livre sont exactes au moment de la publication. Cependant, en raison de la nature changeante d'Internet, les adresses des sites Web et leurs contenus peuvent changer. L'éditeur ne peut pas être tenu pour responsable des changements dans les adresses des sites Web ou de leurs contenus.

INDEX

Les brasseries, microbrasseries et brasseurs sont indiqués en gras.

INDEX DES STYLES

REMERCIEMENTS

– À Pierre, pour m'avoir montré que vivre de sa passion est la plus belle expérience de vie.

– À Marie-ève, pour ton soutien inconditionnel.

– À Laurent, pour tes conseils avisés.

– À l'ensemble des lecteurs de Bières et Plaisirs, pour votre confiance depuis bientôt 10 ans.